Le fier conquérant

Brenda Joyce

Le fier conquérant

Traduit de l'américain
par Elena Brendan

Éditions J'ai lu

Titre original :

THE CONQUEROR
Published by Dell Publishing a division
of Bantam Doubleday Dell Publishing Group, Inc.

1

Aux environs de York, juin 1069

— Monseigneur ?

— Rameutez tous ces gueux !

Impassible, Ralph de Warenne observa son vassal Guy Le Chante tourner bride et rassembler ses chevaliers. Il se tenait immobile au beau milieu du chemin, juché sur son grand étalon gris. Il avait ôté son casque, et d'épaisses boucles dorées retombaient en désordre sur son front. Le lourd haubert moulait ses larges épaules. Il gardait prudemment la main sur le pommeau de son épée.

Tout autour de lui, le sol était jonché de cadavres : les dépouilles des rebelles saxons qu'on venait d'achever sans merci. La bataille était gagnée et Ralph sentait encore son cœur battre à tout rompre. Une fois de plus, il avait nettoyé un repaire ennemi, mais le roi ne s'en contenterait certainement pas. Ces contrées nordiques n'étaient pas encore entièrement soumises. Quinze jours plus tôt, Guillaume le Conquérant avait réuni ses vassaux à York. Ils avaient repoussé l'envahisseur danois et repris la ville aux Saxons qui s'étaient réfugiés derrière les frontières galloises. C'était le deuxième soulèvement qu'ils réprimaient, et le roi Guillaume était d'autant plus furieux que les seigneurs saxons Edwin et Morcar leur avaient à nouveau échappé.

— Pas de pitié pour ces barbares ! avait-il rugi. Nous brûlerons jusqu'à la dernière masure pour qu'ils comprennent qui est leur souverain !

Cette décision était sans appel.

Les hommes de Ralph poussèrent une poignée de paysans hors du village. Comme tant d'autres, ce hameau se résumait à une douzaine de chaumières exiguës, un moulin à eau, quelques prés pour le bétail, un champ de blé et de petits potagers.

Un hurlement fusa parmi les prisonniers, attirant l'attention de Ralph. Une jeune femme s'agrippait désespérément au bras de Guy qui levait son épée pour décapiter une truie. Indifférent à ces protestations, le vassal trancha le cou de la bête. Un jaillissement de sang éclaboussa les jupes de la serve.

Ralph contemplait la scène avec intérêt. L'effrontée possédait la plus magnifique chevelure qu'il ait jamais vue. Dans les rayons du soleil, la longue crinière fauve semblait ruisseler d'or.

La fille demeura paralysée d'effroi. L'un des fermiers lui prit la main et l'entraîna vers les autres villageois terrifiés, tandis que Guy s'éloignait au petit trot. Ralph ne pouvait détacher son regard de la superbe créature. Un âpre désir monta en lui. Cette fille, il la lui fallait, elle serait à lui... bientôt...

Les soldats avaient égorgé deux bœufs et suffisamment de moutons pour nourrir l'ensemble de la troupe. Ralph héla Guy.

— Incendiez tout le village ! enjoignit-il, d'un ton sans réplique.

— Même le champ de blé ?

Ralph serra les mâchoires. S'ils perdaient leur

récolte, les paysans mourraient sans doute de faim durant l'hiver mais l'ennemi perdrait ainsi un de ses points d'appui.

— Même le champ de blé !

Guy se détourna et rallia ses troupes de mauvaise grâce. A la différence des nombreux mercenaires qui avaient débarqué en Angleterre, ses hommes n'étaient pas de vulgaires pillards. Bien entraînés, ils constituaient un corps d'élite exclusivement attaché au service du Roi. Depuis des années ils avaient combattu avec acharnement pour conquérir le Duché de Normandie, résistant aux invasions en France et en Anjou. En comparaison, la bataille d'Hastings n'avait été qu'un jeu d'enfant. Les Saxons s'étaient révélés de piètres adversaires. En fait, ils ne représentaient une réelle menace que dans les collines et les forêts frontalières où ils s'étaient retranchés.

La tension montait chez les paysans. Ralph aperçut la jeune femme aux cheveux de miel qui se débattait furieusement pour échapper à un homme et à une vieille femme qui tentaient de la retenir. Elle réussit soudain à se libérer et se mit à courir vers le seigneur de Warenne, dans un envol de jupons qui dévoila ses jambes galbées.

— Je vous en supplie, Monseigneur ! Ayez pitié ! implora-t-elle, les mains jointes. Épargnez-nous !

La fille était couverte de boue des pieds à la tête. Mais Ralph ne voyait que l'adorable frimousse à l'ovale parfait, les hautes pommettes délicatement rosées, le petit nez aristocratique et les immenses prunelles violettes. Et cette bouche ! Charnue, purpurine, plus que prometteuse...

« Trop belle pour être une simple paysanne, songea Ralph. C'est sans doute une bâtarde de quelque gentilhomme. »

Ignorant la supplique déchirante, il contempla, impassible, la première hutte qui s'embrasait. En quelques instants, il ne resta plus que des cendres... Rapidement, le village tout entier fut la proie des flammes. Mais ce spectacle ne lui procura aucune satisfaction. Il se contentait d'obéir aux ordres du roi. Le guerrier qu'il était savait que ce châtiment impitoyable était la seule façon de mettre un terme à la rébellion.

Dans un geste éperdu, la jeune femme s'accrocha à la botte de Ralph, qui se dégagea nerveusement, tandis que son ombrageux coursier se cabrait. Il le maîtrisa, et jeta à la paysanne un regard à la fois furibond et incrédule.

— Pour l'amour du Ciel, ne touchez pas au blé ! sanglota-t-elle. Je vous en prie !

Il se renfrogna à l'idée que cette superbe donzelle allait mourir de faim avec les siens. Mais déjà d'épaisses volutes de fumée recouvraient le champ. Elle laissa échapper un gémissement rauque et se mit à courir en titubant vers les bois. Ralph suivit des yeux la fine silhouette qui s'éloignait. Le hameau n'était plus maintenant qu'un immense brasier. Leur tâche accomplie, Guy et Beltain se lancèrent à la poursuite de la fugitive. Visiblement, ils convoitaient le même gibier que Ralph. Piqué au vif, ce dernier éperonna sa monture et eut tôt fait de les rattraper. Il les doubla au grand galop. Courtoisement, Guy et Beltain lui abandonnèrent le terrain et s'en retournèrent vers le village.

La fille continuait de courir, comme si la peur lui donnait des ailes. Une folle frénésie s'empara de Ralph. Il imaginait déjà les douces courbes féminines et la chaleur moite de ce corps affriolant.

Elle trébucha, et jeta un regard en arrière vers son poursuivant avant de reprendre sa course. Parvenu à sa hauteur, il se pencha pour l'arracher du sol et la coucher en travers de sa selle. Elle poussa un cri de révolte mais se cramponna à lui pour ne pas tomber. Tout en la maintenant plaquée contre ses cuisses, Ralph tira violemment sur les rênes pour arrêter sa monture.

La fille se démenait comme une diablesse, mais Ralph était trop fort pour elle. Il sauta de son cheval et la jeta par terre d'un geste brutal.

L'espace d'une seconde, ils se défièrent du regard, puis il la saisit aux cheveux et se laissa choir sur elle, tout en retroussant les jupons crottés. Elle se débattait mais il la cloua au sol d'une main, tandis que, de l'autre, il lui écartait les cuisses.

— Mes frères... ils vous tueront... ! haleta-t-elle.

Ralph la bâillonna d'un baiser impérieux, forçant les lèvres qui se refusaient. Il s'attarda un instant sur la poitrine généreuse de sa proie, avant d'aventurer la main vers le joyau de sa féminité.

— Ils vous tueront ! répétait-elle avec véhémence.

Elle gisait écartelée sous lui et Ralph perdit la tête. Il déchira le corsage, révélant les rondeurs exquises de la gorge nacrée. Autour du cou, elle portait une sorte de petite bourse qu'il regarda avec étonnement. Profitant de ce répit, elle tenta de lui labourer le visage de ses ongles, mais il saisit le fin poignet au vol et le broya cruellement, lui arrachant un gémissement sourd. Il lui ramena les bras au-dessus de la tête, puis prit goulûment l'un des mamelons dans sa bouche pour en titiller la pointe avec sa langue.

La fille s'agitait convulsivement. Sa résistance ne fit qu'attiser l'ardeur de Ralph. Les sanglots de la malheureuse se mêlaient à la respiration haletante de son persécuteur.

Il s'apprêtait à la pénétrer quand un bruit de

galop l'arrêta. Se relevant d'un bond, il dégaina son épée.

— Monseigneur, arrêtez !

C'était la voix de Guy. Le cavalier apparut et mit pied à terre. Ralph brandit sa lame et parut un instant sur le point d'occire son meilleur compagnon.

— Bon Dieu, Ralph, c'est la sœur de Mercia ! s'écria Guy.

— Quoi ?

— Oui, la sœur d'Edwin et de Morcar !

Abasourdi, Ralph fit volte-face et détailla la jeune fille recroquevillée sur le sol, celle qu'il avait été sur le point de violer, *sa promise*.

2

Célia gisait pantelante dans la poussière. Dans sa tête résonnaient encore le martèlement furieux des sabots et le hennissement menaçant du destrier qui avait failli la piétiner. Massacrer d'innocentes victimes était sans doute le passe-temps favori de ces ignobles soudards !

Sa chair endolorie portait encore l'empreinte des doigts d'acier de son agresseur. Elle se sentait profondément souillée par le contact de cette bouche sauvage sur sa gorge, de cette main impérieuse sur la peau satinée de ses cuisses, de ce sexe... Sainte Mère de Dieu !

D'ordinaire elle comprenait le normand, mais à cet instant elle était trop bouleversée pour saisir le sens de la conversation qui se déroulait devant elle. Elle entendit pourtant à plusieurs reprises prononcer le nom de son frère Mercia. Elle tenta de réprimer le tremblement qui la secouait et dressa l'oreille.

— Sacrebleu ! tonna Ralph. La sœur de Morcar ? C'est impossible !

Un lourd silence s'installa entre les deux hommes. Le regard insistant du guerrier mettait Célia au supplice. Dieu, comme elle le haïssait !

— Je l'ai appris de la bouche même des culs-terreux, reprit Guy. C'est plausible, nous ne sommes qu'à quelques lieues d'Aelfgar.

Célia se raidit : ils avaient découvert son identité ! Se redressant lentement, elle rassembla sur sa poitrine les pans de sa robe déchirée, tout en toisant le sire de Warenne avec mépris. Il se rembrunit et elle se rendit compte que cette hargne était dirigée contre elle. Pourquoi ? Pour son attitude insolente ? Pour avoir échappé à sa lubricité ? Ou parce qu'il savait désormais qui elle était... ?

Comme il esquissait un geste vers elle, Célia eut un mouvement de recul. Mais elle se ressaisit et releva fièrement le menton. Son cœur battait la chamade. Il pouvait la violenter, la torturer, et même la tuer, jamais elle ne lui avouerait la terreur qu'il lui inspirait !

Contre toute attente, il s'immobilisa soudain, fixant sa prisonnière, l'air ahuri. Ce n'était pas la première fois que Célia rencontrait une telle expression. Les gens étaient tout d'abord surpris, puis intrigués, et enfin horrifiés. Guy Le Chante recula d'un pas.

— On m'en avait parlé mais je ne pouvais y croire, murmura-t-il nerveusement, incapable de détacher son regard de la fille. C'est l'œil du Diable !

Cette tare avait hanté toute la vie de Célia : à certains moments, en particulier lorsqu'elle était très fatiguée, son œil se révulsait dans son orbite. Ce défaut était à peine perceptible, mais suffisait à épouvanter son entourage persuadé qu'elle était capable de regarder dans deux directions opposées en même temps. Les étrangers qui remarquaient son « mauvais œil » se signaient et prenaient la fuite. Les habitants d'Aelfgar et nombre de ses parents du côté de sa mère s'y étaient habitués et savaient qu'elle n'avait rien de maléfique. Mais le fait qu'elle puisse soulager les maux, comme sa grand-mère, ne faisait que les conforter dans leur opinion : Célia était une sorcière qui leur inspirait à tous crainte et respect. Seuls les frères de la jeune femme ne s'en formalisaient pas, et elle en remerciait le Ciel. Morcar lui avait même demandé une fois d'ensorceler une donzelle qui se jouait de lui.

Là, devant ces Normands qui la guignaient sans vergogne, Célia s'empourpra violemment.

— Ce n'est pas une sorcière, déclara Ralph après avoir minutieusement étudié ses traits. Pour moi c'est une femme, un être de chair, et je m'en contenterai.

— Soyez prudent, Monseigneur ! protesta Guy.

Sans tenir compte de cet avertissement, Ralph rengaina son épée et, les poings sur les hanches, se planta devant la créature.

— Êtes-vous Lady Alice ?

Elle cilla, étonnée, puis comprit : il la prenait pour sa demi-sœur ! Elle n'allait certainement pas le détromper. Alice n'était pas une bâtarde, mais une aristocrate qui inspirait le respect. Tout dépendait bien sûr des intentions de ce porc de Normand ! Célia usurperait donc le rang de sa sœur, pour se préserver d'un viol certain, et peut-être même pire...

— Oui, acquiesça-t-elle d'une voix ferme.

Un sourire éclaira brusquement le visage du guerrier et Célia en demeura abasourdie. Elle se rappelait son air féroce lorsqu'il l'avait pourchassée sur son destrier, tel un dieu païen, et son attitude impassible quand elle l'avait supplié d'épargner le blé. A cet instant elle réalisa combien il était séduisant avec ses courtes boucles blondes, ses iris d'un bleu métallique, ses magnifiques dents blanches, et ses traits réguliers, comme taillés à la serpe. Elle était incapable de détacher son regard de ce visage altier.

— Qu'en penses-tu, Guy ? fit-il, goguenard.

Guy resta silencieux, mais son désarroi était éloquent.

Ralph enveloppa Célia d'un regard si possessif qu'une bouffée de colère s'empara d'elle. Il ne semblait nullement effrayé, maintenant qu'il connaissait la vérité. Elle voulut se relever et il lui tendit la main pour l'aider. Furieuse, elle l'esquiva. S'il en fut contrarié, il n'en laissa rien paraître. Seul son sourire disparut de ses lèvres.

— Que faites-vous aussi loin d'Aelfgar, Milady ? s'enquit-il sèchement. Et dans cet accoutrement ? Par les temps qui courent, c'est de l'inconscience.

Voilà qu'il se préoccupait de sa sécurité, maintenant. Quelle plaisanterie !

— En quoi cela vous regarde-t-il ? rétorqua-t-elle, l'air frondeur, bien qu'elle tremblât intérieurement. Dois-je me considérer comme votre captive ?

— Absolument pas, Milady. Je vais vous escorter jusqu'à Aelfgar, pour vous offrir ma protection.

— Je n'en ai nul besoin. Aelfgar n'est qu'à quelques kilomètres.

— Vous a-t-on jamais appris le respect pour vos gens ?

— Pour *mes* gens ? Certainement.

— Je vous raccompagnerai. Nous allons dresser le camp pour cette nuit.

— Vous me retenez contre mon gré ! s'indigna Célia.

— Vous êtes mon invitée, corrigea-t-il d'une voix ferme. Guy veillera à ce que vous ne manquiez de rien. Mais vous n'avez toujours pas répondu à ma question. Que faites-vous ici ?

Célia ne se leurrait pas. Elle était bel et bien prisonnière d'un ennemi exécré, et peut-être même de celui qui avait capturé ou tué ses frères.

— Je suis une espionne, ironisa-t-elle d'une voix suave. Cela me paraît évident !

— Ne me provoquez pas ! siffla-t-il.

— Je connais les vertus des plantes. Je suis venue guérir la truie.

Il lui lança un coup d'œil interloqué.

— La truie ?

Elle releva la tête, irritée. Était-il sourd ou idiot ? Les deux, bien sûr, puisqu'il était normand !

— N'oubliez pas que je suis une sorcière !

L'ombre d'un sourire apparut sur les lèvres du guerrier.

— Et vous ne jetez pas de sort à distance ?

Célia serra les dents. Il se moquait d'elle, à présent !

— Cette bête était une bonne reproductrice, elle souffrait de congestion. Mais cela n'a plus d'importance, n'est-ce pas ?

— Vous êtes venue jusqu'ici pour soigner un cochon ?

— Combien de fois faudra-t-il vous le répéter ?

Ralph s'adressa à Guy.

— C'est extraordinaire ! Je n'en crois pas mes yeux ! s'écria-t-il dans sa langue maternelle.

— Nous devrions peut-être la laisser partir, marmonna Guy. Elle pourrait bien nous envoûter.

— Elle a surtout besoin d'un mari qui lui apprenne où est la place d'une femme.

Son visage s'illumina un instant, comme s'il imaginait quelque scène plaisante. Puis ses yeux se rétrécirent.

— Elle était ici, avec les rebelles. Elle a dû leur servir de messager. Regarde ses vêtements ! Soigner une truie, tu parles ! Je parie qu'elle s'est déguisée pour porter un pli à ses traîtres de frères ! C'était habile, mais si elle croit m'abuser de la sorte...

— Doux Jésus ! murmura Guy.

Les deux soldats se retournèrent vers la jeune femme. Célia baissa les yeux, feignant de n'avoir pas suivi la conversation. Oh, pourquoi avait-elle parlé ? On était en temps de guerre ! Il fallait être folle pour laisser entendre qu'elle agissait pour le compte des insurgés. Tant que les Normands restaient persuadés qu'elle était bien Lady Alice, elle ne risquait rien. Par contre, s'ils la soupçonnaient d'être une espionne... Et pourquoi son agresseur avait-il parlé de mari ? Un sombre pressentiment l'envahit.

— Je ne tolérerai pas que ma future femme trahisse mon roi ! tonna Ralph en transperçant la jeune femme d'un regard meurtrier.

— Que voulez-vous dire ? Je ne comprends pas, balbutia Célia.

— Bientôt vous devrez m'appeler « Monseigneur », que cela vous plaise ou non !

— Jamais !

— Détrompez-vous, Milady. Vous serez sous peu mon épouse...

3

Après douze ans de bons et loyaux services auprès du roi Guillaume, les plus hautes ambitions de Ralph se concrétisaient enfin : son souverain lui avait accordé le domaine d'Aelfgar et la main de Lady Alice.

Quelques semaines auparavant, lorsque le sire de Warenne avait rejoint Guillaume, il l'avait trouvé en train d'arpenter nerveusement sa tente, en proie à une violente colère. Comme Ralph, il était encore sous le coup de l'émotion après la bataille pendant laquelle ils avaient délivré York des Saxons et repoussé les Danois vers les côtes. Le visage du roi trahissait toute sa frustration.

— Quelles sont les nouvelles ? avait-il jeté.

— Les Saxons ont été mis en déroute, Votre Majesté.

Leurs regards se croisèrent. Guillaume se renfrogna.

— Et ces maudits renégats ?

— Aucune trace d'Edwin ni de Morcar.

Les deux seuls témoins de la scène étaient le frère de Guillaume, l'évêque Odo, et l'un des nobles les plus puissants du royaume, Roger de Montgomery. Attablés devant des rafraîchissements, ils suivaient la conversation avec intérêt.

— J'ose espérer, Votre Majesté, que cette fois vous ne vous montrerez pas trop clément, fit remarquer Odo d'un ton doucereux.

Cette allusion fit tressaillir Ralph. Edwin et Morcar n'avaient pas pris les armes contre Guillaume lors de la bataille d'Hastings, car la guerre qu'ils avaient menée quelques années plus tôt contre le roi de Norvège les avaient terriblement affaiblis.

Ils avaient tous deux prêté serment à Guillaume lors de son couronnement, et étaient retournés en Normandie avec la Cour, quand le sud de l'Angleterre avait été pacifié. Edwin avait reçu un tiers de l'Angleterre. On lui avait également promis la main de la fille de Guillaume, la belle Isolda. Ralph lui-même avait envié le pouvoir que cette union aurait conféré au dangereux chef saxon. Mais finalement Guillaume avait repris sa parole, et Edwin et Morcar étaient rentrés chez eux, furieux.

Un an plus tard ils avaient failli prendre York en levant toute la province du Nord contre le roi. Ralph avait pris part à la bataille, avant d'être brusquement envoyé en Pays de Galles pour y réprimer un conflit latent. Edwin et Morcar avaient renouvelé leur serment d'allégeance. Mais cette fois, Guillaume avait prudemment laissé quelques loyaux vassaux sur leur territoire.

Et aujourd'hui tout recommençait. Les deux seigneurs saxons semaient à nouveau la sédition, au moment même où les Danois envahissaient le pays. Pour Ralph, il ne s'agissait pas d'une coïncidence. Ils avaient réussi à s'échapper, et leur trahison serait justement punie par le roi : York avait été détruite, et une centaine de soldats normands y avaient trouvé la mort.

— Jamais plus ! rugit Guillaume. Je pendrai ces deux scélérats, même si je dois passer le restant de mon existence à les poursuivre !

Le souverain se tourna soudain vers Ralph.

— Ta place est ici, c'est évident.

Ralph dissimula sa déception. Qu'allait-il advenir de ses possessions dans le Sussex et dans le Kent, obtenues en récompense de sa bravoure au combat ? En tant que plus jeune fils du comte de Warenne, il avait embrassé la carrière militaire.

Son frère aîné, Jean, régnait sur le comté de Normandie. Le second était rentré dans les ordres et le troisième possédait quelques terres en Normandie. Après la bataille d'Hastings, Ralph avait reçu Bramber. Roger de Montgomery s'était vu octroyer Arundel, et Odo, Douvres. Cette poignée de vassaux faisaient respecter l'ordre dans le Sussex et dans le Kent. Ralph ne s'était pas rendu en Angleterre depuis un an, trop occupé qu'il était à consolider sa position. Mais maintenant, pour la première fois en vingt-huit ans, il possédait sa propre terre, un patrimoine qu'il léguerait à son fils. Et comme chaque chevalier qui — par loyauté ou avidité — avait suivi Guillaume en Angleterre, il savait que les possibilités de s'enrichir étaient innombrables.

— Je vais donner Bramber à Braose ! déclara Guillaume d'un air déterminé.

Ralph demeura imperturbable.

— En échange, je te donne le nouveau château que tu bâtiras bientôt à York...

Voyant le guerrier se raidir, il marqua une pause, puis acheva avec un large sourire :

— ... et Aelfgar.

Roger de Montgomery retint une exclamation, tandis que Ralph se détendait. Aelfgar était un fief immense. Si l'on y ajoutait celui de York il deviendrait l'un des seigneurs les plus puissants des provinces nordiques. Aelfgar avait été initialement offert à Edwin, ce qui signifiait que les frères saxons étaient désormais dépossédés de leurs biens. Ralph savait qu'il ne serait pas aisé de garantir la sécurité de son nouveau domaine, et pourtant ce présent le remplissait d'allégresse.

— Tu pourras étendre tes frontières au nord aussi loin que tu le désires, continua Guillaume. Et pour cimenter notre marché, je t'accorde la main de Lady Alice. Après tout, elle est désormais seule héritière.

— Quel beau geste! fit Odo à l'intention de son frère. Ces provinces frontalières sont turbulentes. Ralph saura les mater mieux que quiconque.

— Oui, avec Ralph et Roger aux frontières, j'ai bon espoir que ces rebelles deviennent rapidement inoffensifs.

Ralph se ressaisit et ploya le genou devant le roi.

— Mille mercis, Votre Majesté.

Le visage de Guillaume s'éclaira.

— Debout, Ralph l'Inflexible! Rapporte-moi les têtes d'Edwin et de Morcar, et je te donnerai aussi Durham.

Cette dernière largesse stupéfia l'assistance, y compris Ralph qui doutait cependant de sa véracité. Car dans son cas, sa puissance égalerait celle du roi, et Guillaume n'était pas un imbécile.

Quelques jours plus tard, alors qu'il était en route pour Aelfgar, Ralph était tombé sur une bande de rebelles saxons. Aujourd'hui, il semblait que sa propre fiancée fût à la solde de ces fourbes, et que, de surcroît, elle s'adonnât à la sorcellerie! Ralph n'était pas superstitieux: pour lui les sorciers n'étaient que de vils imposteurs qui abusaient de la crédulité des gens. Cette fille n'avait rien d'un être surnaturel. Espionne ou pas, il la ferait sienne.

Sa situation s'avérait plutôt inconfortable: à Aelfgar, il serait entouré d'ennemis. Aux dernières nouvelles, Morcar et Edwin étaient toujours en vie. L'arrivée d'un nouveau seigneur ne manquerait pas d'amener une réaction de leur part. Ils combattraient de toutes leurs forces pour récupérer leur domaine. Ralph en était persuadé et il ne sousestimait pas la valeur des deux rebelles. La lutte serait âpre, mais Ralph ne doutait pas de sa victoire.

On ne l'appelait pas Ralph l'Inflexible pour rien ! Il n'avait connu que des succès, et cette fois encore il en irait de même.

Sa fiancée promettait de lui donner du fil à retordre, et il aurait fort à faire pour la soumettre. Cette pensée le réjouissait pourtant. A nouveau le désir naissait en lui. Elle serait à ses côtés, dans sa demeure et dans son lit, et veillerait à son bien-être. Avec le temps, elle apprendrait !

Il se remémora la surprise de la demoiselle lorsqu'il lui avait annoncé leur prochaine union et tenta d'imaginer sa réaction lorsqu'elle découvrirait qu'il était aussi le nouveau maître d'Aelfgar : elle enragerait.

Elle était sa fiancée, mais il ne devait pas oublier qu'elle était également son ennemie...

4

Alice allait épouser le Normand.

Célia arpentait fébrilement la tente. Pourquoi Guillaume avait-il promis sa demi-sœur au guerrier ?... Célia craignait le pire. Si seulement ses frères étaient là ! Mais depuis la chute de York, elle n'avait aucune nouvelle et ignorait tout de leur sort.

Elle chassa ces funestes pensées de son esprit.

Peut-être un nouvel arrangement avait-il été conclu entre l'envahisseur normand et ses frères ? Un an plus tôt, Guillaume avait rappelé Edwin et Morcar et leur avait pardonné. Il fallait espérer que l'événement s'était reproduit et qu'Edwin avait promis Lady Alice au Normand, en échange de quoi le roi lui aurait accordé la main d'une Normande. Célia le désirait de toute son âme, car, dans le cas contraire, cela signifiait leur ruine... et la mort!

La jeune femme imagina sa demi-sœur et le Normand réunis devant l'autel. Lui si blond, si imposant, elle si frêle et si brune. Elle se crispa. En vérité, même si elle ne portait pas vraiment Alice dans son cœur, elle ne souhaitait pas la voir mariée à un ennemi. Elle frémit à cette idée et se revit prisonnière des bras du guerrier. Alice subirait-elle le même sort ?

De toute manière, ce mariage n'avait pas encore eu lieu. Bien qu'Alice recherchât désespérément un époux depuis la mort de Bill au champ d'honneur, Célia ferait l'impossible pour lui éviter un tel destin. Elle ne laisserait pas sa petite sœur aux mains d'un monstre!

Elle se rasséréna. La tente, dont l'entrée était fermée par un lourd pan de cuir, était taillée dans des peaux de bêtes. Elle était relativement spacieuse et disposait d'une large paillasse. C'était là que cet homme dormait... Célia aurait préféré mourir plutôt que de s'y allonger.

La nuit n'était pas encore tombée. Célia devinait la présence de Guy derrière la porte. Il était censé la protéger. Quelle blague! Elle n'était qu'une captive, même si Ralph de Warenne la considérait comme sa fiancée. Elle devait absolument s'échapper, rejoindre Aelfgar, et prévenir Alice. Peut-être alors pourraient-elles s'enfuir ensemble et retrouver leurs frères. Même si Edwin était l'instigateur de cette union, il pourrait certainement se dédire.

Mais soudain tous ses beaux espoirs s'envolèrent. Tant de responsabilités incombaient à Edwin: la sécurité de ses proches, de son peuple et de son fief! Elle ne pouvait lui infliger un fardeau supplémentaire. Il fallait qu'elle se débrouille seule.

On lui avait apporté de la nourriture et un nécessaire à couture, afin qu'elle puisse repriser ses vêtements déchirés. Le repas se composait de pain, d'un morceau de fromage, et d'un pichet de bière. Célia plongea la main dans l'échancrure de sa robe et en retira la petite bourse qu'elle conservait précieusement sur elle. Elle en extirpa une pincée de poudre — un mélange d'herbes finement broyées — et en saupoudra la bière. Puis elle dissimula le pendentif, remit de l'ordre dans ses boucles dorées, et alla soulever le rideau de cuir.

Guy Le Chante sursauta et fit volte-face.

— Oui, Milady ?

Il était visiblement mal à l'aise. Elle lui adressa son sourire le plus mielleux.

— N'êtes-vous pas fatigué après cette rude chevauchée ?

Guy rougit. Il était à peine plus âgé qu'elle, vingt ans environ.

— Pas du tout, Milady.

— J'étais sur le point de dîner, enchaîna-t-elle d'un ton affable. Voudriez-vous vous joindre à moi ?

Il écarquilla les yeux.

— Euh... Je ne sais...

— Juste un instant, pour me tenir compagnie. A moins que cet ogre ne vous l'interdise !

— Ralph n'est pas un ogre ! protesta Guy en se raidissant. C'est un homme généreux, et un soldat hors pair, le plus fidèle chevalier du roi.

Célia ravala les paroles acerbes qui lui montaient aux lèvres.

— Dans ce cas, puis-je m'installer près de vous ?

— Bien sûr.

Célia retourna chercher le plateau et s'assit gracieusement aux côtés du jeune garçon, ce qui accrut la gêne de ce dernier. Le restant de la troupe s'était dispersé aux alentours, à un bon jet de pierre de sa propre tente, sans doute pour préserver son intimité. Un immense feu était allumé, sur lequel rôtissait un agneau entier. Célia aperçut Ralph de Warenne assis à l'écart sur un rocher. Il tenait des documents à la main et fixait la jeune femme.

Elle s'empourpra et détourna les yeux.

— Je vous en prie, asseyez-vous, fit-elle à l'intention de Guy.

Elle se sentait transpercée par les prunelles brûlantes du Normand.

Célia n'était pas idiote. Toute sa vie elle avait été poursuivie par la convoitise des hommes. Ce sentiment lui était aussi naturel que le vent ou la pluie. Mais jamais elle n'avait été en butte à un désir aussi intense. Elle était désorientée.

Elle observa Ralph à la dérobée. Leurs regards s'accrochèrent. Elle croisa les bras sur sa poitrine et lui tourna le dos.

Avant sa mort, cinq ans auparavant, le père de Célia avait essayé de trouver un beau parti pour sa fille, âgée à l'époque de quinze ans. Le choix du vieux sire s'était d'abord porté sur John de Landower, le puîné d'un seigneur des provinces nordiques. Célia et lui s'étaient rencontrés lors d'un tournoi. Le jeune homme était brun, mince et exceptionnellement beau ; son visage reflétait la bonté. L'idée de ce mariage avait ravi la jouvencelle, qui n'avait bientôt eu que fiançailles et futurs enfants en tête.

Mais John avait décliné l'offre.

Aucune dot n'aurait pu le convaincre d'épouser une sorcière.

« J'ai changé d'avis. Ce garçon n'est pas assez bien pour toi ! » avait prétendu le père de Célia. Cependant, celle-ci avait surpris des commérages et compris qu'on lui mentait. Elle aurait préféré mourir plutôt que d'avouer sa désillusion, mais une fois seule, elle avait pleuré à chaudes larmes et demandé à Dieu pourquoi il lui avait infligé une tare si monstrueuse.

Par la suite, le vieux comte avait proposé d'autres prétendants, mais, redoutant d'essuyer de similaires rebuffades, Célia avait rejeté ses propositions sous les prétextes les plus futiles. Son père ne l'aurait jamais obligée à se marier contre son gré, et elle était incapable d'endurer une nouvelle humiliation. Personne ne voulait d'elle, il en serait toujours ainsi. Elle avait feint l'indifférence et mis un terme à ses rêves de bonheur conjugal.

Mais ce guerrier normand, lui, la considérait comme une femme séduisante. Il la désirait.

Célia versa la bière dans un gobelet et le tendit à Guy.

— Il vous est permis de boire ? s'enquit-elle, se sentant tout de même un peu coupable.

— Bien sûr. Je vous remercie, Milady, répondit-il en vidant son verre d'un trait.

Elle sentit soudain que le guerrier s'approchait et leva les yeux sur la haute silhouette. Impassible, le Normand avançait à grandes enjambées décidées. Célia décida de soutenir ce regard aussi effrontément que possible. Elle ne devait pas lui laisser deviner qu'elle avait peur.

— Vous prenez l'air, Milady ? demanda-t-il poliment.

Elle se leva, et automatiquement les deux hommes tendirent la main pour l'aider. Célia accepta celle de Guy.

— Oui, lança-t-elle d'un ton hautain. Mais tout à coup, je trouve l'atmosphère oppressante !

Elle tourna les talons et rentra dans la tente.

Ralph, fulminant, fixait le panneau de cuir. Horriblement confus, Guy regardait au loin.

— Oh, ça va ! explosa Ralph. Je ne vais pas t'assommer sur place !

— Elle m'a seulement offert un peu de bière, gémit Guy.

— Je vois !

Il s'éloigna brusquement.

Célia attendit environ un quart d'heure, pour laisser à la mixture le temps d'agir, puis elle jeta un coup d'œil furtif hors de la tente. Guy s'était assis et luttait contre le sommeil. Les soldats festoyaient près du feu. Ralph avait disparu. Où pouvait-il être ?

Aucune importance ! Elle devait tenter sa chance.

Elle laissa retomber le rideau et se dirigea vers le fond de la tente. Tant bien que mal, elle parvint à soulever un pan de peau pour se faufiler au-dehors et rampa dans la poussière jusqu'à l'orée du bois. Une fois à l'abri, elle s'immobilisa et prêta l'oreille, espérant que l'obscurité la dissimulerait.

Elle se releva prudemment et reprit sa course, en prenant soin de rester dans l'ombre des arbres. Il fallait gagner le hameau au plus vite ! Là-bas elle serait en sécurité.

« Pourvu qu'aucun ennemi n'ait eu l'idée de descendre s'amuser au village ! » songea-t-elle avec effroi.

Elle traversa le champ de blé carbonisé et se hâta vers les huttes qui n'étaient plus que cendres. L'endroit était désert. Comme elle s'y attendait, les paysans s'étaient enfuis vers Aelfgar et vers Latham, la bourgade voisine.

Elle coupa à travers les décombres pour atteindre les potagers, eux aussi incendiés, et soudain elle réalisa qu'elle n'était pas seule.

Un gémissement vrilla l'air.

Sans réfléchir, elle s'élança. Quelqu'un gisait là, blessé, et avait besoin de soins ! Comme elle dépassait le coin de la rue, une deuxième plainte s'éleva. Quand Célia s'aperçut de son erreur, il était trop tard ! Ce n'était pas un cri de douleur, mais de plaisir.

Elle retint une exclamation à la seconde où elle les vit.

Célia reconnut Beth, une veuve sensuelle à l'opulente chevelure brune. Elle était allongée à même le sol, ses longues jambes d'albâtre enserrant la taille d'un homme qui se mouvait sauvagement en elle. Elle se tordait à chaque poussée.

Sidérée, Célia reconnut Ralph de Warenne. Il ne s'était même pas donné la peine de se dévêtir entièrement et besognait sa partenaire avec ardeur. Il plongeait en elle à longs coups profonds. Le corps de Ralph ondoyait langoureusement. Le Normand émit un râle et ses traits se crispèrent dans l'extase. Il s'effondra sur la poitrine de la femme.

Célia se mit à trembler. Elle devait rebrousser chemin, ils risquaient de découvrir sa présence ! Elle fit un pas en arrière, les yeux rivés sur le couple enlacé. Et tout à coup, Ralph redressa la tête.

Un instant paralysée, Célia se ressaisit et prit ses jambes à son cou, tandis que Ralph se lançait à sa poursuite. Elle n'avait pas parcouru dix pas qu'il la plaquait au sol, lui arrachant un hurlement. Il la broya dans une étreinte impitoyable, écrasant ses seins contre l'herbe. Elle perçut l'haleine chaude de l'homme sur sa nuque. Il était encore essoufflé par ses récents ébats et par sa course.

— Mais c'est ma belle espionne !

Il lâcha prise un instant pour la retourner et s'installa à califourchon sur elle. Célia tenta de lui labourer le visage de ses ongles mais il emprisonna ses mains entre les siennes.

Elle essaya alors de lui mordre le poignet, mais il prévint son geste et lui ramena les bras derrière le dos, la pressant encore plus étroitement contre lui. Célia sentait contre son ventre le sexe de l'homme qui se durcissait à nouveau. Comme elle plantait ses petites canines blanches dans l'épaule de son assaillant, il lui agrippa les cheveux pour lui rejeter la tête en arrière.

— Cessez de gigoter ! ordonna-t-il. Ou, par Dieu, je vous prends ici, tout de suite !

Célia se pétrifia.

— Comment avez-vous déjoué la surveillance de Guy ? demanda-t-il d'une voix rauque.

— Il s'est endormi.

Ralph fronça les sourcils.

— Endormi ? Guy ne s'endort jamais quand il est de faction.

— Et pourtant c'est la vérité !

Les prunelles de la jeune fille lançaient des éclairs. Ralph paraissait non moins furieux. Elle s'aperçut qu'il fixait ses lèvres et se raidit.

— Je vous interdis !

Le souvenir de sa langue brûlante s'insérant dans sa bouche la hantait.

— Qu'aurez-vous à m'interdire lorsque vous serez ma femme ? fit il, moqueur.

— Votre femme ?... Jamais !

Il se mit à rire, d'un rire dépourvu de gaieté, et la libéra.

— Il vous faudra bien en passer par là, dit-il en se campant devant elle.

— Ne vous bercez pas d'illusions !

— Vous avez une langue de sorcière... ou de vipère, plus exactement.

— Pas pour tout le monde.

— Que voulez-vous dire ?

— Pas pour ceux que j'aime et que je respecte.
— Et qui sont ces heureux mortels ?
— Cela ne vous regarde en rien, riposta-t-elle.
— Qu'importe, continua-t-il après une courte pause. Bientôt je serai le seul concerné, et tout rentrera dans l'ordre.
Célia ne daigna pas répondre. Il la remit brutalement sur pied et elle se dégagea d'un geste brusque.
— Votre maîtresse vous attend ! persifla-t-elle.
— J'en ai terminé avec elle.
Célia croisa les bras et le toisa.
— Ah oui ?
— Vous êtes à présent mon unique préoccupation. Venez, Alice.
Elle tomba des nues : la voix du guerrier avait pris des inflexions tendres et veloutées.
— Nous serons bientôt unis et vous n'y pouvez rien. On ne lutte pas contre sa destinée. Venez, répéta-t-il.
— Non !
— Allons, pas d'enfantillages !
— Je ne céderai pas.
— Vous êtes une fille raisonnable, n'est-ce pas ?
Elle se mura dans un silence buté.
— Ainsi vous avez l'intention de me combattre jusqu'au bout ?
— Exactement !
— Eh bien, c'est ce que nous verrons, lança-t-il, les yeux étincelants.

5

— Que lui avez-vous fait ?

Ralph se pencha sur Guy, tandis que Célia demeurait quelques pas en arrière. Le jeune soldat dormait profondément. Ralph se retourna, l'air mauvais.

— Répondez-moi !

Elle recula. Son cœur battait la chamade.

— Je n'ai rien fait !

— Qu'avez-vous mis dans la bière ?

— De quoi l'endormir pour quelques heures. Il se réveillera sous peu.

— L'endormir seulement ?

— Mais oui, rassurez-vous ! Il n'est pas en danger.

« Heureusement ! » songea-t-elle en voyant la mine féroce du guerrier.

— Où avez-vous pris cette potion ?

Les soldats s'étaient approchés et les observaient attentivement. Célia surprit les mots « sorcière », « mauvais œil » et « malédiction ». Elle se troubla.

— Donnez-moi ce philtre, Alice ! ordonna Ralph.

— Je n'en ai plus, mentit-elle.

Il l'enveloppa d'un regard courroucé et la poussa à l'intérieur de la tente. Immensément soulagée, Célia courut se réfugier derrière la paillasse, pour mettre le plus de distance possible entre elle et le Normand.

Elle l'entendit enjoindre aux hommes de se disperser. L'instant d'après, il la rejoignit, refermant le rideau de cuir derrière lui.

— Que faites-vous ? s'alarma-t-elle.

Sans répondre, il alluma une torche et elle put voir son imposante silhouette se découper dans la semi-pénombre.

— Dois-je me répéter ? gronda-t-il.

Elle chercha désespérément un moyen de fuir. En vain.

— Si vous ne me laissez pas tranquille, je vous envoûterai vous aussi !

Il eut un sourire amusé. De toute évidence, il n'en croyait pas un mot. Célia ne savait pas si elle devait s'en réjouir ou non.

— Mais vous m'avez déjà jeté un sort, fit-il remarquer, une étincelle au fond des yeux. Ou était-ce une bénédiction ?

— Je ne comprends pas...

— Vous m'avez ensorcelé. Le désir que j'éprouve pour vous est surnaturel.

Les prunelles de l'homme s'étaient étrangement dilatées et Célia réprima un mouvement d'effroi.

— Non...

— Ce n'était pas un sortilège ?

— Non, je le jure !

— Je ne vous crois pas.

Il la prit dans ses bras. Elle avait prévu son geste, mais il avait des réflexes si rapides qu'elle ne put s'esquiver. Elle était à sa merci.

— Donnez-moi cette potion.

— Je ne l'ai plus, souffla-t-elle, tandis qu'il faisait glisser ses mains sur la taille de la jeune fille.

Elle s'arc-bouta pour lui échapper. Sous ses paumes le torse de l'homme semblait dur comme le roc. Il était trop fort pour elle, toute résistance était inutile. Célia cessa de se débattre.

— Je n'ai jamais vu une taille aussi fine, murmura-t-il, en commençant à la caresser.

Célia ne pouvait détacher son regard du sien. La respiration lui manqua.

— Vous êtes trop belle pour être réelle. Peut-être êtes-vous une sorcière, finalement ?...

Les doigts du guerrier se crispèrent sur les hanches de la jeune fille. Elle tremblait.

— Laissez-moi, implora-t-elle faiblement. Je ne suis pas un démon...

Elle souhaitait sincèrement qu'il la crût. La main de Ralph remonta pour emprisonner l'un de ses seins et Célia frissonna. Il pouvait sentir les battements affolés de son cœur. « Mon Dieu, ne le laissez pas aller plus loin, je vous en supplie... » Personne jusqu'ici n'avait pris de telles libertés avec elle.

Les doigts de l'homme s'aventurèrent dans le décolleté avec la légèreté d'un papillon, et effleurèrent la pointe de son sein. Célia poussa une exclamation où se mêlaient la surprise et un étrange plaisir. Soudain il se pencha sur elle et écrasa sa bouche sous la sienne.

Célia oublia qu'il n'était qu'un ennemi. Plus rien ne comptait que ces lèvres avides, ce souffle chaud, étourdissant, et cette paume qui s'attardait sur son sein...

Ainsi c'était cela un baiser ? Bouleversée, elle se laissa aller contre lui, savourant les sensations qu'elle découvrait. Il se redressa et ils se dévisagèrent. Un sourire suffisant étira les lèvres de l'homme.

Elle le frappa en plein visage.

Sa réaction avait été instinctive, déchaînée par un flot d'angoisse et de désespoir. Pantelante, elle se pétrifia, épouvantée par sa propre témérité.

Pendant une seconde il demeura incrédule. Puis, les traits déformés par un rictus mauvais, il attrapa la main qui l'avait giflé. Elle se retrouva à nouveau captive de ce grand corps félin.

— Non !

Lorsqu'il reprit ses lèvres, cette fois son baiser n'avait plus rien de tendre. Il était le conquérant, et elle la proie impuissante. La bouche de Ralph était possessive et brutale. Il la dominait complètement. De la langue il força la barrière de ses lèvres. Elle se débattait comme un petit animal pris au piège, mais sa lutte était dérisoire. Lorsqu'il la lâcha, elle émit un sanglot sourd.

— Personne, non jamais personne n'a osé se comporter comme vous l'avez fait ! vociféra le Normand.

— Que le Diable vous emporte ! cria Célia en tambourinant contre la poitrine du guerrier. Qu'il vous fasse rôtir en enfer !

Il serra les poings et fit un pas vers elle. Elle ne pouvait se dérober. S'efforçant de surmonter la terreur qui la gagnait, elle le toisa avec insolence.

Soudain, rapide comme l'éclair, Ralph plongea la main dans le décolleté de la jeune femme.

— Qu'est-ce que cela ?

Il exhibait la petite bourse de cuir.

— Rendez-la-moi !

Elle se rua sur lui, mais il enfouit prestement le pendentif dans les profondeurs de sa tunique.

— Vous n'êtes qu'un sale bâtard ! hurla-t-elle.

— Je ne voudrais pas que mes hommes soient empoisonnés.

— Vous vous êtes joué de moi !

— Joué de vous ? Allons donc, ma chère ! Je suis un homme et vous une femme. Auriez-vous préféré que je vous rosse ? Soyez raisonnable, Alice : ne luttez pas contre moi. C'est inutile. Nous finirons par nous entendre.

Le regard du Normand se promenait sur les courbes pleines de Célia.

— Jamais !

— Vous changerez bientôt d'avis, promit-il avec un large sourire.

6

Elle faisait toujours le même rêve lorsqu'elle était anxieuse ou préoccupée. Cette nuit-là, il revint la hanter dans son sommeil.

... Elle avait à nouveau sept ans, et elle se tenait debout sur le seuil du manoir familial, éblouie par les rayons de soleil d'un chaud matin d'été. De joyeux éclats de rire enfantins résonnaient au loin, venant d'un groupe de garçons et de fillettes. Elle les connaissait tous : c'étaient des enfants du village avec lesquels elle avait grandi. Alice, la demi-sœur de Célia, de deux ans sa cadette, se trouvait parmi eux. Ils jouaient à chat.

Soulevant ses jupons, Célia dévala la colline avec allégresse pour se mêler aux participants qui couraient en tous sens. Un garçonnet nommé Redric faisait le chat et Célia évita de justesse les deux mains qui se tendaient pour l'attraper. Elle s'esclaffa. Dans la confusion, elle heurta Alice, envoyant la petite fille aux nattes brunes rouler dans l'herbe. Alice se mit à pleurer, elle s'était écorché le genou. Ses camarades s'immobilisèrent.

— Oh, je suis désolée, Alice ! s'excusa aussitôt Célia, pleine de remords.

— Tu m'as poussée !

— Je ne l'ai pas fait exprès...

— Elle m'a poussée !

Redric, qui, avec ses treize ans, était le plus âgé de la bande, intervint.

— C'était un accident, Alice. Je vais t'aider...

Les yeux d'Alice se remplirent de larmes.

— Personne ne lui avait demandé de jouer !

Peinée, Célia recula d'un pas.

— Je vais chercher grand-mère, proposa-t-elle, pour calmer sa sœur.

Elle espérait de tout son cœur ne pas avoir blessé sa cadette et pouvoir arranger les choses. Le seul problème était qu'Alice avait toujours paru la détester.

— Non! hurla Alice. Maman dit que c'est une sorcière! Je ne la laisserai pas me toucher!

Au mot honni, Célia se crispa.

— Ce n'est pas vrai... articula-t-elle enfin.

— Maman le dit, et elle n'est pas la seule! jeta Alice, le regard étincelant.

Les enfants commencèrent à se dandiner d'un air gêné, et un murmure d'assentiment parcourut la petite assemblée.

— Ma mère dit la même chose, admit la petite Jocelyne.

— Va-t'en, Célia! ordonna Alice en se relevant. Nous ne voulons pas de toi.

Célia demeura immobile, tandis qu'une rougeur subite empourprait ses joues. Elle implora les autres enfants du regard.

— Allez, venez! lança Redric.

La petite troupe s'écarta.

— Je ne joue pas avec une sorcière! persifla Alice.

— Ce n'est pas vrai, protesta Célia, ulcérée, en croisant les bras sur sa poitrine.

— Sorcière! Tout le monde le sait! Sorcière! Sorcière...

Célia refoula ses larmes. Alice ne pouvait croire un tel mensonge! Les autres enfants l'observaient, les petits avec curiosité, mais Redric et Beth semblaient en proie à un certain malaise. Un lourd silence s'installa, enfin brisé par Redric:

— Mais non! Tout cela, c'est des bêtises! déclara-t-il fermement.

— Pourtant j'ai entendu des gens le dire, confessa Beth. Peut-être devrait-on l'empêcher de jouer avec nous ?

Célia scrutait obstinément le sol. Ses paupières la brûlaient. La voix d'Alice lui parvenait comme un écho familier, si familier qu'il en était effrayant. Elle redressa la tête en s'essuyant les yeux.

Et soudain Alice s'égosilla :

— Regardez ! Regardez, c'est une sorcière ! Je vous l'avais dit !

Les enfants dévisageaient Célia avec horreur.

— C'est « l'œil du Diable » ! s'exclama Beth.

Célia se réveilla en sursaut.

Son cœur battait la chamade, et ses joues étaient en feu. Comme toujours, ses yeux étaient pleins de larmes, comme ceux d'une petite fille confrontée pour la première fois à une réalité triste et laide. Car cet épisode avait réellement eu lieu dans son enfance, et s'était déroulé exactement comme elle venait de le revivre.

Après cette histoire, les enfants l'avaient tenue à l'écart de leurs jeux, et si elle avait le malheur de vouloir se joindre à eux, ils s'interrompaient et se dispersaient. Chaque fois, Alice lui lançait à la tête cette terrible injure : « Sorcière ! »

Célia s'assit sur le lit. Comme elle aurait aimé que son père fût encore en vie ! Elle se rappelait avoir couru à lui, en larmes. Il l'avait prise dans ses bras pour la bercer tendrement, et elle l'avait supplié de lui dire la vérité :

— Suis-je vraiment une sorcière, papa ?

Il avait marqué un temps d'hésitation. Célia s'était cramponnée à lui, s'attendant au pire, persuadée que les autres avaient raison.

— Non, ma chérie, avait-il répondu finalement en

lui prenant le menton. C'est faux. Ne laisse jamais personne prétendre une telle chose.

Mais les enfants sont souvent plus perspicaces que les adultes car leur esprit n'est pas encombré d'idées préconçues. Célia avait senti le trouble de son père. Plus émue que jamais, elle comprit qu'elle ne pourrait plus faire semblant de mépriser ces ragots. Il fallait regarder la réalité en face : tous la prenaient pour une sorcière.

Elle ignorait si cela était fondé ou non. Elle se raccrocha désespérément aux dénégations de son père et se mit à éviter les autres enfants qui, sous l'influence d'Alice, l'affublaient de cruels sobriquets. Ils étaient trop jeunes pour avoir réellement peur. Célia passait la majeure partie de ses journées avec sa grand-mère qui lui enseignait la préparation de décoctions bienfaisantes. Ou bien elle arpentait les bois en compagnie de Thor, un chien-loup qu'Edwin venait d'acquérir, et qui ne la quittait pas d'une semelle.

Le temps guérit toutes les blessures, et Célia s'accoutuma à cette situation. Les persécutions de ses camarades cessèrent lorsqu'ils grandirent et eurent d'autres sujets de préoccupation. Grâce à sa grand-mère, Célia devint une habile guérisseuse. On la traitait avec un mélange de respect, de crainte et de familiarité qui n'était pas dénué de sympathie. Puis son père avait décidé qu'il était temps de la pourvoir d'un époux, et s'était mis en quête d'un prétendant.

Là aussi, la vie lui avait infligé un douloureux revers. Mais Célia l'avait surmonté.

Elle se leva et ouvrit la porte de la tente, laissant les premiers rayons de l'aube y pénétrer. Elle se livra à ses ablutions, puis sortit.

Aussitôt, le garde fit un saut de côté. Célia n'y prêta pas attention. Elle avait l'habitude de ce genre de comportement, mais le cauchemar de la nuit précédente avait avivé sa sensibilité et une douleur sourde lui transperça le cœur. Elle constata que les Normands étaient en train de lever le camp. Et tout de suite, son regard, comme attiré par un aimant, croisa celui de Ralph.

Il discutait avec Guy, mais ses yeux ne quittaient pas la jeune fille.

Un flot de souvenirs revint à la mémoire de Célia : la brutalité de son étreinte lorsqu'il l'avait réduite à sa merci, et le baiser âpre et brûlant qu'il lui avait imposé en guise de punition. « Seigneur, je me suis comportée comme une idiote ! » se dit-elle avec irritation. Si jamais il osait de nouveau la toucher, elle lui arracherait les yeux ! Cette fois, elle ne manquerait pas sa cible ! Un frisson la parcourut.

Ralph s'avança vers elle à grandes enjambées. Elle ne désirait ni le voir ni lui parler. Elle aurait voulu s'enfuir, mais ses jambes refusaient de lui obéir. Sa gorge se noua.

Aelfgar n'était pas très loin. Alice les y accueillerait et les Normands s'apercevraient de la supercherie. Ralph, comme tous les hommes, devait être orgueilleux, et il ne supporterait pas d'avoir été dupé par une femme. Il se sentirait humilié mais, en même temps, il serait certainement soulagé d'être fiancé à Alice et non à une sorcière.

Comment pourrait-elle aider sa demi-sœur à éviter une telle union ?

Et qu'advenait-il de ses frères ? En tant que confident de Guillaume de Normandie, Ralph devait le savoir. Réussirait-elle à gagner ses bonnes grâces et à lui extorquer des informations ? Elle en doutait, car s'il devinait ses intentions, il ne manquerait pas d'utiliser ce pouvoir contre elle. Pourtant, elle ne pouvait se raisonner. Il fallait qu'elle sache !

Il s'arrêta à la hauteur de la jeune femme.

— Avez-vous passé une bonne nuit, Milady ?

— O... oui, merci... bredouilla-t-elle, embarrassée.

— Vous n'avez pas l'air convaincue. Peut-être avez-vous eu un sommeil agité ? demanda-t-il, ironique. Peut-être avez-vous rêvé de moi ?

— J'ai merveilleusement bien dormi ! se défenditelle avec véhémence.

— Alors, je vous envie.

Le regard de l'homme erra sur les lèvres de Célia. L'allusion était évidente. Elle s'empourpra.

— Nous partons d'ici une demi-heure, annonça-t-il en tournant les talons.

En le regardant s'éloigner, elle remarqua combien ses épaules étaient larges et ses hanches étroites. Elle devait bien s'avouer qu'il la troublait infiniment.

7

Il l'observait tandis qu'elle chevauchait à ses côtés, aussi altière et digne sur sa mule qu'une reine sur un pur-sang arabe. Comme elle était belle ! Il en avait le souffle coupé et, tandis qu'il admirait à loisir ce fin profil ciselé, il remerciait Dame Fortune.

Quelle chance inespérée que la femme qui lui était dévolue soit si belle et si désirable ! La veille, après l'avoir escortée jusqu'à sa tente, il avait en vain cherché le sommeil. L'heure passée en compagnie de la paysanne n'avait pas assouvi ses sens. Prendre ainsi sa fiancée dans ses bras était inconvenant mais il n'avait pu se maîtriser. Décidément, le ciel était avec lui : il allait être le maître d'Aelfgar et de son héritière, la créature la plus ensorcelante qu'il eût jamais rencontrée ! Guillaume avait ordonné que le mariage eût lieu à la convenance de Ralph. Le guerrier normand sourit en songeant que le plus tôt serait le mieux.

Les pâles rayons du soleil réchauffaient peu à peu la campagne. Çà et là, des bergers rassemblaient leurs troupeaux, affolés par le passage de soldats en armes. Aelfgar devait sa prospérité au commerce de la laine, Ralph ne l'ignorait pas.

Il était irrémédiablement attiré par son adorable compagne. Elle ne lui avait pas jeté un seul regard depuis une heure, ce qui contrariait fort le jeune homme. Il savait qu'il ne lui était pas indifférent mais elle continuait pourtant de feindre le contraire. Ralph était un soldat et faire la cour aux dames n'était pas son fort. Il se résolut pourtant à essayer.

— Vous n'avez pas froid, Milady ?

Elle lui décocha un coup d'œil suspicieux.

— Non... merci.

Elle avait hésité sur le dernier mot et ne semblait pas disposée à poursuivre le dialogue. Il se rembrunit. Elle n'avait même pas daigné l'appeler « Seigneur ». Aucun homme n'aurait osé faire preuve d'un tel manque de respect. La veille, étant donné les circonstances, il aurait pu passer sur cette effronterie. Mais aujourd'hui, c'était impensable.

— Vous avez oublié quelque chose, Alice.

— Quoi ?

— Ne jouez pas au plus fin avec moi. Dites : « Seigneur ».

— Vous n'êtes pas mon seigneur, rétorqua-t-elle sèchement.

Il n'en croyait pas ses oreilles ; sous l'effet de la rage, ses mains se crispèrent sur les rênes et les jointures de ses doigts blanchirent. Elle le défiait ouvertement ! Cette misérable femelle osait...

Il lui envoya un regard furibond, prêt à stopper la marche de la troupe. Mais il s'aperçut que les grands yeux violets reflétaient une peur intense. Et une petite voix dans son esprit le mit en garde. Il devait la ménager, la prendre par la douceur.

Tout à coup, une volée de flèches fendit les airs.

— Une embuscade ! hurla Ralph en éperonnant son destrier pour passer devant Célia, afin de la protéger.

Une pierre lancée par une fronde vint ricocher sur son casque. Ralph repéra l'un des assaillants dans un arbre, et brandit sa massue en se dressant sur ses étriers. Avant que le Saxon ait pu réagir, l'arme cloutée de Ralph l'avait frappé en pleine poitrine, lui broyant les côtes. L'homme dégringola de son perchoir, avec un cri étouffé.

Ralph avisa un autre archer qui bandait son arc. Il avait conscience de l'effroi de la jeune fille qui pressait sa monture pour rester proche de lui.

— Ne vous éloignez pas ! intima-t-il, sans quitter le Saxon des yeux.

Il lança sa masse au moment même où l'homme relâchait la corde de son arc. La flèche rata sa cible et alla se perdre dans un buisson. Ralph fut plus adroit.

Le Normand avait fait la guerre toute sa vie et ne comptait plus ses victoires. D'un coup d'œil il comprit que ses hommes avaient la situation bien en main. Cinq Saxons étaient déjà morts ou agonisants. Les autres avaient pris leurs jambes à leur cou, seule une poignée de téméraires résistait encore.

Comme il se penchait vers la mule pour saisir les

rênes, l'animal se cabra. Alerté par un sixième sens, Ralph fit volte-face, juste à temps pour parer à l'attaque d'un immense Saxon qui le chargeait, l'épée au poing. Poussant un rugissement, Ralph brandit son glaive et, d'un geste, il décapita l'homme.

La bataille était terminée. Le calme était revenu dans la clairière, on n'entendait plus que la respiration bruyante des chevaux et le souffle haletant des soldats. Ralph parcourut rapidement les lieux et nota avec soulagement que tous ses hommes étaient valides. Il tenait toujours la bride de la mule et scrutait les bosquets.

— C'est fini, fit-il d'un ton bourru à l'intention de Célia. Comment vous sentez-vous ?

Les yeux dilatés par la terreur, Célia resta muette. Elle gardait les mains plaquées sur sa poitrine. Ralph serra les dents avec hargne. Sa protégée avait failli se faire tuer ! Et tout cela parce que ses éclaireurs ne l'avaient prévenu d'aucun danger.

— Alice...

Avec un petit cri, elle se laissa glisser à bas de la mule et alla s'appuyer contre le tronc d'un arbre, luttant contre la nausée qui l'envahissait. Ralph se troubla : il avait envie de l'aider et de la soutenir, mais il ne savait comment s'y prendre.

Guy vint mettre fin à ses hésitations.

— Nous avons deux blessés légers, Monseigneur : Pierre Le Stac et le sire de Stacy.

— Des prisonniers ?

— Aucun.

— Combien d'hommes ont réussi à s'échapper ?

— Six, je pense, Monseigneur.

— Envoyez-moi Charles ! intima-t-il d'un ton qui n'augurait rien de bon.

Il se tourna vers Célia qui s'était reprise et lui faisait face, pâle et tremblante, encore sous le coup de l'émotion. Il sauta à terre et essuya la lame de son épée sur l'herbe avant de la rengainer dans son fourreau.

— Venez, lui dit-il. Nous ne devons pas nous attarder ici.

Elle recula, les yeux brillants de larmes.

— N'éprouvez-vous aucun remords ?

Il lui adressa un regard surpris.

Célia se remémorait le combat sanglant qui venait de se dérouler. Elle l'avait vu massacrer trois êtres humains de sang-froid. Elle avait beau se répéter que Ralph n'avait fait que se défendre, elle ne pouvait se départir du malaise qu'elle éprouvait en sa présence. Il n'était qu'un envahisseur, un ennemi, un sale Normand !

— Vous avez tué trois hommes. N'éprouvez-vous aucun remords ?

— Aucun. Si je n'avais pas agi ainsi, Lady Alice, vous ne seriez plus là pour me le reprocher !

Il la planta là.

Il avait raison, et pourtant... Célia se rua derrière lui et le saisit par la manche.

— Ce sont les miens que vous avez tués ! Des gens de mon peuple !

Elle aurait voulu pleurer ces serfs, ces misérables paysans qu'elle connaissait. Comme elle haïssait la guerre !

Il la regardait, sans répondre. Ce fut Guy qui interrompit cet affrontement silencieux.

Il se dirigeait vers son chef en compagnie d'un autre soldat, dont les traits trahissaient l'angoisse et qui se jeta à genoux, tête baissée.

— Tu as manqué à ton devoir, fit Ralph d'une voix coupante. A cause de toi, nous avons failli tomber dans une embuscade. C'est un miracle que deux de mes hommes seulement aient été blessés. Relève-toi.

Charles obéit.

Ralph le dévisagea et vit que les yeux du jeune soldat étaient injectés de sang. Il avisa Guy qui lui fit un petit signe d'assentiment.

— Tu t'es soûlé la nuit dernière, n'est-ce pas ? Tu bois trop, tu deviens dangereux. Prends ton épée ! Je te chasse !

— Mais, Monseigneur, je ne vous ai jamais trahi...

— Je ne tolère pas qu'on manque à son devoir ! Il n'y aura pas d'exception ! Va-t'en où bon te semble, je m'en fiche !

Le sujet était définitivement clos. Charles s'éloigna, les épaules voûtées. Célia se sentit révoltée par cette scène. Comment le Normand pouvait-il se montrer si cruel ?

— Vous êtes inhumain ! s'écria-t-elle impulsivement.

Elle était trop troublée pour s'effrayer de sa propre témérité.

— Vous me jugez ?

Elle s'humecta les lèvres, mais ne broncha pas. Quelle audace ! Jamais elle n'aurait osé critiquer son père ou ses frères de la sorte...

— Il est pourtant des vôtres, poursuivit-elle.

— Non seulement vous me manquez de respect, mais en plus vous me critiquez !

Elle releva le menton d'un air belliqueux lorsqu'il fit un pas menaçant dans sa direction.

— Dois-je vous rappeler, Lady Alice, que vous n'êtes qu'une femme, et que vous n'êtes pas en position de me tenir tête.

Il s'interrompit pour donner du poids à ses paroles.

— Au moins, ne suis-je pas normande !...

« ... espèce de porc ! » faillit-elle ajouter, mais la prudence la retint.

— Exact. Je suis normand, et vous saxonne. Et comme vous allez devenir ma femme, je m'en vais éclairer votre lanterne. Nous ne devons notre salut qu'au courage de mes hommes. Ils savent ce qu'on attend d'eux, et ne montrent aucune défaillance. Sinon, ils ne seraient pas les meilleurs. Et dans ce cas, je ne serais pas le plus glorieux vassal du roi Guillaume. Si je manquais à mon souverain, je me manquerais à moi-même. Et mon nom est Ralph de Warenne !

Il se dressait devant elle, mû par un courroux démesuré.

— Me suis-je bien fait comprendre ?

— Oui.

— Mais je ne suis pas un ogre, conclut-il, soudain radouci.

Elle tressaillit sous le regard pénétrant du guerrier.

— Après vous, Milady !

8

Aelfgar.

Ralph retint sa monture, qui piaffait d'impatience. Le sire de Warenne sentait le sang battre à ses tempes. Pour la première fois ce jour-là, il oublia la présence de Célia à ses côtés. Il n'avait d'yeux que pour une seule chose.

Aelfgar.

Le matin même, la troupe avait franchi les frontières de ce vaste fief. Elle venait d'en atteindre le cœur. Les cavaliers s'étaient arrêtés sur une falaise qui surplombait l'estuaire d'une large rivière. De là, ils apercevaient le village et son manoir, perchés sur une colline.

Le paysage n'avait rien d'extraordinaire, mais Ralph était ému. L'essentiel du hameau était composé d'une douzaine de huttes en torchis et d'un moulin. Tout autour s'étendaient des vergers et des potagers. Des troupeaux de moutons paissaient en toute quiétude sur la colline. Comparé aux donjons normands, le manoir était une construction plutôt rudimentaire: une simple bâtisse en bois, d'assez vastes dimensions, dominant le village situé en contrebas. Aucune fortification, aucune palissade même n'en protégeait les abords.

Ralph échafaudait déjà mille projets.

Il imaginait un château entouré de douves. En pierre, bien sûr. Des murs vertigineux. Et plus bas, une autre enceinte autour des bâtiments où vivraient ses hommes et leurs familles.

Il sourit. Il allait se mettre immédiatement à la tâche.

D'un œil expert, il examina le terrain: sa configuration était idéale. Il allait transformer Aelfgar en une véritable place forte.

Telle était la stratégie de ces conquérants: écraser l'ennemi, détruire son habitat et ériger à la place des édifices de style normand. Lorsqu'on en avait le temps, on remplaçait le bois par la pierre; on s'attaquait d'abord au mur d'enceinte, puis au donjon. Ralph avait supervisé ce genre de travaux des douzaines de fois depuis son arrivée en Angleterre; il en avait acquis une solide expérience.

Sortant de sa rêverie, il se tourna vers sa fiancée avec une mine satisfaite.

— Nous voilà enfin chez nous!

— Moi peut-être. Vous sûrement pas! répliqua-t-elle vertement.

Les traits de Ralph se crispèrent, mais il se contint. Allons, il n'allait pas laisser cette insolente entamer son allégresse.

La troupe pénétra dans le village, tandis que dans les champs et les potagers les habitants interrompaient leur travail. Une ribambelle d'enfants curieux s'agglutinèrent autour des étrangers.

— Rassemble tout le monde, Guy ! ordonna Ralph calmement.

— Non ! coupa Célia.

La veille, il avait procédé de la même manière avant de raser Kesop, elle ne s'en souvenait que trop bien. Ralph ignora délibérément cette nouvelle provocation.

— Vous ne pouvez pas faire cela ! protesta-t-elle en s'agrippant à son bras. Monseigneur, je vous en conjure !

Les paysans quittèrent les champs, les femmes sortirent des maisons, leur marmaille accrochée à leurs jupes. Certaines serraient leur nouveau-né contre leur sein. Ralph ne put réprimer une moue de satisfaction. Ces gens semblaient bien nourris et en parfaite santé.

— Je veux que tu fasses un recensement précis de la population, enjoignit-il à Guy. Tu m'apporteras la liste complète de toutes les familles ce soir.

— Bien, Monseigneur.

— Et un état de chaque bien, sans rien omettre.

— Ce sera fait.

Ralph se dressa sur ses étriers.

— Écoutez tous ! lança-t-il d'une voix forte. Au nom du roi Guillaume de Normandie, je suis désormais votre nouveau seigneur, le comte d'Aelfgar, Ralph de Warenne.

Un murmure de protestation s'éleva.

— Non, c'est impossible ! hurla Célia.

Un éclair meurtrier passa dans le regard de Ralph.

— Tenez votre langue !

— Mes frères ! Ils sont morts ? Ce n'est pas vrai...

— Ils sont encore en vie, répondit-il d'une voix glacée. Aelfgar m'appartient, tout comme vous même. Vos frères sont des traîtres, des ennemis de la couronne. Leurs terres ont été confisquées et ils auront de la chance s'ils sauvent leurs têtes.

Confisquées ! Célia crut défaillir. Edwin et Morcar avaient été dépossédés et cet homme, ce sale Normand, avait usurpé leur titre ! Elle aurait voulu l'égorger de ses propres mains !

— Je suis votre seigneur et maître, poursuivit Ralph. Vous devrez vous y faire.

— Jamais !

— Vous commencez à m'échauffer sérieusement la bile, Alice !

Il reporta son attention sur la foule.

— Je serai bientôt l'époux de Lady Alice que voici. Vous ne pouvez rien intenter pour renverser le cours des choses. Toute tentative de rébellion sera passible du fouet et du pilori, voire de la pendaison. Je n'aurai aucune pitié.

Les soldats firent un pas en avant, et un frisson d'effroi parcourut l'assemblée.

— Lady Alice ? s'étonna une voix dans la foule. Mais que raconte-t-il ? C'est Célia...

Ce prénom passa de bouche en bouche.

— Qui est cette Célia ? s'enquit Ralph auprès de sa compagne.

La colère de la jeune femme céda la place à une panique incontrôlable.

— Je ne sais pas...

Il y avait maintenant devant le manoir une cinquantaine de soldats parmi les plus féroces des troupes normandes. Ils étaient montés sur de fougueux chevaux qui caracolaient, nasaux frémissants. Les cottes de mailles, les boucliers et les épées cliquetaient bruyamment et flamboyaient au soleil, tandis que les oriflammes royaux, bleu, rouge et noir, claquaient sinistrement au vent. Face à une telle armée, les quelques hommes de garde laissés par Edwin et Morcar faisaient piètre figure.

Athelstan, le plus âgé des hommes d'armes, se tenait sur le seuil, pour accueillir les conquérants.

Ralph s'avança en tête de colonne. Sa cape noire frangée de rouge lui donnait fière allure.

— Déposez vos armes, Saxons. Je suis Ralph de Warenne, comte d'Aelfgar. J'ai droit de vie et de mort sur chacun d'entre vous. Toute résistance serait inutile. De plus, je sais que vous n'oserez rien tenter en présence de Lady Alice.

Le malaise de Célia s'accrut.

— Je vous connais, répondit Athelstan. Vous êtes Ralph l'Inflexible. Votre réputation vous a précédé. Mais si vous croyez pouvoir vous approprier le patrimoine de Lord Edwin, vous vous trompez.

— C'est ce que nous verrons. Pour l'heure, ce n'est pas à vous d'en juger.

— Voici nos armes, fit Athelstan en désignant le sol où gisaient les carquois et les boucliers. Mais dès le retour d'Edwin et de Morcar, nous les brandirons à nouveau.

— Merci de me prévenir, rétorqua Ralph en souriant. Vous êtes un honnête homme, c'est une qualité que je sais apprécier.

— Alors traitez-moi avec respect. Mais pourquoi parlez-vous de Lady Alice ? Elle n'est pas ici.

Le sourire de Ralph disparut.

— Vous vous moquez ! ?

— Pas le moins du monde. Cette damoiselle n'est pas Lady Alice.

Ralph fit volte-face, l'air furibond.

— Qui êtes-vous ? jeta-t-il à Célia.

— Une chose est sûre... je ne suis pas votre fiancée, articula-t-elle avec difficulté, en levant sur lui un regard apeuré.

Une petite femme brune surgit derrière la silhouette d'Athelstan.

— C'est moi, Lady Alice !

Ralph la dévisagea avec incrédulité.

— Êtes-vous la fille du vieux comte d'Aelfgar ? La sœur d'Edwin ?

Elle hocha la tête, une lueur de méfiance dans ses immenses yeux sombres.

— Et vous, vous êtes le nouveau seigneur ?

— Oui ! Puis-je savoir qui est cette créature ? s'enquit-il en montrant Célia du doigt.

Alice eut un reniflement méprisant.

— Elle ? Ce n'est que la fille d'une servante.

— Père aimait Annie, et tu le sais ! protesta Célia en rougissant.

— Quoi ? s'exclama Alice en riant. Allons, Célia, nous en avons déjà discuté. Il aimait ma mère, et non cette traînée qui troussait ses jupons avec n'importe qui !

Jamais auparavant Alice ne s'était exprimée en termes aussi crus, du moins pas devant témoin, car en privé elle avait toujours traité Annie de putain et prétendu que seule sa mère, Jane, avait eu les faveurs du comte.

— Comment oses-tu ? cria Célia, hors d'elle.

— Ce n'est que la vérité ! riposta Alice en se tournant vers Ralph. Vous devez être fatigué, Monseigneur. Venez, je vais vous faire préparer un bain.

Ralph ne quittait pas Célia des yeux.

— Ainsi vous êtes la bâtarde du comte d'Aelfgar ?

— Oui, admit-elle en relevant le menton.

— Je m'occuperai de vous plus tard ! lança-t-il d'un ton qui ne présageait rien de bon.

Célia sentit les battements de son cœur s'affoler et elle refoula ses larmes. Ralph descendit de cheval, et Alice vint poser sa petite main fine sur la manche du guerrier avec un air victorieux.

— Ne faites pas attention à elle, Monseigneur. Comme vous l'avez dit, ce n'est qu'une bâtarde. Mais dites-moi, est-ce vrai ? Nous allons nous marier ?

Elle parlait d'une voix tout émoustillée.

— C'est exact.

Ils disparurent à l'intérieur du manoir. Incapable de détacher son regard du couple, Célia resta pétrifiée par l'enthousiasme débordant de sa demi-sœur. Elle l'entendit rire avec coquetterie. La main de Célia retomba sur l'encolure de la mule qu'elle flatta distraitement.

— Je suis désolé, Célia, s'excusa Athelstan, confus.

— Occupez-vous plutôt de ces soldats, répliqua Célia avec hauteur. Ils veulent certainement se rafraîchir. Leurs montures ont besoin de fourrage, et le louvet a perdu un fer.

— Bien, maîtresse.

Célia sauta à bas de la mule. Alors seulement ses larmes se mirent à couler. Personne ne s'en rendit compte ; elle avait toujours su dissimuler sa peine, même au temps où les étrangers fuyaient sa présence. Et cette fois, elle mettrait un point d'honneur à taire ses sentiments...

9

Ralph avait du mal à contenir sa fureur.

Cette sorcière lui avait menti. Elle s'était jouée de lui ! Elle n'était ni Lady Alice ni sa fiancée. Elle paierait très cher sa fourberie.

Et dire qu'il allait en épouser une autre !

Tout à sa colère, Ralph regardait dans le vide. Il se trouvait dans l'ancienne chambre du comte d'Aelfgar, qu'on avait apprêtée à la hâte en son honneur.

— Votre bain refroidit, Monseigneur...

La voix hésitante d'Alice le ramena à la réalité, et pour la première fois il concentra son attention sur sa future épouse.

Elle était belle, mais pouvait difficilement soutenir la comparaison avec sa demi-sœur. Les boucles de jais qui encadraient harmonieusement son fin minois rehaussaient son teint de porcelaine. Elle était de petite taille et, au regard de la sensualité éclatante de Célia, elle ne pouvait que paraître insipide.

Ralph en éprouvait une intense déception. Si seulement il n'avait jamais rencontré Célia, il se serait pleinement satisfait d'Alice ! Mais le destin en avait décidé autrement...

Alice ébaucha un sourire.

— Vous broyez du noir, Monseigneur ? Une bière chasserait peut-être vos funestes pensées ?

— Le sort de vos frères ne vous préoccupe-t-il pas ?

— C'est que... votre arrivée m'a bouleversé l'esprit, bredouilla Alice.

Elle ponctua ses paroles d'un gloussement nerveux.

— Êtes-vous opposée à notre union ?

— Oh, non ! répliqua-t-elle, d'un ton qui ne laissait aucun doute sur son enthousiasme.

— Vous me trouvez à votre goût ?

— Il me faut un mari, Monseigneur, murmura-t-elle en s'empourprant. Mon promis est mort juste après la bataille d'Hastings, et durant ces dernières années, Edwin n'a pas eu le temps d'arranger un nouveau mariage, à cause de la guerre. Et malheureusement, je vieillis...

Il acquiesça. Cette fille faisait preuve d'un certain bon sens.

— Vous êtes pourtant plus jeune que votre sœur.

A ces mots, Alice releva le menton, agacée.

— Célia est de deux ans mon aînée. Pourquoi vous intéressez-vous tant à elle ? Ce n'est qu'une bâtarde parmi tous ceux qu'a engendrés mon père. Il n'a même pas été capable de lui dénicher un mari ! De toute manière, personne n'en voudrait. C'est une sorcière, vous savez...

Ralph n'était pas naïf : il était évident qu'Alice détestait cordialement Célia, mais ce qui le déroutait, c'est qu'elle ajoutât foi à de telles divagations.

— Ne vous avisez plus de médire de votre sœur ! Elle n'a rien de maléfique.

Alice se mordit la lèvre et, docile, baissa la tête. Ralph ôta son haubert et le laissa négligemment choir sur le sol. Alice accourut pour l'aider à se dévêtir et se débarrasser de sa lourde épée. Étonnée, elle découvrit le petit sac de cuir accroché au cou du guerrier.

— Mais... c'est à Célia, n'est-ce pas ?

— Désormais, cela m'appartient.

Il enleva le pendentif et le déposa avec précaution sur ses effets. Alice se mit en devoir de dégrafer son caleçon. Ralph contemplait pensivement la jeune femme agenouillée, regrettant qu'il ne s'agît pas de Célia. Une fois nu, il lui tourna le dos et se plongea dans l'eau fumante du bain. Alice détacha avec peine son regard de ce corps magnifique et réprima un délicieux frisson.

— Désirez-vous que je vous frotte le dos, Monseigneur ?

Ralph aurait accepté cette offre avec empressement si elle avait été faite par la créature à la chevelure de miel !

— J'aimerais avoir un peu de vin, se contenta-t-il de répondre. Pourriez-vous m'en porter un verre ?

— Bien sûr.

— Alors, dépêchez-vous, grommela-t-il.

Alice quitta la pièce sur-le-champ.

À nouveau, Ralph fut submergé par de sombres pensées. Il s'était laissé berner comme le dernier des imbéciles ! Dans quel but ? Célia avait certainement agi de la sorte pour échapper à un viol. Qu'elle soit damnée ! Comment osait-elle défier son autorité ? Il fallait qu'il brise la résistance de la jeune fille et qu'il la soumette.

Pourtant, il ne pouvait s'empêcher d'admirer l'habileté dont elle avait fait preuve en dissimulant sa véritable identité et en lui faisant avaler de telles sornettes. Qu'allait-il lui infliger en guise de punition ?

Il chassa résolument Célia de son esprit, avant qu'un nouvel accès de colère ne s'empare de lui. Il se laissa aller contre le bord du baquet et organisa ses activités pour l'après-midi. Il lui restait encore quelques heures avant la tombée de la nuit. Il en profiterait pour inspecter le côté est de son nouveau fief, jusqu'à la côte. Le lendemain, son premier souci serait d'entamer les travaux de rénovation. A cette idée, il esquissa un sourire qui se figea aussitôt sur ses lèvres. Le mariage ! Quand aurait-il lieu ? Pas avant une quinzaine de jours, c'était bien assez tôt. Après tout, il avait moult détails à régler dans les prochains jours, et la cérémonie n'avait rien d'urgent.

Le guerrier se renfrogna brusquement. Si sa fiancée avait été Célia, il l'aurait épousée sur l'heure !

Il se sentit soudain épié et tourna la tête. Adossée au chambranle de la porte, Célia le regardait silencieusement. Le visage de Ralph s'éclaira. Une fois de plus, la beauté de la jeune femme, sa crinière de feu et ses formes pleines lui coupèrent le souffle.

Sans nul doute, elle devait posséder des talents de magicienne pour produire sur lui un tel effet : malgré les fatigues de la journée précédente et l'alanguissement de ses muscles dans l'eau tiède du bain, il sentit sa virilité renaître.

— Vous me cherchiez, Célia ?

— Je suis venue vous demander de me rendre mes herbes, Monseigneur.

Ralph prit garde à ne pas regarder en direction de ses habits.

— Je ne les ai pas ici, déclara-t-il d'un ton aimable.

Célia s'impatienta.

— Je vous en conjure, Monseigneur ! J'en ai grand besoin !...

— Approchez-vous, coupa Ralph.

Le timbre rauque de cette voix la fit tressaillir.

— Obéissez !

Une minute s'écoula. Célia demeurait immobile, comme pétrifiée. Puis elle se décida et s'avança crânement vers lui. Ralph enveloppa les hanches épanouies de la jeune femme d'un regard appréciateur. Il en éprouva un choc presque douloureux. Elle s'arrêta à un mètre du baquet et le dévisagea avec appréhension.

— Donnez-les-moi.
— Tout d'abord, votre punition.
— Pourquoi ?
— Pour vos mensonges.
— Qu'allez-vous me faire ?
— Venez plus près de moi. Je n'ai personne pour me frictionner le dos.

Elle écarquilla de grands yeux et son cœur bondit dans sa poitrine.

— Célia !

Elle obtempéra enfin et, en désespoir de cause, lui effleura le dos avec un linge mouillé.

— Si vous n'y mettez pas un peu du vôtre, je doute que vous récupériez votre bien...

Il se pencha en avant et ses muscles roulèrent sous sa peau hâlée. Célia se troubla. Elle reprit péniblement sa respiration et posa une main sur la nuque de l'homme. Ralph frémit sous la caresse de ses doigts.

— Continuez ! ordonna-t-il.
— Comme vous voudrez, Monseigneur. Mais êtes-vous bien sûr de ne pas préférer les bons soins de cette chère Alice ?
— Ne vous occupez pas d'Alice.

Elle frottait de plus en plus fort, comme si elle voulait lui arracher la peau pour se venger de lui.

— Doucement !

Elle s'interrompit et aperçut soudain l'amulette sur la pile de vêtements. D'un geste vif comme l'éclair, elle s'en empara. Elle n'eut pas le temps de faire un pas vers la porte, que déjà il l'avait rejointe et emprisonnée de ses bras d'acier. Il la retint plaquée contre son corps nu et elle n'osa plus bouger.

— Décidément, vous aimez jouer avec le feu, Célia !

Son regard était triomphant. Il la maintenait si étroitement serrée contre lui que sa robe essuyait sa peau mouillée. A travers l'épaisseur de ses jupes, Célia pouvait sentir le sexe masculin fièrement dressé. Elle voulut se dérober, mais il resserra son étreinte, écrasant les seins de la jeune femme contre sa poitrine.

— Et maintenant, votre punition !

Il s'empara avidement de la bouche réticente. Son baiser se fit insistant. Elle entrouvrit les lèvres sous la pression de sa langue. Elle luttait désespérément pour se dégager, mais en vain. Elle leva les mains pour le repousser et ses paumes rencontrèrent la chaleur de son torse velu. Il eut un sursaut et ses dents heurtèrent celles de Célia. Elle gémit et se rejeta en arrière.

— Laissez-moi !

— Jamais de la vie, se moqua-t-il, une lueur amusée dans les yeux.

Célia ne pouvait plus lutter, Ralph était trop fort et la passion qu'il avait mise dans ce baiser l'avait étourdie. Elle était sans défense, anéantie. Ils demeurèrent ainsi, figés et silencieux, pendant un long moment.

— Que faites-vous d'Alice ? Vous pourriez penser à elle ! reprocha enfin Célia, envahie par un flot de désespoir.

Ralph se rembrunit.

— C'est vous que je devrais épouser.

Elle ouvrit la bouche pour protester, mais il la fit taire d'un nouveau baiser. Il arqua son corps contre le sien, tandis que sa main caressante descendait sur une fesse pommée. Puis, il la lâcha brusquement.

— Je vous en prie... balbutia Célia, éperdue.

Ralph posa une bouche vorace sur la gorge de la

jeune femme et, écartant le corsage, mordilla la pointe frémissante d'un sein. Les doigts de Célia se crispèrent sur les larges épaules du guerrier. Une vague torride déferla en elle jusqu'au plus secret de sa féminité. Brusquement, il la repoussa. Haletante, stupéfaite, elle tenta de reprendre ses esprits tandis que Ralph saisissait sa tunique pour masquer l'expression manifeste de son désir. Il la transperça d'un regard lourd de menaces, au moment même où Alice et une servante pénétraient dans la pièce.

Alice blêmit en les surprenant presque dans les bras l'un de l'autre. Célia savait que le tableau qu'ils offraient était sans équivoque. Sa sœur ne manquerait pas de remarquer ses lèvres meurtries, ses joues cramoisies, sa robe trempée et ses cheveux en bataille. Elle se sentait terriblement embarrassée.

— Merci, Milady, fit Ralph à l'intention d'Alice.

Il tenait toujours la tunique contre sa hanche. De sa main libre, il saisit le pichet de vin et le vida d'un trait.

Alice décocha un regard haineux à sa demi-sœur, avant de s'adresser à Ralph.

— Désirez-vous autre chose, Monseigneur ? minauda-t-elle d'un air angélique.

— Non, cela suffira.

Alice tendit le plateau à la servante et, s'emparant d'une serviette, se mit à lui sécher le dos. La jalousie transperça le cœur de Célia, comme une flèche empoisonnée. Il osait, devant elle ! Quel monstre ! Oubliant ses herbes, elle s'enfuit.

Ralph ne la retint pas.

10

Célia fulminait.

Elle avançait à grands pas décidés à travers les fougères, dans un frou-frou de jupons. De temps en temps elle s'arrêtait, haletante, pour examiner une jonchée de fleurs jaunes, ou pour ramasser une poignée de minuscules feuilles au vert délicat qu'elle plaçait dans son panier.

Puis elle reprenait sa marche effrénée. Et tout cela à cause de ce Normand ! S'il lui avait rendu ses herbes, elle n'aurait pas eu à courir ainsi les bois, alors qu'elle était exténuée et affamée, et qu'elle ne songeait qu'à une chose : tout oublier en plongeant dans un sommeil réparateur.

Ses pensées la ramenèrent à Thor, le chien-loup d'Edwin. Elle poursuivit sa route en maugréant. L'animal était presque aussi âgé qu'elle. Il avait été gravement blessé par un mâtin lors d'une bagarre qui avait eu lieu la veille, au dire d'Athelstan. Le mélange de poudre de mandragore et de valériane qu'elle avait administré à Guy la veille abrégerait les souffrances de Thor ; il suffisait d'augmenter la dose. Car son état ne laissait aucun espoir, et Célia ne pouvait supporter une aussi douloureuse agonie, non seulement parce que le chien appartenait à son frère, mais aussi parce qu'il avait été son fidèle compagnon de longues années durant.

Elle n'avait pas encore récolté suffisamment de plantes pour sa décoction mais déjà la nuit tombait. Et dire qu'elle avait tout ce qu'il fallait pour soulager Thor dans la pochette confisquée ! Elle regrettait amèrement de ne pas être une véritable sorcière ! Comme elle se serait vengée, alors, de cet impudent !

Il ne lui avait infligé cette prétendue punition que pour satisfaire ses instincts lubriques. Elle devint cramoisie sous l'effet de la colère. De surcroît, il allait épouser Alice ! Le cœur de Célia se mit à battre à tout rompre. Incapable d'expliquer son emportement et de le contenir, elle tentait de se persuader que son émoi tenait au fait d'avoir introduit un ennemi sur les terres de son père. Et pourtant s'imposait à son esprit l'image d'Alice essuyant avec dévotion le corps du guerrier. L'image de sa demi-sœur dans les bras de Ralph répondant langoureusement à ses baisers enfiévrés la fit soudain défaillir, au point qu'elle dut s'arrêter pour récupérer son calme.

Non, ce n'était pas de la jalousie. Impossible, puisqu'elle haïssait le sire de Warenne et tout ce qu'il représentait. Il était l'Ennemi, l'Envahisseur, le Conquérant. Il la privait de ses deux frères qu'elle chérissait. Il était cruel et imbu de lui-même. Il avait ordonné froidement la destruction complète de Kesop. Pour une fois qu'elle rencontrait un homme qui ne la craignait pas, qui au contraire la désirait, il fallait que ce soit ce Normand !

Ce soir même, elle parlerait à Alice. Cette dernière ne pouvait accepter le mariage, et Célia remuerait ciel et terre pour l'aider à y échapper. Tant pis s'il fallait pour y parvenir empoisonner le seigneur de Warenne !

Malgré tout, cette idée lui répugnait. Jusqu'à présent, elle n'avait jamais nui à quiconque. Sa grand-mère lui avait transmis ses pouvoirs pour guérir, et non pour détruire. Elle ne les utiliserait que si la situation s'aggravait, en dernière extrémité. D'ailleurs il y avait sûrement un autre moyen...

Ralph présidait le repas aux côtés d'Alice dans la grande salle du manoir. Il était légèrement vêtu, mais conservait prudemment son épée sur lui. Ses soldats étaient assis autour de la table et mangeaient de bon appétit. Guy se tenait à la droite du seigneur et Athelstan à la gauche d'Alice. Cette dernière posa sa fine main sur la manche de Ralph.

— Vous n'aimez pas le vin, Monseigneur ?

— Si, bien sûr... répondit-il sans grande conviction.

C'était en réalité un infâme picrate mais Ralph le préférait encore à l'horrible bière saxonne.

— Mais vous ne mangez rien, insista Alice avec sollicitude. Le lièvre ne vous convient-il pas ?

— Il est parfait, accorda-t-il poliment, bien qu'il n'eût encore pas touché à son assiette.

Son regard erra dans la pièce. Où était-elle ?

Il se remémora la scène violente qui avait eu lieu l'après-midi même. Il n'avait pas eu l'intention d'aller aussi loin. Mais l'attitude de Célia l'y avait contraint. Elle s'était permis de s'introduire dans ses appartements alors qu'il procédait à ses ablutions, et cette irruption lui avait fait perdre tout contrôle. Elle avait bien mérité l'humiliation qu'il lui avait fait subir. C'était une réaction instinctive qui l'avait poussé à la ceinturer, pour l'empêcher de s'emparer de la petite bourse de cuir. Sans le retour opportun d'Alice, il l'aurait prise de force. Cette femme l'excitait irrésistiblement. Il devait pourtant se reprendre car c'était Alice qui lui était dévolue. Bon nombre d'hommes n'auraient pas hésité à posséder la sœur de leur épouse. Mais lui ne pouvait s'y résoudre... Ah, si seulement elle n'avait été qu'une simple paysanne ! S'il avait écouté son cœur, il aurait fait de Célia sa maîtresse. Mais c'était impossible !

Non, il ne fallait plus penser à cela. Il se promit de ne rien tenter. Mais où était-elle ?

— Puis-je vous faire préparer un autre mets, Monseigneur ? s'enquit Alice.

Les attentions exagérées de sa fiancée commençaient à lui peser ! Pourtant il éprouvait une certaine compassion pour cette damoiselle qui s'accrochait désespérément à lui, terrifiée à l'idée de le perdre. Il comprenait combien la situation se révélait difficile pour elle qui serait bientôt trop âgée pour attirer le regard de la gent masculine.

— C'est délicieux, mais je n'ai pas très faim. Pourquoi votre sœur n'assiste-t-elle pas au repas ?

— Comme toujours, Célia n'en fait qu'à sa tête, rétorqua Alice d'un ton pincé. Elle déjeune souvent à l'office en compagnie des domestiques. Parfois elle passe des journées entières à l'extérieur, vadrouillant je ne sais où, pour exercer ses talents de sorcière.

Ralph se leva d'un bond.

— Vous osez me défier ouvertement ?

Confuse, Alice mit une main sur sa bouche.

— Je suis désolée, j'avais oublié... Mais ce n'est que stricte vérité.

— C'est la jalousie qui vous pousse à parler ainsi. Vous avez une langue de vipère !

Alice rougit sous l'insulte.

— Jalouse, moi ? De qui ? De la fille d'une catin ?

— Allez-vous-en, vous m'irritez !

Hors d'elle, Alice s'enfuit et monta quatre à quatre les marches qui la séparaient de sa chambre. Ralph se tourna vers Athelstan.

— Pourquoi nourrit-elle de tels sentiments à l'égard de sa sœur ? demanda-t-il à voix basse, pour ne pas être entendu de ses voisins.

— Vous l'avez remarqué, vous aussi, Monseigneur ?

— Elle serait charmante si seulement elle était un tantinet moins idiote !

— Elle n'y est pour rien. La faute en incombe à sa mère.

— Racontez-moi cela, le pria Ralph en se calant confortablement contre le dossier de son siège.

— Le vieux comte aimait sa première femme de toute son âme. Elle s'appelait Lady Maude. Il la respectait d'autant plus qu'elle lui avait donné de magnifiques garçons. Malheureusement, sa santé déclina peu à peu, et plusieurs années se passèrent sans qu'elle pût recevoir son mari dans son lit.

— Ce n'est pas rare, fit Ralph avec une petite moue désabusée.

— Mais le comte aimait sincèrement son épouse. Il ne chercha pas ailleurs son plaisir.

Ralph éclata d'un rire sceptique.

— Et Célia, alors ?

— Ce n'était qu'un homme, et après quelque temps, il céda à l'appel de la chair. Il s'enticha d'une jolie fille de ferme nommée Annie. Lady Maude se mourait. Le comte était accablé et Annie incarnait la beauté, la vie et la joie. La comtesse s'éteignit et Annie mit Célia au monde. C'était une enfant au charme extraordinaire, et le comte l'adorait. Il offrit à Annie d'épouser le contremaître d'Aelfgar, un homme intelligent et sérieux, mais elle refusa et demeura aux cuisines. Célia évoluait en toute liberté dans le domaine. Chacun savait qu'elle était la bâtarde du seigneur. Ses frères l'adoraient et tout aurait été pour le mieux si le comte n'avait pas épousé la mère d'Alice, Lady Jane.

— Et alors ?...

— Quand le comte prit conscience qu'il était tombé amoureux d'Annie, il se résolut à changer le cours des choses. Sa seconde épouse lui avait apporté dans sa dot un petit manoir à la frontière nord. Jane était tout le contraire d'Annie : une brune à l'apparence austère, méprisante et follement humiliée de constater que son mari lui préférait une simple serve. Quand sa femme se retrouva enceinte d'Alice, il déserta son lit, bien qu'il continuât à la traiter avec respect. Jane détesta plus encore Annie et Célia. Alice fut élevée dans cette rancœur. Elle haïssait sa sœur avant même de savoir marcher.

— Le comte connut-il d'autres aventures ?

— C'était un homme d'exception. Il ne courait pas les femmes et demeura fidèle à Annie après la mort de Maude. Célia est le fruit de cet amour passionné.

— Pourtant, Lady Alice m'a affirmé que Célia n'était qu'une bâtarde dont personne ne se souciait.

— Peut-être en est-elle convaincue...

— Vous êtes d'une grande sagesse, Athelstan.

— Vous aussi, malgré votre jeune âge.

Ralph eut un demi-sourire et le vieil homme finit par se dérider.

— On m'a dit que Célia disparaissait parfois des jours entiers, poursuivit le Normand.

Cette pensée lui déplaisait fortement. Il sentit son estomac se nouer.

— Vous êtes bien curieux au sujet de cette fille, Monseigneur.

— Elle est très belle, convint Ralph en regardant son interlocuteur droit dans les yeux. Je pensais, compte tenu des circonstances de notre rencontre, que c'était elle qui m'était destinée.

— Vous ne craignez pas son mauvais œil ?

— Vous croyez vous aussi que c'est une sorcière ? s'esclaffa Ralph.

— Oui, répondit Athelstan avec le plus grand

sérieux. Son père lui-même le prétendait. Mais ses pouvoirs sont bénéfiques.

— C'est un être de chair et de sang... une femme capable de combler un homme.

« *Ma* femme... », songea-t-il sans pouvoir s'en défendre.

Il s'assombrit, furieux de se laisser aller à de telles pensées.

— Sans doute, Monseigneur. Mais pour l'instant, elle est probablement en train d'exercer ses talents !

— Que diable me chantez-vous là ? ! ! ! rugit Ralph en abattant violemment son poing sur la table.

— Elle est partie cueillir les herbes qui guériront Thor.

— Expliquez-vous !

— Elle est sortie sans escorte, dans la nuit, pour s'occuper d'un vieux chien, répliqua sèchement Athelstan.

Ralph n'en croyait pas ses oreilles. Il se leva, aussitôt imité par tous ses soldats.

— Une fois pour toutes, finissons-en avec ces balivernes !

11

Les traits d'Alice étaient déformés par la rage. La colère l'enlaidissait et la faisait paraître bien plus âgée qu'elle ne l'était en réalité. Elle prêta l'oreille et entendit la soldatesque qui quittait le manoir dans un martèlement de sabots. La troupe partait à la recherche de Célia.

C'était incroyable ! Son fiancé s'était amouraché de sa sœur ! Célia lui avait certainement jeté un sort... Pourquoi, sinon, la regarderait-il ainsi, alors qu'elle rebutait les autres hommes ? A moins qu'il ne soit, lui aussi, un apôtre de Lucifer ? Cette idée la fit frémir.

Cependant il lui avait paru bien réel, lorsqu'elle avait entrevu son corps viril et musclé, couturé de nombreuses cicatrices, terribles souvenirs de combats sans merci. Pour une raison inconnue, le Normand ne semblait pas craindre le « mauvais œil », et de surcroît, il était ensorcelé par l'éclatante beauté de Célia.

Alice exécrait sa sœur, au point que cette haine occultait la peur en elle. Avec le temps, sa méchanceté à l'égard de Célia s'était amplifiée. Elle se savait à l'abri des redoutables pouvoirs de sa sœur, puisque leur père était là pour la protéger.

En ce moment même, Ralph battait la campagne pour retrouver cette mijaurée. Alice aurait voulu l'étrangler de ses propres mains ! Comme le vieux comte, le guerrier était subjugué par le charme dévastateur de sa demi-sœur. Alice avait la nausée en se remémorant l'idylle qui avait uni son père et cette putain d'Annie, au détriment de sa seconde épouse et de sa fille légitime. Edwin et Morcar eux-mêmes avaient toujours marqué une préférence pour Célia et son rire cristallin.

Tous ceux qui avaient compté dans la vie d'Alice n'avaient eu d'yeux que pour sa sœur. Seuls ceux qui l'indifféraient, comme ce jeune crétin de Bill, son promis, s'étaient véritablement intéressés à elle. Et maintenant ce Normand, son dernier espoir de ne pas rester vieille fille, tombait dans les rêts de cette sorcière... Il ne fallait à aucun prix lui permettre de ruiner son avenir. Un plan germait dans son esprit...

Une heure s'était écoulée. Les pâles rayons de la lune éclairaient à présent le domaine d'Aelfgar. Ralph arrêta sa monture et tendit l'oreille. On n'entendait ni la chanson des criquets, ni le ululement de la chouette, ni le sifflement du vent dans les arbres. Un silence absolu régnait sur la campagne endormie. Le guerrier se dressa sur ses étriers et aperçut, sur la colline voisine, la lueur tremblotante des torches des hommes qui passaient les fourrés au peigne fin. Il avait les nerfs à fleur de peau. Jamais plus il ne laisserait Célia s'éloigner !

— Célia ! Célia ! hurlait-il dans la nuit.

Mais ses appels demeuraient sans réponse. L'inquiétude le tenaillait. Il était maintenant convaincu qu'un malheur était advenu à la jeune fille. Peut-être des brigands, ou des loups... ?

Soudain il perçut un bruit et se retourna d'un bloc. Mais ce n'était que Beltain.

— Monseigneur ! Je la tiens, je l'ai retrouvée !...

Le cœur de Ralph bondit dans sa poitrine. Une fugitive expression de soulagement se peignit sur son visage, mais il se rembrunit aussitôt. Il éperonna son destrier pour aller à la rencontre de son ami.

— Beau travail ! félicita Ralph.

Beltain avait chargé Célia sur son épaule. Elle se débattait pour se dégager.

— Lâchez-moi, sale porc ! vociférait-elle.

— Approche-toi, Beltain.

L'homme obéit et la main de Ralph s'abattit sans pitié sur la croupe rebondie de la jeune femme. Elle poussa un cri aigu.

— Laisse-la, à présent !

Beltain posa Célia à terre comme un vulgaire sac. Elle se releva et lança à Ralph un regard assassin.

— Ne me provoquez pas ! hurla-t-il.

Sa voix vibrait de fureur, et la jeune femme comprit qu'il valait mieux ne point insister. Elle se laissa docilement hisser sur le destrier. Le Normand donna le signal du départ et la troupe reprit le chemin d'Aelfgar.

Célia n'avait pas lâché son précieux panier. L'angoisse lui étreignait la gorge. Pourquoi avait-on lancé tous ces soldats à ses trousses ? De quoi le sire de Warenne se mêlait-il ? Il n'avait aucun droit sur elle !

Il resta silencieux durant leur retour au manoir. Devant le perron, il sauta à bas de son cheval et entraîna rudement sa captive, après avoir jeté les rênes à un page.

Ils pénétrèrent dans la grande salle où Alice brodait aux côtés de sa dame de compagnie, une femme rondelette qui répondait au nom de Mary. Une poignée de soldats jouaient aux dés autour de quelques chopes de bière. Alice leva les yeux sur les nouveaux arrivants.

— Tout le monde dehors ! ordonna Ralph d'un ton sans réplique.

Comme Célia s'apprêtait elle aussi à quitter la pièce, il la retint.

— Pas vous !

Elle croisa son regard sombre et menaçant, tandis que la salle se vidait lentement, et tenta de contrôler les battements affolés de son cœur. Personne ne l'avait encore traitée de lâche et elle n'allait certainement pas donner à cet ennemi, cet usurpateur, la première occasion de le faire.

— Quelle punition m'infligerez-vous, cette fois ? s'enquit-elle d'un air bravache. Avez-vous décidé de me prendre ici, à même le sol ? Après tout, nous sommes seuls, c'est bien ce que vous vouliez ?!

— Ne me défiez pas ainsi ! gronda-t-il en se renfrognant.

— Et pourquoi donc ?

— Je vous interdis de vous éloigner du manoir, ni même du village !

Stupéfaite, Célia ne trouva rien à répondre.

— C'est bien compris ? insista-t-il.

— Vous ne pouvez pas m'en empêcher !

— Bien au contraire. Je suis le maître, ici, et vous devez vous plier à mes consignes. Vous pourrez cependant m'en demander l'autorisation, et peut-être vous l'accorderai-je, dans un élan de générosité. Mais une chose est sûre, il n'y aura plus de vagabondage à la nuit tombée.

— Vous êtes fâché parce que je vous ai menti sur mon identité ! s'écria Célia, bouleversée.

— Oh, oui ! souffla-t-il, soudain radouci. Vous pouvez vous estimer heureuse de vous en tirer à si bon compte. Célia...

C'était la première fois qu'il employait son prénom avec gentillesse. Elle en éprouva une étrange émotion.

— A si bon compte ? répéta-t-elle, abasourdie. Mais vous n'avez cessé de me harceler !

— De vous harceler, moi ?

— Et comment qualifiez-vous votre conduite ?

— Et ma qualité de seigneur, je peux châtier qui bon me semble.

— Si vous m'aviez restitué mes herbes, je n'aurais pas eu à courir la campagne de la sorte.

— Cela ne serait pas arrivé si vous n'aviez pas empoisonné Guy.

— J'ai agi ainsi parce que vous me reteniez prisonnière !

— Cela ne serait pas arrivé si vous aviez été une dame de qualité, comme vous le prétendiez.

Célia frémit, ne sachant pas si cette remarque visait ses origines ou sa tare physique.

— « Sorcière », « bâtarde »... ! Avez-vous l'intention de m'insulter encore longtemps ?

En une enjambée il fut près d'elle et se mit à la secouer comme un prunier.

— Vous ne comprenez pas ! Je ne cherche pas à vous injurier. Vous êtes d'une tout autre nature que ces ladies insipides. Ce que j'aime en vous, c'est votre tempérament de feu et votre farouche détermination.

Ces paroles la troublèrent profondément. Elle ne pouvait détacher ses yeux des prunelles ardentes qui la dévoraient. Il la relâcha et elle se surprit à souhaiter qu'il l'enlace de nouveau. Le regard de l'homme s'attarda sur les lèvres pulpeuses de la jeune femme. Puis, brusquement, il lui tourna le dos et la planta là, seule et désemparée. Un flot de larmes brûlantes inonda les joues de Célia.

12

— Debout !

Célia s'était endormie avant d'avoir pu discuter avec Alice de son mariage imminent. Elle avait plongé dans un sommeil de plomb qui lui avait procuré un oubli bénéfique.

— Debout ! répéta Alice, en tirant de toutes ses forces sur la crinière dorée.

Célia se réveilla brutalement avec un cri de douleur et se redressa. Elle couchait sur un grabat posé à même le sol dans la grande salle.

— Alice ? Que se passe-t-il ?

— Lève-toi ! jeta sa demi-sœur. J'ai à te parler.

L'aube ne s'était pas encore levée. Les ronflements sonores des soldats normands emplissaient la pièce. Célia se mit sur pied et s'enveloppa dans une cape.

— Est-ce si urgent ?

Sans répondre, Alice la poussa vers l'office. La lune éclairait son visage déformé par la colère.

— Je te préviens, Célia, j'ai la ferme intention d'épouser cet homme ! Ne t'avise pas de m'en empêcher !

Célia la considéra avec stupeur.

— N'essaie pas de l'ensorceler avec tes airs de sainte nitouche, c'est compris ? !

— Ne me dis pas que tu désires cette union !

— Il m'appartient ! Il peut bien s'amuser avec toi comme l'a fait notre père avec Annie, je m'en fiche ! Mais jamais tu ne seras son épouse légitime !

Ces mots blessèrent Célia au plus profond de son âme, car elle savait bien qu'Alice disait la vérité.

— Je le hais ! répondit-elle. C'est un assassin, un ennemi ! Il a volé les terres de nos frères ! Je n'en voudrais pas, même s'il demandait ma main !

— Parfait !

— Alice, comment peux-tu songer à épouser un Normand qui a usurpé le patrimoine d'Edwin ?

— Guillaume est désormais le roi. Cela m'est égal qu'Edwin soit comte ou non ! Finalement, c'est mieux ainsi : le Normand sera maître d'Aelfgar, et je serai sa femme !

— Je peux t'aider à fuir, proposa Célia. Nous retrouverons Edwin, il nous protégera contre l'envahisseur...

— Non ! Ne m'as-tu pas entendue ? Je *veux* l'épouser ! Ne te mets pas en travers de mon chemin. Tu t'es pavanée devant lui et il te court après comme un taureau en rut ! Je t'interdis de l'attirer dans ton lit.

— Je ne m'abaisserais jamais à cela !

— Bien. Autre chose, maintenant. Parlons de ta position ici.

— Comment cela ?

— Je suis dorénavant la maîtresse d'Aelfgar. Je suis lasse de ta présence. Maintenant que notre père est mort et que nos frères sont partis, il est temps que tu retrouves ta véritable place.

— Que veux-tu dire ?

— Dès l'aube, tu rejoindras les communs, intima Alice. Tu remplaceras Jess aux cuisines. Et tu prendras tes repas avec le restant de la valetaille.

Célia se pétrifia. Depuis le remariage de Lady Jane un an auparavant, Alice était devenue la dame d'Aelfgar. Mais jamais elle n'avait osé lui parler ainsi. Edwin ne l'aurait pas permis, même si elle en avait eu le pouvoir.

— Tu n'es pas sérieuse ?

— Ralph et moi avons pris cette décision ensemble. Nous ne voulons pas nous embarrasser de bouches inutiles ici !

— Ralph ? ! ! !

— Bien sûr. Tu n'es qu'une serve parmi tant d'autres.

— Je suis libre, et tu le sais, répliqua Célia. Père nous a affranchies, ma mère et moi.

— Peux-tu le prouver ? ricana Alice.

— Tout le monde est au courant !

— Possèdes-tu des preuves écrites ?

— Il n'y en a jamais eu...

— Alors ne discute pas. Qui jurera le contraire ? Ta sorcière de grand-mère ? Les villageois ? Athelstan ? Ce sera ta parole contre la mienne, et tu n'es qu'une bâtarde.

Célia n'en croyait pas ses oreilles.

— Nos frères savent la vérité !

— Peut-être, mais ils ne sont plus là.

— Pourquoi agis-tu ainsi, Alice ?

— Cela ne te regarde pas. Tu appartiens à cette maisonnée, et le sire de Warenne est ton seigneur. Si tu t'enfuis, je te ferai traquer comme une bête. Tu as tout intérêt à m'obéir. C'est clair ?

Alice savait que Célia ne quitterait jamais Aelfgar. Elle aimait trop le domaine pour cela.

— Très clair, fit Célia froidement.

— Alors, le sujet est clos, conclut Alice avec un sourire satisfait.

Dès le lendemain, les Normands se mirent à l'œuvre et, tandis qu'une équipe se chargeait d'abattre les arbres pour dresser le nouveau mur d'enceinte, une deuxième s'occupait de creuser l'immense fossé qui entourerait le manoir. Ralph avait veillé à ce qu'on utilise au mieux la configuration du terrain. Malheureusement, il fallait raser le village et le reconstruire sur un site qu'il jugeait plus propice.

Après s'être assuré que les travaux allaient bon train, Ralph se débarrassa de son haubert et prit part à l'ouvrage. Quelques minutes plus tard, il ruisselait de sueur sous le soleil de plomb.

Tous les habitants avaient été réquisitionnés. Le travail aux champs attendrait que le donjon soit érigé. A midi, Ralph donna le signal d'une pause pour permettre à chacun de se restaurer de pain, de fromage et de bière. Il en profita pour se laver succinctement, avant de rejoindre Alice pour le repas. Cherchant Célia des yeux, il constata qu'une fois de plus elle demeurait introuvable.

— Où est donc votre sœur ?

— Elle veille à la bonne marche des cuisines, Monseigneur, répondit Alice avec un sourire mielleux. Comme vous pouvez le constater, la chère s'est nettement améliorée.

Ralph n'en avait cure. Mais il était ravi que Célia se soit soumise à ses injonctions de la veille. Il attaqua gaillardement le contenu de son assiette.

Pour restreindre les risques d'incendie, on avait installé les cuisines dans une dépendance du manoir. Les immenses cheminées de pierre dégageaient une intense chaleur : le feu y était entretenu jour et nuit. Un jeune domestique en nage tournait la broche de la rôtissoire. De vastes marmites de ragoût répandaient un délicieux fumet. Des petits pains dorés, des gâteaux alléchants et de succulentes volailles cuisaient dans les fours. Les nombreux garde-manger regorgeaient de nourriture. La porte d'entrée constituait la seule ouverture de la pièce.

Il y faisait si chaud que chacun travaillait en chemise et nu-pieds. Célia ne faisait pas exception à la règle. Alors qu'elle enfournait une nouvelle miche de pain, le visage rougi par la braise, elle regretta de ne pouvoir se dévêtir. Sa tunique de laine lui collait à la peau. Une nouvelle quinte de toux, provoquée par la fumée épaisse qui l'enveloppait, lui déchira la poitrine.

Si seulement il pleuvait !

Elle rêvait d'une bonne averse. Elle courrait audehors et se laisserait tremper par les trombes d'eau. Ce serait merveilleux !

Sa colère envers Alice était retombée. Elle ne pouvait la blâmer. Alice se sentait menacée, car Ralph de Warenne ne pensait manifestement qu'à Célia. C'était incroyable, mais vrai !

Un long frisson secoua Célia : elle éprouvait une étrange impression où se mêlaient la peur et une sensation inconnue qu'elle se refusait à analyser.

Elle avait pourtant assuré à Alice qu'elle ne portait aucun intérêt au Normand et que jamais elle ne le séduirait. Et pourtant, elle ne réussissait pas à chasser de son esprit l'image de ce splendide guerrier. Cet homme l'irritait et la désorientait. Il l'avait consignée au manoir, mais elle ne lui demanderait certainement pas la permission de sortir. Elle était libre d'aller où bon lui semblait ! Elle affronterait sa colère et supporterait ses coups sans le moindre gémissement. Elle n'accepterait jamais son autorité, ni ses prétentions sur le domaine !

Elle se doutait bien que sa relégation aux cuisines n'était qu'une punition supplémentaire pour l'avoir dupé. Alice s'était probablement contentée d'exécuter ses ordres. C'est pourquoi Célia travaillait sans rechigner, plus durement que n'importe quel autre serviteur. Après tout, elle ne valait pas mieux qu'eux : sa propre mère n'était qu'une simple fille de ferme.

Non, la besogne ne lui faisait pas peur. Si Ralph espérait la voir se traîner à ses genoux pour le supplier de lui accorder son pardon, il allait être déçu ! Plutôt mourir ! Elle saurait se montrer aussi inflexible que lui. Elle combattrait l'Ennemi jusqu'à son dernier souffle.

13

La chaleur était insoutenable.

La cuisine était sombre et enfumée. Célia fut soudain prise d'un étourdissement et s'agrippa à la table pour ne pas s'effondrer.

— Allons, du nerf ! brailla Tildie, la cuisinière. On n'a pas le temps de rêvasser, ici, ma fille ! Le seigneur est déjà de retour !

D'un geste malencontreux, Célia renversa une jatte de pommes de terre. Les légumes se répandirent dans la poussière.

— Pauvre idiote ! lança Tildie en lui assenant une gifle retentissante. Avec quoi allons-nous garnir la tourte, à présent ?

Des milliers d'étoiles dansaient devant les yeux de Célia, tandis que Tildie, réalisant ce qu'elle venait de faire, portait la main à sa bouche, les yeux agrandis par l'horreur. Les deux femmes se toisèrent. La cuisinière, qui en était à sa cinquième grossesse, croisa les bras sur son ventre rebondi.

— C'est bon, dit enfin Célia. Je sais que tu ne l'as pas fait exprès...

Tildie recula, les yeux pleins de larmes.

— Oh, Célia ! Qu'allons-nous faire ? Le repas est fichu, maintenant... Le maître nous fouettera... Oh, mon pauvre bébé !

Célia l'entoura affectueusement de ses bras.

— Calme-toi, Tildie. Il ne te touchera pas, je te le promets.

Tildie était visiblement paniquée. Comme tous les domestiques, elle était terrifiée par le nouveau seigneur. Son regard dur leur inspirait une véritable panique. Chacun connaissait de réputation Ralph l'Inflexible. Il était le chef le plus impitoyable des armées de Guillaume le Conquérant. Lors de la bataille d'Hastings, sa soldatesque avait massacré une centaine d'archers saxons. Pour cet exploit, il avait reçu le domaine de Bramber. Il y avait rapidement maté un début de rébellion et ordonné la pendaison des instigateurs. Il avait incendié York après avoir mis en déroute les insurgés saxons et, sur la route d'Aelfgar, il avait intégralement rasé Kesop. Ralph de Warenne n'avait pas usurpé son surnom !

— Nous cuirons quelques miches de plus, voilà tout, déclara Célia avec fermeté. Ne te tracasse pas, Tildie. Va t'asseoir quelques instants, je m'occupe du pain.

Ils avaient terminé de creuser le fossé et le mur d'enceinte commençait à prendre allure. Le nouveau manoir serait bâti en un temps record. Ralph poussa un soupir de soulagement.

Il ne portait qu'une chemise et un caleçon de laine. Ses vêtements trempés de sueur moulaient avec précision chaque muscle de son corps. Ses boucles dorées lui collaient aux tempes. Il se passa une main sur le front, en maudissant la chaleur. Mieux valait rentrer au manoir maintenant. En pénétrant dans la cour intérieure, il s'arrêta devant les communs. Les cheminées crachaient sans cesse de lourdes volutes noires. Ralph huma avec délices le fumet de la viande grillée. Son estomac criait famine. Les domestiques allaient et venaient en tous sens, les bras chargés de victuailles et d'ustensiles. Un jeune garçon tirait l'eau du puits. Ralph était sur le point de poursuivre son chemin, lorsqu'une serve sortit des cuisines et se dirigea vers le cellier.

Le cœur de Ralph bondit dans sa poitrine. C'était bien Célia ! Il ne l'avait pas vue depuis plusieurs jours, et pourtant il n'avait cessé de penser à elle.

Ces derniers temps, il avait été d'une humeur exécrable. Il s'en prenait sans cesse à ses hommes, sous les prétextes les plus futiles, et n'avait même pas daigné se justifier quand Guy le lui avait ouvertement reproché. Ce dernier lui avait suggéré avec ironie de profiter de la complaisance de Lettie, une jeune paysanne dont les charmes étaient fort prisés par la troupe. Mais Ralph avait ignoré ce conseil. D'ordinaire, il était le premier à trousser les jupons des filles, mais cette fois il avait l'esprit ailleurs.

Célia n'avait pas remarqué sa présence et continuait de vaquer à ses occupations. Elle avait noué une ceinture autour de sa taille et relevé le bas de son vêtement pour être plus libre de ses mouvements, ce qui laissait apercevoir ses jambes minces et musclées. L'étoffe grossière rehaussait encore l'éclat de son teint de magnolia. Oubliant ses fermes résolutions, Ralph s'approcha.

Célia s'immobilisa brusquement au centre de la cour, secouée par une violente quinte de toux qui la courba en deux. Ralph se précipita vers elle, et la soutint jusqu'à ce qu'elle reprenne son souffle. Elle s'appuyait contre lui, et Ralph s'alarma de la sentir si faible.

— Ça va mieux, articula-t-elle enfin, péniblement.

Elle releva la tête et écarquilla les yeux en découvrant le Normand.

Les pommettes de la jeune fille étaient rougies par l'effort. Sa mâchoire portait la trace d'une ecchymose. De grands cernes mauves ombraient son magnifique regard. Ses cheveux retombaient en désordre sur ses épaules. Elle se dégagea vivement dans un sursaut de fierté, mais vacilla et dut se raccrocher à la manche de son compagnon.

— Vous êtes malade ?!

— Lâchez-moi ! Je vais bien...

Sa pâleur démentait ses paroles. Elle était sur le point de défaillir. Ralph porta la main à son front et réalisa qu'elle brûlait de fièvre.

— Laissez-moi vous aider, Célia. Venez, allons nous asseoir...

— C'est à cause de la fumée...

— La fumée ?

— Oui, dans la cuisine...

Il demeura pensif l'espace d'un instant, puis la lâcha pour se diriger vers les cuisines qu'il n'avait pas encore eu le temps de visiter. Il pénétra dans une pièce exiguë où s'affairaient quelques domestiques, dont un jeune marmiton qui surveillait la cuisson du ragoût. La chaleur qui y régnait était insupportable. Comment respirer dans cette atmosphère suffocante ? Il revint vers Célia, l'air soucieux.

— Cet endroit est un véritable enfer !

Elle haussa les épaules et chassa une mèche rebelle qui barrait son front.

— Qu'imaginiez-vous ? rétorqua-t-elle, sarcastique.

— C'est invraisemblable ! Il doit bien exister un moyen d'aérer cette pièce ?

— Oui, en perçant des fenêtres et en agrandissant la cheminée, mais personne ne s'en soucie.

— C'est ce que nous verrons !

Il examina de plus près la jeune femme et remarqua des traces de farine sur son nez. Sa robe était souillée et sa joue était enflée.

— Que vous est-il arrivé ? Vous avez l'air d'une souillon...

— A quoi vous attendiez-vous ? A une robe de bal ? Je ne suis pas là pour me divertir, mais pour travailler, comme n'importe laquelle de vos servantes.

Ralph entrevit brusquement la vérité. Une bouffée de colère l'envahit.

— Je croyais que vous supervisiez l'office ?

— Vous voulez rire ! railla-t-elle. En ai-je l'air ?

Elle désignait sa mise négligée.

— Vous paraissez exténuée.

— Que vous importe ? riposta-t-elle avec dédain. Excusez-moi, j'ai mille tâches qui m'attendent...

Elle tourna les talons, laissant Ralph pantois. Comment pouvait-elle le planter là et mettre fin à la conversation sans qu'il lui en ait signifié l'ordre ? Il la rattrapa rudement par le poignet.

— Je vous interdis d'y retourner !

— Il faut savoir ce que vous voulez ! Je ne fais que suivre vos consignes.

— Qui diable vous a mis cette idée en tête ?

— C'était ma punition, non ?

— Mais pas du tout ! protesta-t-il vigoureusement. Allez vous reposer ! Et que je ne vous reprenne pas à rôder par ici, sinon vous aurez affaire à moi !

Elle le dévisagea, sidérée.

— Ne vous avisez pas de me désobéir, Célia ! poursuivit-il. Dois-je vous rappeler que je suis le maître, ici ?

Elle se mordit les lèvres, prête à regimber, mais se ravisa promptement et baissa les yeux.

— Bien, murmura-t-elle.

Les pensées les plus confuses se bousculaient dans l'esprit de Ralph. Il ne savait pas s'il devait respecter la jeune femme pour son courage ou la détester pour son effronterie. D'une main il lui releva le menton et l'intensité des splendides prunelles violettes le retint prisonnier.

— Faites-moi plaisir, dites « Monseigneur », enjoignit-il doucement.

Comme elle se murait dans un silence entêté, il poursuivit :

— Allons, Célia, ne vous obstinez pas...

— Oui... Monseigneur.

— Vous voyez, ce n'était pas si difficile.

Il sourit, satisfait, et caressa de l'index le contour ourlé de ses lèvres. Célia eut un mouvement de recul.

— Allez chez votre grand-mère. Il faut vous rétablir...

Sans attendre qu'il ait terminé sa phrase, elle se mit à courir pour fuir, fuir loin de lui...

14

— J'aimerais m'entretenir avec vous, Milady.

Alice se tenait debout près de sa chaise et attendait que Ralph daigne s'asseoir. Les soldats avaient déjà pris place et festoyaient bruyamment. Les yeux de Ralph avaient la teinte glacée d'un ciel d'hiver. Alice jeta un coup d'œil autour d'elle pour voir si quelqu'un avait surpris ses paroles. Guy Le Chante paraissait plongé dans l'étude de son assiette, mais le vieil Athelstan se permit une œillade insolente. Alice dissimula son mécontentement sous un charmant sourire.

— Cela ne peut-il attendre, Monseigneur ? répondit-elle. Le repas va refroidir.

— Non.

Il lui saisit rudement le bras et l'entraîna dans les escaliers. Alice se dit qu'il n'avait pas plus d'égards pour elle que pour une serve, mais elle n'en montra rien et garda les yeux obstinément baissés. Une petite pointe d'appréhension lui serra le cœur.

— Expliquez-moi pourquoi Célia trimait aux cuisines comme une vulgaire domestique ? gronda-t-il.

— Mais c'est une domestique ! protesta Alice.

— Elle est votre sœur.

— Ma *demi*-sœur ! Et une bâtarde.

— Elle demeure néanmoins la fille du vieux comte, et sa place n'est pas à l'office.

— Bien, Monseigneur.

Alice attendit qu'il se détende un peu avant de poursuivre :

— Qu'allons-nous faire d'elle, dans ce cas ? A Aelfgar, chacun doit gagner sa pitance.

— J'y réfléchirai, répliqua-t-il avec impatience. Le sujet est clos.

Comme il faisait mine de s'éloigner, elle le retint par la manche de son habit.

— Quoi encore ? fit-il sans chercher à cacher son irritation.

— Vous ne m'avez pas annoncé la date de notre mariage... souffla-t-elle.

Ralph se rembrunit sur-le-champ.

— Je pensais vous l'avoir dit. Dans deux semaines, si cela vous agrée.

Les traits d'Alice reflétèrent un intense soulagement et elle gratifia son fiancé d'un large sourire.

— Bien sûr, Monseigneur ! Je suis si heureuse !

Célia ne parut point au déjeuner, mais Ralph, subodorant qu'elle se reposait, ne s'inquiéta pas avant le souper. Il la savait malade. Le stratagème qu'Alice avait employé pour évincer sa sœur l'exaspérait. Il se demandait si Célia, en raison de ses origines bâtardes, s'était toujours vu assigner les tâches les plus ingrates. Cette injustice, pourtant dans l'ordre des choses, perturbait Ralph, lui qui n'avait jamais compati au sort d'un domestique auparavant.

L'idée que Célia soit de basse extraction ne l'avait pas effleuré avant qu'Alice ne mentionnât le fait. Il en tirait maintenant une certaine satisfaction, car cela signifiait qu'elle lui appartenait. Elle lui devait obéissance au même titre qu'un membre de la famille, à la différence qu'elle ne pouvait quitter le domaine sans sa permission. Tout départ sans autorisation explicite aurait été considéré comme une fuite, c'est-à-dire un délit grave. Elle ne pouvait pas non plus se marier sans l'aval de son seigneur et lui était redevable d'un certain nombre de services chaque année. Elle était entièrement soumise à son bon vouloir car, légalement, elle était sa propriété.

A la pensée qu'elle était peut-être rongée par la fièvre, Ralph perdit l'appétit. Il décida d'aller voir par lui-même, plutôt que d'envoyer un valet, et sortit, laissant Alice à sa harpe et ses hommes à leurs jeux.

Célia passait beaucoup de temps en compagnie de sa grand-mère, qui habitait au village. La jeune femme devait probablement s'y trouver en ce moment. Par acquit de conscience, il décida de se renseigner auprès des servantes.

Pour la deuxième fois de sa vie, Ralph pénétra dans les cuisines. La pièce était faiblement éclairée par des lampes à huile. Soudain, il se pétrifia sur place. Il n'aurait pas été plus surpris d'apercevoir un revenant ! Célia nettoyait le sol. Elle perçut sa présence et se releva d'un bond. Le défi qu'il lut dans son regard était tel qu'il en eut le souffle coupé. Le Normand mit un instant à retrouver l'usage de la parole.

— Vous osez me provoquer... ! rugit-il, livide.

— Je peux vous expliquer...

— Personne ne contrevient à mes ordres !

— J'avais une bonne raison, Monseigneur...

Il fit un pas en avant, frémissant de colère. Célia recula, les mains devant elle, comme pour se protéger. Elle était trop épuisée pour lutter.

— C'est à cause de Tildie, Monseigneur ! Elle va avoir son bébé... Nous manquons de bras, ici. J'ai dû la remplacer...

La fureur de Ralph fit place à la stupéfaction.

— Vous vous tuez au travail à la place d'une autre ?

— C'est mon amie, objecta Célia dans un murmure.

— Assez ! Vous m'avez désobéi, et je ne peux le tolérer.

— Allez-vous me battre ?

— Pour cette fois, et cette fois seulement, vous ne serez pas punie. Mais prenez garde ! Si cela se reproduisait à l'avenir, je ne me montrerais pas aussi clément ! Vous n'avez pas à prendre de telles décisions par vous-même. Je vous raccompagne à votre chambre.

— Ma chambre... ou mon lit ?

— Est-ce une proposition ? s'enquit-il d'un ton moqueur. Vous n'avez qu'un mot à dire.

— Je vous en prie !

Il eut un demi-sourire et son regard effleura les rondeurs exquises de la jeune femme.

— Votre esprit se cabre, mais votre corps est consentant.

— C'est faux !

— Cessez de croiser le fer avec moi, Célia. Vous n'y gagnerez rien.

— Je vous hais ! gronda-t-elle entre ses dents.

— Où logez-vous ?

— Dans la grande salle.

Elle refusa la main qu'il lui tendait, alors qu'en vérité elle mourait d'envie de se blottir contre la robuste poitrine du Normand.

Ils sortirent sous un ciel d'étoiles. La lune s'était levée. Célia admira la voûte céleste avec un soupir. Ralph contemplait avec admiration son fin profil, qui se découpait dans la nuit. Elle s'en aperçut et rougit.

— Venez, ordonna-t-il d'un ton bourru en la saisissant par le coude.

Elle obéit en réprimant un frisson.

Célia était si troublée qu'elle eut du mal à trouver le sommeil. Lorsqu'enfin elle parvint à fermer l'œil, un brouhaha diffus s'éleva tout près.

— Célia ! Célia, lève-toi ! C'est urgent !

Elle cligna des yeux et aperçut Athelstan penché sur elle, une torche à la main. Il était accompagné d'un serf.

— Qu'est-ce qui se passe ?

Dehors, un chien se mit à hurler à la mort. Les soldats s'agitèrent. Une voix autoritaire réclama le silence.

— C'est ma femme, expliqua le domestique. Elle va très mal...

Célia le reconnut sans peine. C'était John, le mari de Tildie.

— C'est son cinquième enfant, et tous ses accouchements se sont parfaitement déroulés, mais cette fois-ci c'est différent. Je t'en supplie, aide-la !

Célia fut sur pied en un éclair et s'enveloppa d'une longue cape.

— Bien sûr. Je viens tout de suite, John.

Son esprit fonctionnait à toute allure. Elle allait avoir besoin de ses herbes.

— Que se passe-t-il ?

Célia distingua Ralph au bas des escaliers. Il était torse nu mais tenait sa fidèle épée en main.

— C'est Tildie, répondit Athelstan. Elle est en couches, et cela se présente mal.

Célia se fraya un chemin parmi les soldats et vint se camper devant Ralph.

— Envoyez quelqu'un d'autre, enjoignit ce dernier à l'intention d'Athelstan. Cette fille est épuisée.

— Je suis la seule à pouvoir la sauver, Monseigneur, intervint Célia. Rendez-moi mes herbes...

Elle s'était exprimée d'un ton sans réplique. Ralph la considéra un instant avant d'ordonner à Athelstan d'aller quérir la petite bourse de cuir. Célia attendit patiemment, sous le regard insistant du guerrier.

« S'il m'interdit de soigner Tildie, je désobéirai ! » se promettait-elle.

Mais Ralph ne disait mot. Athelstan réapparut et tendit le petit sac à la jeune femme, qui s'en empara vivement avant de se fondre dans l'obscurité.

Cinq minutes plus tard, elle atteignit la masure de John, en compagnie de ce dernier. Les gémissements de Tildie déchiraient l'air. Quatre petits enfants étaient pelotonnés les uns contre les autres dans un coin de la salle. Ils pleurnichaient.

— Chut, mes mignons, fit Célia en caressant la tête du benjamin. Je vais prendre soin de votre maman. Occupe-toi d'eux, John.

Tildie avait déjà perdu les eaux. Son corps se tordait sous l'effet des contractions qui étaient maintenant très rapprochées. Le bébé ne venait toujours pas. Célia comprit instantanément la situation : l'enfant se présentait par le siège.

— Il va falloir que je le retourne, expliqua-t-elle à John.

— Avez-vous l'expérience de ce genre de chose ? interrogea une voix à côté d'elle.

Célia retint une exclamation de surprise en réalisant que le sire de Warenne l'avait suivie. Il se tenait au milieu de la pièce et son imposante silhouette semblait l'emplir tout entière. Il avait jeté un manteau sombre sur ses épaules nues. La masure était devenue étrangement silencieuse. Les enfants, bouche bée, dévisageaient le nouvel arrivant. Quant à John, il paraissait frappé par la foudre.

— Puisque vous êtes là, allez donc me chercher de l'eau fraîche, des linges propres et du savon, intima Célia.

Elle caressait doucement le front de Tildie, qui s'était évanouie.

— Je m'en charge ! s'écria John, qui trouvait là un excellent prétexte pour s'esquiver.

Il se rua au-dehors.

— Comment va-t-elle ? s'alarma Ralph.

— Elle s'est évanouie. C'est mieux ainsi. Elle va pouvoir se reposer avant que le travail ne commence réellement.

L'un des enfants, un petit rouquin de cinq ans environ, se remit à pleurer en appelant sa mère. Célia s'agenouilla près de la paillasse pour tenter de le consoler. Elle vit avec stupeur Ralph passer la main dans les boucles du garçonnet. Ce geste tendre la sidéra.

— Viens, mon petit, fit Ralph d'une voix réconfortante. Sais-tu qui je suis ?

— N... non, hoqueta le bambin.

— C'est notre seigneur, murmura la plus âgée des filles.

Ralph sourit à la fillette et prit le rouquin dans ses bras.

— C'est vrai, je suis Ralph de Warenne. Sais-tu où se trouve Warenne ?

L'enfant secoua la tête avec appréhension.

— Très loin d'ici, de l'autre côté de la mer. Veux-tu que je te raconte mon voyage en bateau ?

Soulagée, Célia reporta son attention sur Tildie. Ralph se mit à relater son périple. John revint sur ces entrefaites. Célia se lava les mains et épongea le visage de Tildie. Celle-ci reprenait conscience.

— Tildie ? C'est moi, Célia.

Tildie ouvrit les yeux. Célia voulut lui frictionner les tempes, mais la femme se déroba avec un cri. Célia interrompit son geste, tandis que Ralph s'arrêtait au beau milieu d'une phrase.

— Non ! hurla Tildie.

— Je t'en prie...

— Ne me touche pas !

Célia hésita un instant avant de déclarer aux deux hommes :

— Elle est épuisée. Je vais lui donner une potion...

— Non ! gémit Tildie. Je ne veux pas de ta sorcellerie !

Célia eut l'impression de recevoir un coup dans l'estomac.

— Tildie, c'est moi, Célia. Je suis ton amie...

— C'est ta faute ! Tu m'as jeté un sort parce que je t'avais frappée ! Va-t'en, sorcière !

Ralph posa le petit garçon à terre et rejoignit Célia près de la parturiente qui le fixait avec angoisse.

— Écoute-moi, Tildic, je suis ton maître. Célia n'est pas une sorcière. Ce breuvage calmera la douleur. Tu vas le boire, c'est un ordre.

— Pardonnez-moi ! sanglota Tildie. J'ai tellement peur !

— Donnez-lui le médicament, Célia.

Il vit qu'elle était encore bouleversée et maudit Tildie pour l'avoir blessée. Cette dernière ingurgita docilement le liquide verdâtre et sombra bientôt dans une profonde léthargie.

Ralph observait les gestes calmes et précis de Célia. Elle maîtrisait parfaitement la situation. Son front perlait de transpiration. Ralph ressentit une admiration éperdue pour elle. Il allongea la main pour essuyer une goutte de sueur sur la joue de la jeune fille.

— Ça y est ! s'exclama enfin Célia. Le bébé est en place : ça ne sera plus long, maintenant.

— Beau travail, commenta Ralph.

Elle lui jeta un coup d'œil en rougissant et se remit à la tâche. Les contractions avaient repris de plus belle et Célia reçut l'enfant au creux de ses mains. Elle réalisa aussitôt qu'il était mort, étranglé par le cordon ombilical.

La jeune femme refoula ses larmes et emmaillotta le nourrisson dans un lange.

— Je vais l'enterrer, fit John avec tristesse.

— Où est mon bébé ? réclama Tildie en ouvrant les paupières.

Comme Célia gardait le silence, Ralph prit la parole.

— Il était trop faible pour survivre.

— Nooon !

— Je suis désolé. Mais tu es jeune et forte, Tildie. Dieu t'a déjà donné quatre beaux chérubins, et d'autres naîtront, si telle est Sa volonté.

— Non ! Non !

Ralph posa une main sur l'épaule de Célia.

— Venez, maintenant. Laissons-la à sa peine.

— Non ! hurlait Tildie en se débattant sur le grabat... Je veux mon bébé ! Donnez-moi mon bébé !

Célia lui saisit la main.

— Je suis navrée, Tildie. J'ai fait tout mon possible...

Elle s'interrompit, incapable de poursuivre, songeant que si elle était arrivée plus tôt, elle aurait sans doute réussi à sauver l'enfant. Elle partageait le chagrin de la cuisinière.

John s'assit au chevet de sa femme, tandis que Célia se relevait, le visage inondé de pleurs. La jeune fille avait l'impression d'avancer dans le brouillard.

Si seulement elle avait été auprès de Tildie cet après-midi ! Si seulement elle était intervenue à temps !

Célia s'enfuit dans la nuit, le cœur lourd.

15

Célia courait à perdre haleine dans l'herbe haute.

— Célia !

Lui ! C'était bien la dernière personne au monde qu'elle avait envie de voir. Elle continua sa course, trébucha sur une motte de terre, mais ne tomba pas. Elle l'entendit appeler de nouveau. Des boucles folles lui fouettaient les joues. Elle atteignit l'extrémité du champ et s'arrêta à l'orée de la forêt. Ne pouvait-il donc pas la laisser tranquille ?

La jeune femme s'appuya contre le tronc rugueux d'un chêne et ses genoux se dérobèrent sous elle. Ses doigts s'enfoncèrent dans la boue, des sanglots déchirants la secouaient. La tête lui tournait, elle ne parvenait pas à reprendre sa respiration.

— Célia !

Elle se retourna à demi et aperçut les pieds du guerrier. Au prix d'un grand effort, elle réussit à s'asseoir.

— Allez-vous-en !

Sa voix, qu'elle aurait voulue fière et hautaine, lui parut chevrotante et misérable.

Ralph attendait, incertain. Son cœur lui faisait mal comme si c'était lui qu'on avait blessé. Il voulait prendre la jeune femme dans ses bras, nettoyer la poussière de son minois délicat et chasser les mèches dorées collées à sa bouche. Maudite soit cette Tildie ! Il lui tendit la main, mais elle refusa son aide.

— Laissez-moi ! Je n'ai nul besoin de votre sollicitude !

Le bras de Ralph retomba lourdement.

— Que vous le vouliez ou non, à Aelfgar, le sort de chacun me concerne.

Pour une fois qu'il offrait de bon cœur son soutien, Ralph était désorienté d'être ainsi repoussé.

— Allons, Célia...

— Partez ! Laissez-moi seule !

Il aurait pu la contraindre à le suivre, mais pour une raison inconnue, il ne parvenait pas à s'y résoudre.

— Avez-vous l'intention de passer la nuit ici ?

Sa remarque était inopportune, mais il ne savait que lui dire. Elle se contenta de hausser les épaules. Des larmes roulèrent sur ses joues. Ralph se sentit impuissant devant un tel désarroi. Célia sanglotait à ses pieds. Il mourait d'envie de la toucher, non par concupiscence, mais, pour la première fois de sa vie, par simple compassion. Il serra les poings et demeura immobile, indécis, aussi intimidé qu'un enfant.

Célia se releva d'un bond, le bousculant au passage. Ralph poussa un soupir de soulagement et lui emboîta le pas. Ils marchèrent en silence, côte à côte. Elle avançait la tête haute malgré sa lassitude. « Elle se comporte avec plus de courage et de détermination que la plupart de mes hommes », constata-t-il en son for intérieur.

Lorsqu'ils atteignirent les portes du manoir, elle le remercia sèchement d'un hochement de tête, sans même le gratifier d'un regard. Il poursuivit son chemin vers les escaliers, mais, parvenu à la première marche, il fit volte-face en cherchant Célia des yeux. Il la vit dénouer sa cape et apparaître dans une fine chemise de lin blanc, avant de s'effondrer sur sa paillasse.

Tout à coup une silhouette surgit près de la jeune femme. Ralph se raidit et leva bien haut sa torche. Il reconnut Athelstan. Celui-ci s'agenouilla auprès de Célia pour la border. Ses gestes avaient une tendresse comparable à celle d'un père, et pourtant Ralph en éprouva une jalousie dévorante.

Alice, qui se tenait à la fenêtre de la chambre de Ralph, se rua vers ses appartements. Elle se glissa dans son lit et demeura allongée, raide et soucieuse. Ainsi c'était vrai. Il était allé rejoindre cette garce ! Cela ne faisait que confirmer ses soupçons. Jamais elle n'avait autant exécré Célia ! Elle le lui ferait payer cher, Alice se le promettait bien. Elle devait se débarrasser de sa demi-sœur au plus vite, l'éloigner de Ralph, au moins jusqu'à la cérémonie. Une fois mariée, Alice n'aurait plus rien à craindre. Elle trouverait bien un moyen pour écarter à jamais sa rivale de son chemin, même s'il fallait unir Célia à quelque rustre des environs. Si seulement les Écossais avaient pu la capturer ! Plus personne n'aurait entendu parler d'elle !

Rassérénée, Alice plongea dans un sommeil réparateur.

— Une quinzaine de jours ?! s'exclama Célia.

— Oui, les bans ont déjà été publiés, annonça Athelstan.

La jeune fille soupira. Son esprit bouillonnait. Elle ne permettrait pas que ce porc de Normand s'ingère ainsi dans leur existence ! Mais comment empêcher une union à laquelle Alice était favorable ? Était-il juste de contrecarrer ce projet qui lui tenait tant à cœur ? Un homme tel que Ralph n'aurait aucun mal à dénicher une autre promise.

— Nous devons les arrêter, murmura Célia.

— Vous n'êtes pas de force contre le sire de Warenne, remarqua Athelstan. Il mérite bien son surnom de Ralph l'Inflexible. Chacun sait qu'il ne renonce jamais à ce qu'il entreprend. Et aujourd'hui, il veut Aelfgar et sa dame.

— Je le sais bien, admit Célia avec amertume.

Elle se remémorait le goût de ses lèvres sur les siennes. Elle maudissait son corps qui la trahissait. Un gouffre séparait sa volonté de la violence de ses sensations. Pourquoi était-elle bouleversée à la pensée que Ralph mettrait Alice dans son lit ? Tout ce qui importait, c'était de protéger sa demi-sœur contre elle-même.

Célia décida d'aller s'enquérir de l'état de Tildie. Les événements de la nuit étaient encore tout frais dans sa tête. Tildie, son amie Tildie avait révélé ses véritables sentiments : elle craignait le « mauvais œil » et Célia l'effrayait. La jeune fille avait beau se persuader que la cuisinière avait parlé sous l'emprise de la douleur, rien n'y faisait : elle était blessée au plus profond d'elle-même.

Il n'y avait nulle trace de Tildie aux cuisines. D'après les autres domestiques, Ralph lui avait accordé une journée de repos afin de se rétablir. Cet accès de générosité était pour le moins inhabituel. Célia dévala la colline en direction du village. Le soleil brillait de tout son éclat dans un ciel sans nuages. Une légère brise rafraîchissait la campagne, charriant des odeurs de foin et de pain tout juste sorti du four. Une alouette chantait dans le lointain.

La construction de la nouvelle enceinte serait terminée au crépuscule. On venait d'achever le donjon.

Le pont-levis en bois clair était abaissé, et une poignée d'hommes s'affairaient près de la herse. Célia aperçut Ralph.

Il était nu jusqu'à la taille. Ses boucles mordorées, scintillant comme de l'or, retombaient en désordre sur ses épaules. Sa chevelure devenait un peu trop longue pour les canons de la mode normande. Il aurait été de toute façon bien en peine de discipliner ses boucles rebelles.

Se sentant observé, le guerrier se retourna. Célia, qui le fixait avec insistance depuis un bon moment, s'empourpra violemment. Quelle inconscience de le détailler ainsi ouvertement !

Ralph s'essuya les mains et s'approcha de la jeune femme, l'air impénétrable. Elle regretta soudain de ne pas avoir poursuivi son chemin.

— Bonjour, Célia.

Elle ne pouvait lutter contre le trouble qui s'emparait d'elle à la vue de ce corps magnifiquement sculpté, de cette poitrine large semée d'une toison blonde, de cette taille étroite... Le caleçon moulait étroitement le sexe de l'homme et ses cuisses musclées.

— Ne me regardez pas ainsi, gronda-t-il d'une voix rauque. C'est de la provocation !

Les joues de Célia s'enflammèrent de plus belle.

— Est-ce ma faute si vous déambulez ainsi sans aucune pudeur, dans l'espoir que les donzelles du coin vous reluquent ?

Il sourit.

— Vous pensez donc que je provoque l'admiration de la gent féminine ?

— Vous le savez très bien, répliqua-t-elle en baissant les yeux.

— Serais-je donc si séduisant ?

— Vous êtes... différent.

— Et en quoi, je vous prie ?

— Vous êtes si grand... si blond...

Il s'esclaffa de nouveau. Son rire avait un timbre chaleureux qui émut Célia.

— Nous autres, Normands, ne pouvons rivaliser avec les Adonis saxons courts sur pattes et noirs de poil ! rétorqua-t-il avec malice.

— Est-ce vraiment ainsi que vous nous voyez ?

Il tendit la main pour caresser le menton de la jeune fille.

— Je suis fort aise que vous ne soyez pas une de ces filles brunes et courtaudes.

— Comme Alice ?

— Exactement !

— Vos considérations m'importent peu ! Je dois partir...

— Où allez-vous ? Je croyais vous avoir ordonné de prendre une journée de repos !

— Et en quoi ma santé vous préoccupe-t-elle ?

— Tout ce qui vous concerne m'intéresse, repartit Ralph. Vous m'appartenez, Célia. Je vous dois protection et assistance.

Il faisait directement allusion à sa prétendue servitude. Ainsi Alice s'était-elle empressée de colporter cet odieux mensonge...

— Je ne suis pas une serve ! protesta-t-elle.

— Vous reniez donc vos origines ?

— Non, bien sûr que non !

— Alors vous faites partie d'Aelfgar, et vous êtes par conséquent sous ma tutelle. Une dernière fois, Célia, où allez-vous ?

Elle serra les poings, frustrée de ne l'avoir pas convaincu. Mais après tout, pourquoi se soucier de ce qu'il croyait ou non ? Qu'importait son opinion ! Elle n'avait pas l'intention de fuir. Edwin et Morcar n'allaient pas renoncer si facilement à leur patrimoine, et le Normand ne resterait pas longtemps sur son piédestal. Elle patienterait jusqu'à ce que l'affaire soit réglée, jusqu'à la défaite du sire de Warenne, et peut-être sa mort. A cette idée, un frisson lui parcourut l'échine.

— Je vais rendre visite à Tildie, répondit-elle enfin. Elle a peut-être besoin de moi.

— Vous avez la bonté de vous soucier d'elle après ses insultes d'hier au soir ? s'exclama-t-il, incrédule.

— Elle délirait.

— Vous êtes diablement généreuse.

— Allez-vous me confiner au manoir ?

— Non. Allez-y. Mais ne laissez pas cette femme vous insulter de nouveau, Célia ! Toutes ces histoires de sorcellerie ne sont que des élucubrations stupides.

— En êtes-vous convaincu ?

Il ébaucha un sourire. Son regard glissa des lèvres purpurines à la gorge pleine et aux hanches épanouies de la jeune femme.

— Le seul sortilège dont vous usez, c'est votre séduction. C'est le plus vieux sortilège du monde, le pouvoir de la femme sur l'homme.

La voix du guerrier prenait des intonations sensuelles. Célia était hypnotisée par les prunelles bleues qui la dévoraient. Ces paroles la faisaient vibrer tout entière, l'émouvaient au plus profond d'elle-même.

— Je ne suis pas une séductrice... parvint-elle à articuler.

— Non ? Dans ce cas, vous êtes réellement une sorcière, car vous m'avez envoûté pour de bon !

— C'est faux ! Vous êtes l'esclave de vos sens malgré votre prochain mariage avec ma sœur.

— Si j'étais réellement esclave de mes sens, je

vous posséderais ici, dans la boue, comme n'importe quelle ribaude.

Elle se redressa, piquée au vif.

— ... Mais je vais épouser Alice.

Des larmes envahirent le regard de Célia, lui brouillant la vue.

— Jamais !

— Quelle belle assurance ! ironisa-t-il.

— Je vous en empêcherai, soyez-en certain ! Je défendrai Aelfgar jusqu'à mon dernier souffle !

— Mais pour l'instant, vous êtes vivante. Et je suis le maître. Je vous conseille de chasser de votre esprit tout projet de trahison. Je vous préviens, Célia, prenez garde !

Il contint non sans mal la fureur qui montait en lui.

— Partez avant que je ne perde la tête. Mais n'oubliez pas ce que je vous ai dit.

Elle ravala le sarcasme qui lui venait aux lèvres et s'éloigna.

16

— Comment te sens-tu, Tildie ?

La servante, qui nourrissait les poules dans la basse-cour, s'immobilisa.

— Je voudrais que tu me pardonnes... J'aurais tellement voulu que tout se passe pour le mieux.

Des larmes embuèrent le regard de Tildie.

— Je sais. J'ai honte de t'avoir dit autant d'inepties. Je ne les pensais pas.

« Peut-être, mais tu les as proférées..., songea Célia avec tristesse. Pourquoi cette cruauté ?... »

Mais elle se contenta de sourire. Un mur invisible

s'était dressé entre les deux femmes, qui pourtant se connaissaient depuis toujours.

— Tu vas mieux, aujourd'hui ?

— Je suis juste un peu lasse.

Elles échangèrent encore quelques banalités avant de se quitter. Célia résolut de se promener un peu pour éviter de broyer du noir.

— Célia !

Elle reconnut immédiatement la voix d'Albie, l'homme de confiance d'Edwin. Il s'était affublé d'oripeaux pour mieux passer inaperçu. Célia se retint pour ne pas lui sauter au cou.

— Albie ! Tu as des nouvelles ? fit-elle d'une voix pressante.

— Marchons un peu, veux-tu ? suggéra-t-il.

Ils avaient pratiquement le même âge et avaient grandi ensemble sur le domaine. Albie était le frère de lait de Célia.

Ils pénétrèrent en silence dans le verger.

— Tu as des nouvelles de mes frères ? s'enquit-elle en se tordant nerveusement les mains.

— Edwin a reçu une flèche dans la cuisse, mais il se remet bien.

Célia ressentit un énorme soulagement.

— N'y a-t-il plus aucun risque d'infection ?

— Tu connais Ed, il est solide comme un roc !

Célia se dérida. Comme ils lui manquaient ! Edwin était une force de la nature et le portrait de leur père, dont il avait hérité les traits énergiques et les boucles de jais. Morcar était plus grand, plus longiligne ; ses cheveux châtains toujours en bataille et ses immenses yeux bleus lui conféraient un charme particulier. Tous deux avaient cependant le même sourire chaleureux. Leurs caractères étaient diamétralement opposés. L'un était sérieux et sensible, peu loquace, l'autre rieur et insouciant.

Les deux frères se vouaient une affection sans borne.

— Où sont-ils ? chuchota Célia en jetant un coup d'œil furtif aux alentours.

Ils étaient seuls. Les villageois vaquaient à leurs tâches quotidiennes et Ralph s'activait sur le pont-levis en compagnie de ses soldats.

— Dans les marais. Morcar viendra dès que possible. Edwin ne se laissera pas si facilement déposséder. Ils te demandent de surveiller chaque fait et chaque geste du Normand. Écoute-moi bien, Célia, tu devras tout nous relater dans les moindres détails.

— Je comprends, acquiesça la jeune femme. Le seigneur de Warenne possède une troupe de cinquante chevaliers.

Elle se rappela avec quelle aisance déconcertante ils avaient vaincu les Saxons à Kesop.

— Je pensais que son armée était plus importante, remarqua Albie.

— Certainement. Mais le restant est à York.

— Ils sont donc avec ce bâtard de Guillaume, qui surveille les travaux de reconstruction du château. Le Normand doit sûrement être en liaison constante avec eux. Célia, il est primordial que nous connaissions leurs plans. Débrouille-toi pour intercepter tous les messages et pour épier les conversations.

Célia n'ignorait pas quel sort était réservé aux traîtres : le fouet en place publique, puis le cachot, voire la pendaison.

— J'essaierai, Albie, mais je ne te promets rien. Le seigneur de Warenne est rusé.

— Agis au mieux.

— Sais-tu qu'il va épouser Alice ?

— Non, je n'étais pas au courant. J'en référerai à tes frères. Quand la cérémonie aura-t-elle lieu ?

— Dans un peu moins de quinze jours. Le temps presse...

— La situation est grave. Morcar s'arrangera pour te joindre avant qu'il ne soit trop tard. Jusque-là, prudence... Je dois te quitter, à présent.

Célia prit la main d'Albie et l'étreignit.

— Que Dieu te protège !

— Ne t'inquiète pas, Célia. Tes frères sont immortels !

— Ne plaisante pas, rétorqua-t-elle sèchement. Seul le Tout-Puissant est éternel.

Albie haussa les épaules et disparut dans les profondeurs de la forêt. Célia se retourna vers le site en construction. Elle distinguait au loin les hommes du Normand qui travaillaient d'arrache-pied. C'était le moment de fouiller le manoir.

Alice était aux cuisines et donnait des directives pour le dîner. Célia se faufila par l'entrée principale. A cette heure, seuls quelques domestiques traînaient encore dans la grande salle pour débarrasser le couvert. Célia grimpa les escaliers quatre à quatre.

Elle poussa le lourd battant de cèdre qui donnait accès à la chambre de Ralph. Après avoir hésité un instant, elle laissa la porte entrouverte, afin que sa présence ne parût pas suspecte si d'aventure quelqu'un la surprenait.

Le meuble principal était un immense lit, celui-là même dans lequel le père de Célia avait dormi durant des années. Ralph avait entassé ses effets dans de grands coffres qui lui appartenaient. Il semblait donc bien résolu à s'installer définitivement.

Une idée subite traversa l'esprit de Célia : peut-être le Normand était-il illettré, chose courante parmi les soldats. Elle n'y avait pas pensé plus tôt, car il paraissait si intelligent... Sans doute détruisait-il systématiquement les missives qu'il recevait. Cependant, elle devait s'en assurer. Si, effectivement, il ne savait pas lire, il pouvait fort bien faire appel au curé du village, mais ce dernier était un ivrogne notoire. Peut-être demanderait-il tout simplement à Célia de lui rendre ce service ?

Le pouls de la jeune femme s'accéléra. Elle devait tout mettre en œuvre pour se rendre utile au guerrier. Elle aurait alors une position idéale pour l'espionner.

Le premier coffre contenait des vêtements. L'autre renfermait de splendides soieries d'Orient aux couleurs chatoyantes, de lourds velours brodés d'or et d'argent, une cape ornée de motifs fauves et ourlée de fourrure vermillon. Mais de lettres, aucune trace... La dernière malle recelait de magnifiques tapis orientaux et une épée ancienne, cassée, dont le fourreau était incrusté de pierres précieuses. Célia la remit précautionneusement en place. « Que de richesses ! » constata-t-elle avec amertume.

— Que fais-tu ici ?!

Toute à ses recherches, Célia n'avait pas entendu sa sœur entrer. La voix cinglante d'Alice la fit sursauter. Heureusement, elle avait déjà refermé les coffres et s'apprêtait à quitter la chambre.

— Je cherchais mes herbes, répondit Célia du tac au tac, en espérant qu'Alice avalerait ce grossier mensonge.

— Ralph sait-il que tu fouines dans ses appartements ? T'en a-t-il donné la permission ?

— Non. Je t'en prie, ne lui dis rien ! Il serait furieux s'il l'apprenait.

— J'en suis certaine ! ricana Alice.

— Vas-tu me dénoncer ?

Alice marqua une pause, avant de détourner la conversation.

— Tu t'es arrangée pour quitter les cuisines, n'est-ce pas ? persifla-t-elle.

— C'est lui qui m'en a chassée.

— C'est pourtant bien ta place ! Après tout, tu n'es ni plus ni moins qu'une serve ! Autre chose, Célia. Où étais-tu la nuit dernière ?

« Elle sait ! songea Célia avec effroi. Elle sait que je me trouvais au chevet de Tildie, et que j'avais récupéré mes herbes... »

Elle chercha une explication plausible, mais n'eut pas le temps de se justifier. Alice lui assena une gifle monumentale. Célia recula de quelques pas, portant la main à sa joue meurtrie.

— Putain ! Je l'ai vu te suivre au-dehors. Avoue que tu as écarté les cuisses pour lui ! Tu ne vaux pas mieux que ta traînée de mère !

Malgré sa douleur, Célia se sentit soulagée. Alice croyait donc qu'elle avait rencontré Ralph la veille pour un rendez-vous galant ! Mieux valait ne pas la détromper plutôt que de révéler qu'elle avait soigné Tildie, et que ses herbes lui avaient été restituées. Car Alice comprendrait aussitôt qu'elle était dans la chambre pour espionner.

Néanmoins, les insultes de sa sœur l'avaient profondément blessée. Alice n'avait pas le droit de salir sa mère !

— Je suis juste allée me promener, protesta-t-elle. C'est la vérité !

— Il t'a suivie, ne le nie pas !

— Oui, parce qu'il croyait que je m'enfuyais, mentit-elle avec aplomb. Il m'a défendu de quitter Aelfgar. Mais je te jure, Alice, il ne m'a pas touchée. Tu n'as pas le droit de me traiter ainsi et d'injurier ma mère de surcroît ! Elle aimait tant père qu'elle est mortc de chagrin après son décès. Tu le sais fort bien ! Pourquoi persistes-tu à affirmer de telles sottises ?

— Ta mère était une catin ! Bien sûr qu'elle aimait père ! Il était son seigneur et maître ! Mais il ne faisait qu'assouvir sa concupiscence avec elle ! Que voulait Ralph ?

— Il m'a sommée de lui dire où j'allais.

— Tu n'es qu'une sale menteuse ! Vous êtes restés seuls pendant près de deux heures. Tu le regretteras, Célia, je te le promets ! Je rendrai ta vie impossible si tu ne te tiens pas à l'écart de mon fiancé !

« Elle en est fort capable, pensa Célia. Elle est follement éprise de cet homme... »

— Mais je le hais, de toutes mes forces ! s'écria-t-elle. Jamais je ne coucherai avec lui !

— Même s'il couche avec toi, tu ne seras jamais rien de plus pour lui qu'une maîtresse parmi d'autres. Moi, je serai son épouse !

Célia eut l'impression d'avoir été frappée en plein cœur.

— Alice, pour la dernière fois, ne trahis pas les tiens ! Je t'aiderai à dénicher un autre prétendant.

— Je vais épouser le Normand, fit Alice en martelant chaque syllabe. Et lorsque je serai sa femme, je m'occuperai sérieusement de toi. Je ne me laisserai pas ridiculiser comme ma mère.

17

— Du vin, Monseigneur ? minauda Alice.

Ralph, qui s'attaquait voracement à un gigot de mouton, fit un bref signe d'assentiment. Le genou d'Alice était tout contre le sien, et la main de la jeune fille effleurait son bras. Dire que cette maigrichonne espérait le séduire ! Ses attentions et son incessant babillage avaient fortement irrité le Normand tout au long du repas.

Alice lui versa à boire. Elle savait pertinemment que ce rustre ne la gratifierait même pas d'un merci, mais elle se fichait des bonnes manières. Elle eut beau lui adresser son sourire le plus charmeur en battant des cils, il ne la regardait pas. Ses yeux restaient rivés sur Célia. Alice eut soudain envie de renverser la table et d'envoyer les plats à la figure de sa demi-sœur.

Célia mangeait de bon appétit tout en gardant une grâce très féminine. Ralph était heureux de la voir à ses côtés. Elle était vêtue d'une simple tunique bleu ciel, couleur qui seyait parfaitement à sa chevelure de miel et à ses prunelles violettes. Elle grignotait une tranche de pain, beaucoup trop loin pour qu'il pût apercevoir la blancheur de ses petites dents, mais il demeurait fasciné par le mouvement de sa bouche renflée. Un désir passionné l'envahit et il se tortilla sur son siège en rajustant sa tenue.

Alice tentait une nouvelle fois d'attirer son attention.

— Monseigneur...

Ralph soupira en vidant son verre d'un trait. Aussitôt sa fiancée se précipita pour le remplir.

— Monseigneur, j'ai vu Célia entrer dans votre chambre, cet après-midi.

Il sursauta.

— Célia !

— Elle-même, répondit-elle, ravie qu'il l'écoute enfin.

— Expliquez-vous, Alice !

— Elle devait chercher ses amulettes.

Ralph décocha un regard soupçonneux à Célia. Il se souvenait parfaitement de lui avoir rendu ses herbes. Que diable mijotait-elle ? Il ne devait pas perdre de vue qu'elle appartenait au camp ennemi.

— Allez-vous la punir ?

— Je ne châtie pas à la légère, répliqua-t-il en saisissant un quignon de pain.

Son ton laissait entendre que le sujet était clos. Alice serra les poings de rage.

Célia tentait d'ignorer les œillades impertinentes du Normand. Elle se sentait mal à l'aise. Elle était certaine que chaque convive s'était aperçu de la façon insistante avec laquelle Ralph la regardait, malgré la présence de sa promise. Les gazouillis stupides d'Alice l'agaçaient depuis le début de la soirée. Célia n'avait jamais vu sa demi-sœur flirter de façon si outrageuse. Elle l'avait même surprise en train de presser ses petits seins contre le bras du guerrier.

Célia eut soudain la nausée. C'était sûrement la nourriture... Mais non, la cause réelle était l'imminence du mariage qui officialiserait la position du sire de Warenne à Aelfgar, aux dépens d'Edwin et de Morcar. Ou plutôt... n'était-elle pas tout bêtement jalouse ?

Elle aurait voulu quitter la table, mais c'était impossible avant que le maître de maison et sa dame n'en aient donné le signal. Comme elle préférait l'ambiance des cuisines à tous ces salamalecs !

Une trompe retentit au-dehors, signalant l'arrivée d'un étranger. L'une des sentinelles de Ralph entra dans la salle, suivie d'un messager royal.

De toute évidence, l'homme était envoyé par le roi Guillaume, car il portait les couleurs du bâtard de Normandie. Il était couvert de poussière après une longue et pénible chevauchée. Il s'agenouilla devant

Ralph qui lui enjoignit de se relever et ordonna à la compagnie de se disperser. Célia pinça les lèvres. Comment allait-elle s'y prendre pour espionner la conversation ?

Elle laissa passer presque tout le monde devant elle. Un coup d'œil par-dessus son épaule lui apprit que Ralph recevait un pli scellé, mais ne faisait aucun geste pour l'ouvrir. Ainsi, il échangeait bien une correspondance avec Guillaume ! Si seulement elle pouvait lui servir de lectrice... Le regard du guerrier balaya la pièce, et il aperçut la jeune femme. Elle quitta vivement les lieux.

Elle s'arrêta derrière la porte et attendit nerveusement. Quel que fût le message, il devait être court, car l'assemblée fut bientôt autorisée à regagner la table. Ralph était adossé à son siège et sirotait du vin rouge. Le messager prit place en face de Célia. Cette dernière n'avait plus du tout faim. Elle devait profiter de la situation ! Elle adressa à l'homme un charmant sourire et il la dévisagea, surpris. C'était un garçon blond, comme tous les Normands, au corps mince et au visage avenant.

— Vous semblez épuisé !

— Ce n'est pas une sinécure, admit-il avec vanité, flatté de l'intérêt qu'elle lui portait. Mais je suis jeune et vigoureux, et le roi n'a pas de meilleur courrier que moi.

— Vraiment ?! s'exclama Célia d'un air admiratif.

— C'est la vérité ! Quel est votre nom, damoiselle ? Pour sûr, je n'ai jamais rencontré fille plus jolie que vous !

— Mon nom est Célia. Et le vôtre ?

— Paul. Vous plairait-il de vous promener en ma compagnie après le repas ?

Elle pensa à sa mission et se força à répondre d'un air engageant.

— Mais bien sûr, avec plaisir.

A elle de le maintenir à distance respectueuse. On verrait plus tard !

De sa place, Ralph observait le manège de Célia avec un mécontentement évident. Au premier sourire de Célia, une émotion subite lui étreignit le cœur, une émotion qu'il n'avait jamais ressentie auparavant, un mélange de jalousie et de méfiance... Que complotait cette petite sorcière avec ses airs enjôleurs ? Le malaise de Ralph s'accrut lorsqu'il vit le messager se gonfler d'importance, tandis que Célia lui renvoyait un regard timide et ébloui. Voulait-elle le provoquer ? Ou était-elle assez naïve pour s'imaginer qu'elle soutirerait des renseignements à cet imbécile ? Se pouvait-il vraiment que ce garçon insipide lui plaise ?

Comme si elle lisait dans ses pensées, Alice déclara d'une voix acerbe qui dissimulait mal son plaisir :

— Vous voyez, Monseigneur, la manière dont elle se comporte avec ce soldat ? C'est une honte ! Elle ressemble bien à sa mère !

— Peu m'importe ce que vous pensez, Milady ! jeta Ralph avec rudesse. Gardez votre perfidie pour vous.

Alice devint cramoisie sous l'insulte.

Ralph se leva brusquement en faisant grincer sa chaise sur le parquet, et se dirigea vers la porte. Aussitôt, ses hommes l'imitèrent. Célia se réjouit de ce départ opportun. Elle allait pouvoir tirer les vers du nez de son compagnon !

Chacun se retira : ils demeurèrent seuls, à l'exception d'Alice, qui visiblement enrageait. Le messager était confortablement calé contre le mur, l'œil égrillard.

Célia prit une profonde inspiration. Comment

allait-elle s'y prendre ? Réunissant tout son courage, elle se pencha en avant avec une moue aguichante.

— Voulez-vous visiter les jardins ?

— Ce serait un honneur.

De loin, Alice apostropha sa demi-sœur.

— Prendrais-tu goût aux Normands, Célia ?

Avant que Célia ait pu réagir, Alice avait disparu. Célia haussa les épaules avec dédain et reporta son attention sur son chevalier servant.

Sans comprendre ce qui lui arrivait, elle se retrouva plaquée contre le torse du jeune homme qui l'embrassait goulûment, en lui tripotant la poitrine. Elle lui flanqua un violent coup de pied dans le tibia. Il poussa un cri de douleur, mais réussit à la clouer sur la table.

— Arrêtez ! Vous êtes fou !

Il retroussa ses jupons d'une main tandis que l'autre se refermait sur la rondeur d'un sein. Ses lèvres humides glissèrent sur le cou de la jeune fille. Elle luttait de toutes ses forces pour le repousser. La panique l'envahissait, car il était beaucoup plus fort qu'elle. Elle hurla en espérant que quelqu'un viendrait à son secours. Son vœu fut exaucé : quelqu'un apparut sur le seuil. C'était Guy.

— Que se passe-t-il, ici ?

Le messager, surpris en flagrant délit, toisa l'intrus, sans toutefois lâcher Célia. D'un coup de reins, celle-ci se dégagea.

— Guy !

— Ralph veut vous voir, Célia. Est-ce ainsi que tu abuses de l'hospitalité du Sire de Warenne, toi ? ajouta-t-il à l'intention de l'étranger.

Sans demander son reste, Célia s'envola dans les escaliers. Devant la porte du Normand, elle marqua une pause pour remettre de l'ordre dans sa chevelure et défroisser sa robe. Elle n'avait pas repris son souffle, que le battant s'ouvrit violemment, livrant passage à Ralph.

— J'ai besoin de vous. Il me faut une potion !

— Pourquoi ?

— J'ai l'impression que ma tête va éclater !

Une migraine ! Il l'avait fait appeler pour une simple migraine ! Elle leva un sourcil suspicieux.

— Je crois qu'un peu plus de vin viendrait à bout de vos malheurs, remarqua-t-elle d'un ton sarcastique.

— Pourquoi cette agressivité, Célia ? Vous ai-je été désagréable ?

— Vous êtes mon seigneur et maître, je n'ai pas d'avis à émettre.

Il s'approcha de la jeune femme, et examina sa tunique froissée et sa bouche meurtrie.

— Je n'ai nul besoin de vos sarcasmes. Il vous suffit de soulager mon mal avec un de vos breuvages miraculeux. Allons, ne restez pas plantée là ! Et que je ne vous prenne pas à fricoter en chemin !

Il faisait clairement allusion au jeune messager. Le sang de la jeune femme ne fit qu'un tour. De quoi se mêlait-il ? Qui était-il pour s'ingérer ainsi dans sa vie privée ? Mais, songeant à sa mission, elle se maîtrisa, et s'en fut chercher le médicament.

18

— Il a ordonné la destruction du village !

Célia se tourna vers son cousin Teddy d'un air stupéfait.

— Tu plaisantes ?

— Non, c'est la vérité. Le village entier va être brûlé !

Deux jours plus tôt, Célia avait donné à Ralph la potion qu'il réclamait à cor et à cri, avant d'être brutalement congédiée. Le matin suivant il avait disparu en compagnie d'une poignée de soldats et n'était rentré que tard dans la nuit.

Célia n'avait trouvé aucune explication plausible à cette expédition. L'absence de Ralph lui avait permis d'agir à sa guise. Elle avait décidé d'éviter Alice et avait été ramasser des herbes dans les bois avec sa grand-mère. Les potions concoctées avec ces plantes s'avéraient très efficaces contre les insomnies, la stérilité ou l'impuissance.

Les premiers rayons du soleil venaient tout juste d'apparaître à l'horizon. Teddy agrippa le poignet de Célia.

— Pourquoi ne lui jettes-tu pas un mauvais sort, Célia ? Tu en as le pouvoir !... Il est en train de tout détruire !

« Ce Normand est décidément sans cœur », songea Célia avec haine. A grandes enjambées furieuses, elle s'éloigna du manoir. Un énorme fossé avait été creusé tout autour de la bâtisse, la séparant ainsi du verger et des champs. Célia aperçut une hutte en proie aux flammes. Elle releva prestement ses jupes et s'élança. Elle avait l'impression de vivre un véritable cauchemar ! Du haut de son destrier, Ralph observait la scène. Il entendit un bruit de pas précipités et se retourna.

— Cessez immédiatement cette folie ! vociféra Célia.

Un léger sourire se dessina sur les lèvres de Ralph. Célia, suffoquant de rage, tentait de reprendre sa respiration. Il lui jeta un regard impassible.

— Vous m'écoutez ?

— Mêlez-vous de vos affaires.

Sans se soucier d'elle plus avant, il reporta son attention sur la deuxième masure qui s'embrasait.

— Vous êtes inhumain ! Comme je vous hais !

Des larmes roulèrent sur ses joues, alors qu' elle assistait, impuissante, à l'incendie des misérables cabanes. Bientôt, la moitié du hameau ne fut plus que cendres. Ralph s'aperçut combien Célia était bouleversée.

— Ce village doit être déplacé, expliqua-t-il.

— En quel honneur, je vous prie ? Ce sont leurs maisons, leur vie, leurs traditions...

— Ne vous inquiétez pas, chaque maison sera reconstruite. Vous ne pouvez comprendre ; je vous en prie, restez en dehors de tout cela.

— Vous prenez plaisir à manifester votre damnée souveraineté, n'est-ce pas ? Vous vous complaisez à rudoyer des malheureux et à les menacer du pilori...

— Taisez-vous !

— Vous terrorisez les femmes, les enfants, tous ces serfs sans défense... Belle preuve de courage ! Je suis même étonnée qu'on ne vous ait pas baptisé Ralph le Brave pour la témérité dont vous faites preuve !

Ralph émit un juron, sidéré par la virulence de la jeune femme. Guy Le Chante, témoin de la scène, n'en croyait pas ses oreilles, mais feignit de n'avoir rien entendu. Célia ne se rendait plus compte de ce qu'elle disait et se tordait les mains avec frénésie.

— Oui, Ralph le Brave ! C'est ainsi que je vous appellerai, dorénavant !

Elle n'avait pas terminé sa phrase, qu'elle se sentit soulevée dans les airs. Ralph la jeta sans ménagement en travers de sa selle et éperonna son cheval. En quelques secondes ils avaient disparu.

Célia se cramponnait à la crinière du destrier, épouvantée à l'idée de tomber et d'être piétinée par les sabots. Son humeur belliqueuse était complètement retombée. Oh, pourquoi n'avait-elle pas tenu sa langue ? !

Un peu plus tard, Ralph mit pied à terre et tira Célia à bas du cheval. Elle se démenait comme un beau diable, mais se retrouva tout d'un coup le nez dans la poussière, les jupes retroussées par-dessus la tête. Elle poussa une clameur indignée.

— Voilà trop longtemps que vous vous jouez de moi !

Il dénuda deux fesses blanches et rondes, mais, tout à son courroux, ne s'émut même pas de cette vision de rêve.

— Vous méritez une bonne fessée !

— Si jamais vous osez porter la main sur moi...

Il l'interrompit en lui flanquant une claque sur le postérieur. La douleur arracha un cri à Célia mais sa fureur fut la plus forte.

— Je vous interdis !

— Vous n'avez rien à m'interdire !

Elle se débattait de toutes ses forces mais il la tenait fermement. Il la frappa à nouveau, plus fort que la première fois.

— Battre une femme... Quelle action courageuse ! gémit-elle.

Une troisième claque fit écho à cette faible protestation. Célia sursauta comme s'il l'avait brûlée au fer rouge.

— Personne, non, personne ne m'a jamais parlé sur ce ton ! rugit Ralph.

Le regard du guerrier glissa sur la croupe offerte. Célia était incroyablement bien proportionnée. Ses jambes étaient longues et galbées, et ses fesses hautes et rondes.

— Je ne vous pardonnerai jamais ! hoquetait la jeune femme.

Elle tremblait, plus d'humiliation que de douleur.

— Je n'ai que faire de votre pardon. Vous aviez besoin d'une bonne leçon.

Fasciné, il fixait les deux lunes d'albâtre. Sa main se promena le long d'une cuisse fuselée et ses doigts s'immiscèrent entre les jambes de Célia, frôlant sa féminité. Des ondes sensuelles parcoururent l'échine de la jeune femme. La main se déplaça imperceptiblement vers les boucles fauves qui gardaient son temple secret. Le sexe de l'homme se durcit.

— Non !... balbutia-t-elle, éperdue. Je vous en prie...

Il la repoussa et elle tomba à genoux devant lui, tandis qu'il la saisissait aux hanches. Il laissa échapper un grondement sourd qui trahissait l'intensité de son désir.

— Bon Dieu, Célia !...

Il pressa sa virilité contre les fesses rebondies dont la chaleur et la plénitude l'affolaient. Célia sentit les lèvres du guerrier se poser sur sa nuque. Quelques instants de plus et elle perdrait sa virginité...

Tout à coup il la lâcha. Elle en profita pour se redresser et courir se réfugier à quelques mètres de là. Il lui semblait que son cœur allait exploser dans sa poitrine.

Il était toujours agenouillé et gardait les yeux baissés. La sueur ruisselait sur son front. Célia était consciente de la bataille qui se livrait dans l'esprit de Ralph : sa volonté luttait contre ses sens. La passion crispait ses traits virils. La jeune femme étouffa un cri d'effroi lorsqu'il releva la tête.

— Je ne vous ferai pas de mal...

Elle éclata d'un rire hystérique, sans se préoccuper des larmes qui inondaient ses joues.

— Vous m'avez battue, vous avez tenté de me violer, et vous me dites que vous ne me ferez pas de mal ?

— Vous m'avez provoqué, Célia...

— Comme c'est facile de rejeter la faute sur moi, alors que vous êtes le seul responsable ! Je vous déteste !

Elle refoula ses sanglots et se maudit en son for intérieur pour avoir parlé si librement. Pendant quelques instants, ils se défièrent du regard.

— Si vous n'étiez pas la sœur d'Alice, je vous coucherais là dans l'herbe et je vous posséderais. Vous resteriez ma maîtresse, jusqu'à ce que je puisse exorciser mes démons et vous extraire de mon âme. Je ne suis qu'un homme, Célia, et vous mettez ma résistance à rude épreuve...

— Qu'y puis-je ?

— Votre beauté est un défi à la nature. Comment voulez-vous que je reste de marbre ?! Je vous préviens, Célia, ne me tentez plus ! Sinon, vous finirez dans mon lit !

— Vous abuseriez de la sœur de votre fiancée ?

— Quand je vous tiens contre moi, croyez-vous que je me rappelle qui vous êtes ? Je ne vois que Célia, la déesse aux cheveux de miel et aux yeux d'améthyste.

Une brusque chaleur envahit les pommettes de la jeune fille. Mal à l'aise, elle revint au sujet qui la tracassait.

— Quel sort réservez-vous aux habitants d'Aelfgar ?

— Il ne s'agit pas d'un caprice de ma part, Célia. Je suis un soldat et j'ai livré bataille plus de fois que vous ne pouvez l'imaginer. Le village sera mieux défendu derrière l'enceinte, c'est évident. Même votre frère m'approuverait, s'il était là.

Elle fronça les sourcils, indécise, troublée. Avec cette impétuosité qui lui était coutumière, se serait-elle méprise sur les intentions du Normand ?

— Venez, Célia. Je vous raccompagne.

— Partez devant. Je préfère marcher.

— Je ne vous abandonnerai pas ici.

— Pourquoi donc ?

— Parce que !

Célia s'avoua vaincue. Elle vacilla et il la soutint. Elle surprit dans les yeux de Ralph une étrange douceur qui ressemblait fort à de la compassion. Mais elle devait certainement se tromper, car soudain il se ravisa.

— Après tout, si vous préférez marcher, libre à vous !

Elle ne se le fit pas dire deux fois et s'immobilisa, les bras fermement croisés sur la poitrine. En un clin d'œil, il était remonté sur son cheval, et s'éloignait au petit trot.

19

Teddy apporta un message à Célia aux alentours de midi. La jeune femme sauta de joie en apprenant la nouvelle : Morcar était de retour et l'attendait dans les bois qui longeaient le verger.

Le temps pressait car le mariage était prévu pour le lendemain.

Célia attendit prudemment la fin du repas pour s'éclipser, afin de ne pas éveiller les soupçons de Ralph. Elle se remémora leur récente altercation. A l'avenir, elle devrait se méfier et surveiller son comportement si elle ne voulait pas que le pire se produise et qu'il attente à sa virginité.

Le déjeuner lui parut interminable. Elle feignit d'ignorer les coups d'œil pressants que lui lançait le Normand. Lorsqu'enfin il repartit sur le chantier, elle s'échappa vers le verger, un panier au bras, après s'être assurée qu'elle n'était pas suivie.

En s'approchant du ruisseau, elle distingua la haute silhouette de Morcar. Rayonnante de bonheur, elle se jeta à son cou.

— Morcar ! Comme je suis heureuse de te savoir en vie !

— Et toi, petite sœur, comment vas-tu ? Tu me sembles bien lasse...

— Ne t'inquiète pas pour moi.

— Ces porcs de Normands t'ont-ils brutalisée ?

— Non, non... bredouilla-t-elle, gênée, en baissant les yeux.

— Que me caches-tu ?

Brièvement, elle lui relata l'épisode de Kesop et l'attitude grossière du sire de Warenne. Au fur et à mesure qu'elle parlait, Morcar, qui était d'un tempérament volcanique, devenait de plus en plus nerveux. Lorsqu'elle eut terminé, il explosa.

— Si j'avais été là, j'aurais égorgé ce fils de pute de mes propres mains !

— Tout est rentré dans l'ordre, maintenant, mentit Célia. Comment va Edwin ?

— Il est en bonne voie de guérison. Pour l'heure, nous pansons nos blessures, mais dès que nous aurons repris des forces, nous chasserons les Normands au-delà des mers !

— Le roi Guillaume a dépêché un messager à Aelfgar. Je n'ai pu intercepter le pli, tout ce que je sais, c'est que Ralph de Warenne s'est absenté juste après. J'ignore où il s'est rendu.

— Guillaume le Bâtard a affronté quelques clans écossais qui lui ont donné du fil à retordre. Il a dû faire appel à son bras droit pour mater cette rébellion.

— Es-tu venu seul ?

— Deux hommes couvrent mes arrières. Je ne voulais prendre aucun risque. Au fait, qu'en est-il de cette soi-disant rumeur au sujet des fiançailles d'Alice ?

— La cérémonie aura lieu demain.

— Alice est-elle consentante ?

Morcar ne pouvait cacher son mécontentement. Spontanément, Célia prit la défense de sa demi-sœur.

— Essaie de la comprendre, Morcar. Elle est paniquée à l'idée de finir vieille fille. De plus... c'est un fort bel homme.

Ces derniers mots lui avaient échappé. L'image de Ralph s'imposa à son esprit, elle revit ce visage d'Adonis et ce corps félin qui la poursuivaient dans ses rêves.

— Nous devons empêcher cette union coûte que coûte ! tonna Morcar. Si seulement Alice se montrait coopérative...

— Il faudrait l'enlever. C'est le seul moyen.

— J'y ai pensé, mais mon escorte est insuffisante. Ce serait du suicide !

— Notre unique espoir est que le Normand soit rebuté par ses airs de mijaurée et ne consomme pas le mariage, émit Célia, sans trop y croire, car elle connaissait bien les appétits charnels de Ralph.

— Et si tu l'empoisonnais ? Le problème serait réglé.

— Tu ne veux quand même pas que je l'assassine ?! s'écria-t-elle, horrifiée.

— Non, bien sûr. Je songeais à une potion qui le rendrait si malade que la cérémonie serait reportée.

— Je n'ai jamais nui à quiconque, Morcar. Je suis incapable de faire souffrir quelqu'un, fût-ce un ennemi...

— Et pourquoi pas un breuvage qui lui nouerait l'aiguillette ? Dans ce cas, le mariage serait annulé.

— Tu as sans doute raison, reconnut-elle avec réticence.

Morcar vit qu'elle s'était rangée à son avis et la fit tournoyer dans ses bras en s'esclaffant.

— Oh, Célia chérie, tu es merveilleuse ! Je t'adore !

Le frère et la sœur s'étreignirent avec tendresse.

Ralph avait aperçu Célia alors qu'elle prenait subrepticement la route du verger, un panier à la main. Elle mijotait quelque chose, mais quoi ? Les soldats achevaient de détruire le village, et Ralph était débordé de travail : néanmoins il épia la jeune fille lorsqu'elle disparut dans la forêt. Il avait comme un vague pressentiment. Il détestait la savoir seule dans les bois. Elle était bien trop jolie pour sortir sans escorte, et se retrouver à la merci du premier brigand venu. Inquiet, Ralph se décida à la suivre.

Il gagna à cheval les abords de la forêt et espionna la rencontre entre Célia et un homme qu'il ne connaissait pas. Soudain, la jeune femme sauta au cou de son amant. L'étreinte fut heureusement de courte durée, car Ralph aurait sur-le-champ tué l'étranger. Il les surveilla tandis que la conversation prenait un tour plus grave. Il ne pouvait entendre leurs paroles.

Avec un cri de rage, Ralph dégaina son épée et fonça dans la clairière au grand galop.

Célia se mit à hurler, tandis que Morcar la repoussait pour faire face à son agresseur. Le Saxon eut à peine le temps de brandir son glaive pour parer à l'attaque. Les deux lames s'entrechoquèrent sauvagement. Sous la force de l'impact, Morcar fut projeté au sol mais, vif comme l'éclair, il se releva en position de combat.

Ralph sauta à terre.

— Morcar ! hurla-t-il, les yeux injectés de sang.

— Il y a longtemps que je rêvais de ce duel ! En garde !

— A moi, Morcar !

Morcar se fendit et Ralph évita le coup de justesse. Ralph déchira la manche du Saxon, zébrant sa peau d'une traînée sanglante. Morcar riposta et une estafilade apparut sur le front de son adversaire. Morcar accula Ralph contre un arbre. Ce dernier feignit de tomber et, redoublant d'adresse, renversa les rôles. Cette fois, ce fut Morcar qui dut reculer.

Les deux hommes haletaient et transpiraient à grosses gouttes : leurs tuniques trempées leur collaient au corps, soulignant leurs muscles contractés par l'effort. Le sang coulait sur le visage crispé du Normand mais il ne prit pas la peine de s'essuyer. Petit à petit, leurs mouvements se ralentirent, bien qu'ils continuassent à lutter. De toute évidence, ils étaient de force égale.

Célia assistait, impuissante, à ce combat. Appeler à l'aide aurait entraîné la perte de Morcar. Son frère devait à tout prix sortir vainqueur de cet affrontement.

Soudain, Morcar trébucha sur une racine et perdit l'équilibre. Le Normand profita aussitôt de son avantage.

Morcar était immobilisé, un genou à terre, la pointe de l'épée de son ennemi contre son torse, visant le cœur. Cependant, Ralph ne faisait aucun geste pour l'achever.

— Pourquoi hésiter plus longtemps, Normand ? gronda Morcar. Je n'ai pas peur de la mort...

— Non ! Non ! gémit Célia, éperdue. Je vous en prie, Monseigneur, épargnez-le !

Elle courut vers les deux hommes, mais Ralph l'ignora.

— Jette ton arme si tu veux la vie sauve ! intima-t-il.

Morcar redressa fièrement la tête. Il n'y avait nulle trace de peur dans son regard altier.

— Morcar, pour l'amour de moi, rends-toi ! supplia Célia.

Morcar lâcha son glaive. Ralph écarta l'arme d'un coup de pied.

— Au nom du roi Guillaume, tu es mon prisonnier !

Célia se trouvait juste derrière le Normand. Sans réfléchir, elle saisit une lourde pierre et la brandit au-dessus de sa tête.

Ralph fit volte-face et lui saisit le poignet au vol. Célia laissa échapper la pierre. D'une bourrade, le guerrier l'envoya rouler dans la poussière.

A cet instant, cinq cavaliers apparurent dans la clairière. Guy était à leur tête.

— Enferme cet homme au cachot, Guy !

Les soldats enchaînèrent Morcar, et Ralph reporta son attention sur Célia recroquevillée dans la boue.

— Quant à vous, vous ne perdez rien pour attendre... !

20

Guy raccompagna Célia au manoir. Il ne la quittait pas d'une semelle. Alice jouait avec deux petits bichons dans la grande salle.

— Attendez ici, ordonna Guy à l'intention de Célia.

Celle-ci était aux cent coups. En ce moment même, Morcar devait se morfondre au fond d'un cachot. Il était blessé et son état critique réclamait des soins. Il fallait trouver un moyen de le faire échapper...

Alice, qui caressait distraitement l'un des chiens, apostropha aigrement sa demi-sœur.

— Que se passe-t-il ?

— Morcar est revenu, et le Normand l'a jeté aux oubliettes.

— Et Edwin ?

— A l'heure qu'il est, lui et ses hommes pourchassent ces couards de Normands à travers le pays tout entier !

Ces paroles frondeuses s'adressaient plus à Guy qu'à Alice. Mais avant que le jeune homme n'ait pu répliquer, on entendit un cliquetis d'éperons, et Ralph fit son entrée dans le hall. Son visage ne présageait rien de bon. Célia comprit qu'il avait surpris sa dernière phrase.

— Dites-m'en plus, puisque vous vous sentez en verve, enjoignit-il.

— Vous en savez bien assez !

— Cette folle ne raconte que des menteries ! s'écria Alice. N'est-ce pas, Ralph ?

— Tu me dégoûtes ! explosa Célia. Tu crains que le retour de tes frères ne ruine tes beaux projets ! Tu ne penses donc qu'à toi ?

— Et pour qui donc devrais-je avoir des égards ? Toi ? Toi qui poursuis mon fiancé de tes assiduités ! Je ne suis pas aveugle. Tu ne t'opposes à ce mariage que par pur égoïsme... Tu te fiches bien d'Edwin !

— Assez ! coupa Ralph. Sortez, Lady Alice. Toi aussi, Guy.

Alice obtempéra d'un air pincé, suivie par Guy. Célia attendit avec inquiétude la suite des événements.

— Où se cache Edwin, Célia ?

— A l'abri, je ne sais où... bredouilla-t-elle en tentant de dissimuler le tremblement de ses mains dans les plis de sa jupe.

— Une fois de plus, vous avez enfreint mes ordres !

Elle demeura impassible. S'il s'attendait à ce qu'elle implore son pardon à genoux, il se trompait lourdement !

— Êtes-vous consciente du prix à payer pour votre trahison ?

La jeune femme crut défaillir. Allait-il l'emprisonner dans un cul-de-basse-fosse ? La pendre ?

Ràlph arpentait la pièce comme un lion en cage. Un lourd silence s'était installé entre eux, mettant Célia au supplice.

— Évidemment, rencontrer son frère par hasard dans les bois n'est pas un crime... hasarda Ralph. Aujourd'hui je fermerai les yeux, mais je vous avertis, ne vous avisez pas de recommencer. C'est compris ?!

Elle déglutit avec peine et acquiesça faiblement.

— Disparaissez de ma vue avant que je ne me ravise !

— Monseigneur...

— Quoi encore ?

— Puis-je rendre visite à mon frère ?

— Non ! ! ! Déguerpissez !

Elle comprit qu'il était vain d'insister et s'enfuit sans demander son reste. Une fois dehors, elle tenta de réprimer le tremblement qui l'agitait. Grâce à Dieu, elle s'en était sortie indemne. Mais Morcar était toujours aux mains de l'Ennemi ! Elle devait intervenir. Mille plans germaient dans son esprit : glisser dans le repas du garde une poudre qui l'endormirait, forcer le verrou, libérer Morcar, et s'enfuir avec lui sur un cheval volé... Et plus jamais sa route ne croiserait celle du Normand !

Lorsque Célia quitta le manoir cet après-midi-là, pour se réapprovisionner en plantes, elle eut la stupeur de voir Guy lui emboîter le pas.

— A quoi jouez-vous ?

— Le sire de Warenne a ordonné que je vous escorte.

Célia haussa les épaules et poursuivit son chemin en masquant sa déception. Elle trouverait bien un moyen pour se débarrasser de Guy le moment venu.

Quelle ne fut pas sa stupéfaction, le soir même, au moment où elle s'apprêtait à se mettre au lit, de constater que le jeune homme avait étendu une paillasse près de la sienne ! Ainsi il ne lui laisserait aucun moment de répit ! Elle décida de tester son cerbère et s'élança au-dehors. Aussitôt Guy la rattrapa.

— Où allez-vous ?

— Satisfaire des besoins naturels !

— Désolé, mais je dois vous accompagner.

Cette fois, c'en était trop ! Guy sur ses talons, Célia se rua dans les escaliers, et gravit les marches quatre à quatre jusqu'aux appartements de Ralph. Sans se soucier de l'heure tardive, elle tambourina de toutes ses forces à la porte, jusqu'à ce que le battant s'ouvre. Ralph apparut devant elle, en tenue d'Adam. La jeune femme piqua un fard.

— Quelle heureuse surprise ! s'exclama Ralph, narquois. Je songeais justement à vous ! La femme de mes rêves daigne enfin m'honorer de sa présence...

— Cessez de vous moquer de moi !

— Qu'est-ce qui vous amène, ma jolie ?

D'un signe de tête, il congédia Guy qui s'effaça prestement.

— N'avez-vous aucune pudeur ? reprocha Célia en fixant le sol.

Il hésita, puis s'empara d'un caleçon et d'une tunique. Célia ne put s'empêcher d'admirer son large dos musclé. Elle resta prudemment sur le pas de la porte et aperçut une carafe de vin à moitié vide, qui expliquait sans doute la bonne humeur du guerrier.

— Un verre de vin ? proposa-t-il obligeamment.

— Je déteste le raisin normand !

— Vraiment ? C'est pourtant un fameux aphrodisiaque ! Mais peut-être préférez-vous d'autres spécialités normandes ?

— Vous êtes ivre ! constata-t-elle avec dégoût.

— J'ai de bonnes raisons pour cela.

— Je n'en doute pas. Vous allez pouvoir offrir la tête de mon frère à votre roi !

— Certainement.

— Par ailleurs, je vous prierais de me délivrer de Guy Le Chante !

— Est-ce un ordre ?

— Non, une requête.

— Dans ce cas, approchez-vous, adorable sorcière. Je suis tout disposé à vous donner satisfaction.

Il était nonchalamment assis sur le lit, et toute sa personne dégageait une sensualité à laquelle Célia n'était pas insensible.

— Vous n'êtes pas sérieux !

— Bien au contraire ! Je ne peux rien vous refuser... surtout ce soir, vêtue comme vous l'êtes, d'une chemise translucide ! Vos yeux brillent de colère, et vos lèvres sont une invitation muette au baiser...

Elle se troubla, car les paroles du Normand provoquaient en elle des sensations qui lui donnaient le vertige.

— Dénouez vos cheveux..

— Quoi ?!

— S'il vous plaît, pour me faire plaisir...

Ce n'était pas un ordre, presque une supplique, et Célia sentit son cœur chavirer. Mais elle se reprit. Pas question de céder !

Comme elle ne bougeait pas, il vint à elle et défit sa natte. Malgré toutes ses résolutions, elle le laissa caresser les boucles soyeuses qui retombaient sur ses épaules. Le regard brûlant du guerrier la fascinait. Elle devait rompre le charme pendant qu'il était encore temps. Comme elle reculait farouchement, son dos heurta le mur.

— Célia, vous me rendez fou...

Ses mains étaient si chaudes, si tendres... Comment lutter plus longtemps contre l'élan irrésistible qui la poussait vers lui ? Le corps et l'esprit de la jeune fille se livraient un combat sans merci. Peu à peu, sa raison vacilla, sombrant dans un tourbillon voluptueux.

Soudain, elle pensa à Alice, qui dormait dans la pièce voisine, et à Morcar, qui croupissait dans sa geôle. Dans un violent sursaut, elle s'arracha à l'étreinte du Normand.

— Lâchez-moi !

— Un baiser, Célia, un seul...

Indifférent à ses faibles protestations, il l'enlaça et leurs souffles se mêlèrent. Sous ses lèvres âpres et sauvages, elle sentit naître en elle une émotion qu'elle ne pouvait contrôler. Le vin le rendait fébrile et ardent. La bouche de l'homme s'aventura sur le velours de sa gorge. Il se mit à tracer des cercles de feu sur sa peau et la cambra contre lui. Le temps s'était arrêté. Plus rien ne comptait pour Célia que cette passion qu'il lui tardait d'assouvir.

— Je vous veux, Célia ! La nuit nous appartient...

Il l'emporta dans ses bras et la déposa sur le lit. Gagnée par une vague torride dont les ondes se propageaient dans ses veines, Célia se rendit compte à quel point elle désirait cet homme. Il faisait preuve d'une douceur inhabituelle et elle succomba au pouvoir de sa séduction.

Il s'allongea sur elle et effleura de ses doigts le galbe ferme et rond de ses seins palpitants.

Mais à nouveau, l'image de Morcar s'imposa à Célia. Comment osait-elle se livrer au bourreau de son propre frère ? Elle le repoussa de toutes ses forces.

— Non ! Non ! Jamais ! Je vous hais ! Mon frère est en train d'agoniser dans vos cachots, et ma sœur dort dans la chambre attenante ! Demain, vous allez l'épouser et dans quelques jours vous ferez pendre Morcar ! Croyez-vous vraiment que je vais m'offrir à vous ?

Il s'était immobilisé, le souffle court.

— Vous venez jusque dans mes appartements pour m'aguicher et maintenant vous me crachez au visage ! Vous jouez un jeu dangereux, Célia...

— Alice ne doit pas perdre une miette de vos propos ! riposta-t-elle, tout plaisir envolé.

— Elle dort sûrement à poings fermés.

— Cela m'étonnerait fort. Je vais appeler à l'aide. Elle sera ravie de surprendre son prétendant en train de violer sa sœur !

— Vous étiez consentante, il y a quelques minutes !

— J'ai perdu la tête. Cela ne se reproduira pas.

— Vous me torturez ! gémit-il en se pressant contre la jeune femme.

Elle resta de glace sous ses caresses insistantes. Ce n'était pas lui qu'elle redoutait mais les sensations qu'il éveillait en elle. Il se détendit et elle voulut rouler sur le côté, mais il referma tout de suite les bras sur elle. Elle se raidit, prête à subir le pire...

Pourtant, rien ne se passa. Ralph soupira et sa respiration devint plus régulière. Se serait-il assoupi sous l'effet de l'alcool ? Les ronflements du Normand vinrent confirmer ses soupçons. Elle devait profiter de la situation. Guy la croyait en bonnes mains, c'était l'instant rêvé ! Elle allait fermer la porte et s'évader par la fenêtre...

Elle s'extirpa tant bien que mal du lit sans réveiller le guerrier et alla verrouiller l'huis. Alice pouvait bien imaginer ce qu'elle voulait. Rien d'autre ne comptait que de sauver Morcar.

21

Bouillonnant de rage, Alice faisait les cent pas dans sa chambre. Ce porc la trompait avec sa propre sœur ! Elle avait envie de hurler et de se rouler par terre. Avec quel plaisir elle aurait étranglé Célia ! Tout le monde était au courant, et cette humiliation était insupportable !

Prise d'une impulsion subite, Alice se précipita dans le couloir, puis se ravisa par manque de courage. Et si jamais Ralph entrait dans une colère noire et annulait leur prochaine union ? Elle ne pouvait risquer de le contrarier.

Elle se rasséréna un peu en songeant que le Normand avait besoin d'elle, s'il voulait s'approprier Aelfgar. Dévorée de curiosité, elle fixait la porte de la chambre de son fiancé. On n'entendait aucun bruit. Une idée fulgurante lui traversa l'esprit, la glaçant d'effroi : peut-être Célia avait-elle tué le Normand ? Avec sa stupide loyauté envers Edwin et Morcar, c'était fort probable... Tenaillée par l'angoisse, Alice poussa le battant et se retrouva face à Célia. Un ronflement sonore s'éleva du lit. Ralph était endormi. Il portait encore son caleçon et sa tunique. Ils n'avaient donc pas succombé à la luxure... Elle en fut presque désappointée.

— Qu'est-ce que tu fabriques ici ?! chuchota-t-elle. Tu l'as empoisonné ?

— Bien sûr que non ! Il est soûl et incapable de tenir debout ! Je cherchais une couverture pour qu'il n'ait point froid...

— Menteuse ! Quitte cette pièce immédiatement ! Tu n'es venue que dans le but de le séduire... pour qu'il relâche Morcar !

— Mais non ! Je voulais qu'il me débarrasse de Guy Le Chante...

Alice se rua dans le couloir.

— Guy ! s'écria-t-elle, venez vite ! Cette sorcière a empoisonné notre seigneur !

Quelques secondes s'écoulèrent avant que Guy n'apparaisse, suivi de Beltain et d'Athelstan.

— Ne l'écoutez pas ! protesta Célia. Il est ivre, c'est tout !

Guy secouait Ralph par les épaules.

— Elle lui a donné l'un de ses philtres démoniaques ! insistait Alice. Guy, je vous ordonne de jeter cette traîtresse aux oubliettes !

Ralph émit un râle et s'assit péniblement sur le lit.

— Que se passe-t-il, ici ? demanda-t-il d'une voix pâteuse.

— Comment vous sentez-vous, Monseigneur ? Êtes-vous malade ?

Ralph regarda Guy d'un air abasourdi, avant de retomber lourdement sur les oreillers en riant.

— Malade ? Non, Guy... ensorcelé, tout simplement ensorcelé !

— Je crois qu'il vaut mieux le laisser cuver... proposa Guy. Je ne l'ai jamais vu dans un tel état.

— Il a bu deux litres de vin au souper, fit remarquer Athelstan. Sans compter ce qu'on lui a servi dans sa chambre... Vous avez raison, retirons-nous.

Alice rougit sous le regard d'Athelstan.

— Je croyais bien faire ! s'excusa-t-elle, gênée. Qu'auriez-vous pensé à ma place, en les trouvant tous les deux ici...

— Je cherchais une couverture, expliqua Célia. Le fond de l'air est frais, ce soir... Je redoutais qu'il ne prenne mal.

— Je vais m'occuper de lui, maintenant, rétorqua sa demi-sœur. Va-t'en ! Et ne t'avise pas de revenir !

Célia obéit sans discuter. Ses desseins étaient ruinés... pour ce soir !

Un rayon de soleil éveilla Ralph. Il gémit sourdement. Une migraine épouvantable lui martelait le crâne, comme si on lui pilonnait les tempes à coups de marteau. Rassemblant tout son courage, il se mit sur pied. Il avait une sacrée gueule de bois mais, aujourd'hui, il était hors de question de traîner au lit : c'était le jour de son mariage.

Il enfouit sa tête entre ses mains et tenta de rassembler ses souvenirs de la veille. C'est au cours du dîner qu'il avait commencé à boire, pour fêter la capture de Morcar. Après ce duel éreintant, les effets de l'alcool avaient été décuplés. Pourquoi se sentait-il si déprimé alors qu'il avait toutes les raisons de se réjouir ? Le roi Guillaume ne lui avait-il pas promis le domaine de Durham en récompense de la capture des deux Saxons ? Allait-il se dédire ?

Morcar et Edwin étaient de vaillants adversaires. Après les avoir rencontrés lors de la bataille d'Hastings, Ralph avait éprouvé un profond respect pour les deux frères, qui jouissaient d'une solide réputation. Ils étaient forts, intelligents, dévoués et courageux. Malgré tout, Ralph s'était méfié d'eux.

Il se remémora le combat qui l'avait opposé à Morcar. Il se souvenait des hurlements de Célia quand il avait appliqué la pointe de son épée contre le cœur de son frère, et était hanté par l'image de ce petit minois bouleversé.

Cette garce l'avait trahi !

Elle avait rejoint son frère en cachette, en dépit des ordres formels de Ralph. En bravant son autorité, elle s'était exposée à un sévère châtiment. Et pourtant, il ne l'avait pas punie. Pour la première fois de sa vie, il avait enfreint le strict code de conduite auquel il s'était toujours conformé. S'il ne prenait garde, cette fille le tournerait en ridicule devant ses pairs et, pire, devant son roi...

Cela ne se reproduirait pas. A l'avenir, il l'aurait à l'œil, même s'il devait pour cela la tenir en laisse ! A la prochaine incartade, elle aurait à répondre de ses actes et en subirait les conséquences.

Le soir précédent, Alice avait été aux petits soins pour lui, veillant à ce que son verre soit toujours plein. Elle n'avait cessé de s'esclaffer de façon intempestive, s'arrangeant pour effleurer son bras dès que l'occasion s'en présentait. Cette attitude avait fortement irrité Ralph. Quant à Célia, elle ne l'avait pas gratifié d'un seul regard.

Il n'avait pu s'empêcher de comparer les deux jeunes femmes, l'une si blonde et sensuelle, l'autre si brune et chétive. Dieu, c'était Célia qu'il devrait épouser, pas cette maigrichonne médisante et jalouse !

Mais hélas ! il était trop tard pour changer le cours des choses.

Lorsque, après le repas, il avait en vain cherché le sommeil, Célia avait frappé à sa porte, comblant ses désirs les plus fous. Toute la morosité du guerrier s'était alors envolée comme par enchantement. Il avait cru qu'elle venait soulager son âme torturée et son corps avide de caresses...

La suite des événements était confuse dans son esprit. Il l'avait étreinte avec fougue et embrassée, mais après ? L'avait-il possédée ? Non, sûrement pas : il n'aurait jamais pu oublier de tels instants !

Quelqu'un frappa à la porte, et Ralph fut brutalement ramené à la réalité. Athelstan pénétra dans la chambre, portant un bol de porridge.

— Remportez tout cela aux cuisines ! intima Ralph. Je n'ai pas faim.

— Quelle belle journée, n'est-ce pas, Monseigneur ?

— Ah bon ?!

— La cérémonie débutera dans une heure. Il faut vous hâter de rejoindre la chapelle.

Ralph laissa échapper une faible plainte. Sa migraine empirait de minute en minute.

22

Tout s'était déroulé sans heurt. Les préparatifs avaient commencé la veille. Aux cuisines, chacun redoublait d'ardeur. Le village tout entier bourdonnait d'activité. Il ne s'agissait pas de n'importe quel mariage, mais de celui du nouveau seigneur d'Aelfgar. Il n'était pas question de lui déplaire.

Depuis le matin, Célia était taraudée par une anxiété presque insupportable. Elle allait profiter de l'occasion pour mettre ses projets à exécution. D'après la rumeur, Ralph avait l'intention de transférer Morcar à York dès que son union serait célébrée. Il n'y avait plus un instant à perdre! Le moment était parfaitement choisi, car dans l'agitation générale, elle était certaine de réussir.

Elle se refusait à peser les risques qu'elle encourait. Après tout, Ralph avait déjà fait preuve de générosité à son égard!

Teddy sortit des cuisines à la hâte, portant un plateau chargé de victuailles, et se dirigea vers les oubliettes. Célia le rattrapa.

— Est-ce pour le garde?

Teddy ne daigna pas s'arrêter.

— Oui, et je vais tâter du fouet si je ne me remue pas les fesses!

— Donne-moi ça, je vais m'en charger.

Célia le saisit par le poignet, Teddy hésita, puis haussa les épaules.

— D'accord. Merci, Célia.

Il lui tendit le plateau et détala à toutes jambes.

Il n'était pas dupe. Célia en était persuadée. Si jamais le complot était découvert, il nierait farouchement y avoir participé. Elle serait tenue pour seule responsable.

Une fois à l'abri des regards indiscrets, elle posa le plateau à terre et ouvrit précipitamment une petite sacoche qu'elle portait à la taille. Elle en extirpa un fromage de chèvre parfumé aux herbes et en glissa une généreuse portion entre deux tranches de pain. Puis, elle reprit sa route, sans pouvoir se départir d'un sentiment de culpabilité. Un puissant laxatif avait été mélangé au fromage.

Célia pénétra dans les cachots, un endroit sombre et sordide qu'elle avait déjà visité dans sa jeunesse. L'atmosphère y était oppressante. Des rats se faufilaient dans l'obscurité et une moisissure répugnante suintait des murs. Elle se rappela la fois où, encouragée par ses frères, elle avait voulu explorer le souterrain. Une fois à l'intérieur, l'exiguïté du lieu l'avait épouvantée.

— Attention, je ferme la porte ! avait crié Morcar.

— Non ! Non !

Trop tard ! Le lourd battant s'était clos dans un grincement sinistre et elle s'était retrouvée plongée dans les ténèbres. Elle avait eu l'impression que ses poumons allaient exploser et que les murs s'abattaient sur elle. Elle avait appelé au secours, labourant la paroi de ses ongles, convaincue que sa dernière heure avait sonné et qu'elle allait être enterrée vive...

Quelques secondes plus tard, Edwin avait ouvert la porte et l'avait prise dans ses bras protecteurs. Secouée de sanglots irrépressibles, elle s'était serrée contre lui, et n'avait retrouvé son calme qu'une fois à l'air libre. Depuis, elle souffrait de claustrophobie.

Aujourd'hui, c'était un comble ! Morcar se retrouvait prisonnier dans son propre manoir !

« Pas pour longtemps ! » se promit résolument la jeune fille.

Le garde, un solide gaillard, la regarda s'approcher d'un œil soupçonneux. Elle déposa le plateau à ses pieds.

— Allez-vous-en ! Je me méfie de vos tours de sorcière !

— Très bien.

Elle reprit le repas et tourna les talons illico. Il la rappela d'une voix incertaine.

— Vous n'avez rien mis dedans ?

— Me prenez-vous pour une idiote ? La dernière fois, j'ai eu la chance que votre maître me pardonne. Je ne m'y risquerai pas de nouveau. Écoutez, si cela vous rassure, je vais goûter à chaque aliment...

— D'accord.

Elle s'exécuta, imperturbable. Une bouchée de fromage ne lui occasionnerait aucun trouble. Le garde l'observa tandis qu'elle croquait dans chaque mets. Lorsqu'elle le quitta, il attaqua son repas de bon cœur.

Elle était en retard. La cérémonie avait probablement commencé et son absence allait donner l'éveil. Elle ramassa ses jupes et pressa le pas. Elle avait résolu de s'habiller en noir, comme si elle portait le deuil. Déjà, les villageois et les Normands formaient une haie d'honneur entre le manoir et l'église, un petit édifice de pierre situé au bout du hameau. Célia prit place aux côtés d'Athelstan. Autour d'elle, les gens riaient et bavardaient gaiement, attendant les réjouissances avec impatience. Le ciel était d'un bleu parfait et le soleil brillait de tous ses rayons. Les enfants folâtraient dans les rues. Célia tordait nerveusement la cordelette de sa ceinture.

— Les voilà ! ! !

Une ovation s'éleva. Alice apparut la première,

montée sur une haquenée blanche menée par Guy et Beltain. Elle avait revêtu une magnifique robe virginale, brodée de centaines de perles. Il avait fallu des jours et des jours aux caméristes et aux chambrières pour exécuter ce splendide ouvrage. Le voile de dentelle, parsemé de fils d'or, dissimulait le haut de son visage mais laissait entrevoir son sourire éclatant. Sa somptueuse chevelure de jais lui tombait jusqu'à la taille dans une cascade de boucles. Elle représentait la mariée idéale, l'image parfaite de la dame d'Aelfgar. Célia en ressentit un insurmontable malaise.

Puis elle aperçut Ralph et en resta le souffle coupé.

Il chevauchait le destrier gris avec son aisance coutumière. Le cheval était richement harnaché et paré d'une couverture bleue frangée d'or. La crinière et la queue de l'animal étaient nattées avec des rubans d'argent. Ralph devait retenir sa monture qui piaffait, peu habituée à une allure aussi lente.

Il portait une tunique du même bleu profond, tissée dans la laine la plus fine. Son arrivée fut saluée par un silence admiratif et respectueux. Il semblait trop beau pour être réel. Sa cape de velours rouge claquait au vent sur ses épaules. Le fourreau de son épée était incrusté de rubis et de saphirs. L'une de ses mains reposait tranquillement sur le pommeau de la selle et l'on pouvait voir une énorme perle noire scintiller à son doigt. Ses braies étaient carmin et ses éperons rutilaient dans la lumière.

Il se tenait bien droit et ne souriait pas. Célia le dévorait du regard, malgré la haine intense qui l'habitait. Il s'était emparé d'Aelfgar, s'était approprié sa sœur, l'avait poursuivie de ses ardeurs intempestives ! La jeune fille gardait un goût amer dans la bouche. Lorsqu'il parvint à sa hauteur, leurs regards se croisèrent, et elle prit l'air le plus méprisant qu'elle put.

Pourtant, il lui semblait que son cœur allait se briser.

Comme le voulait la coutume, la cérémonie fut de courte durée. Ralph fit face à la foule, tenant Alice par la main. Ce fut une explosion d'allégresse. Les villageois lancèrent du riz sur les nouveaux époux. Ralph et Alice étaient désormais mari et femme...

23

Le garde s'était rué dans les buissons.

Tapie derrière un muret, Célia attendait sa chance. Elle avait dissimulé une jument dans un bosquet, non loin du manoir. En voyant le soldat détaler comme un lapin, elle se précipita vers la porte. Tout le village était en fête, et les alentours étaient déserts. La jeune femme souleva le loquet et fit pivoter le battant de bois.

Morcar se trouvait dans un réduit creusé à même la roche, auquel on accédait par un soupirail de pierre. Célia souleva la trappe.

— Morcar ! Morcar !

— C'est toi, Célia ?

— Dépêche-toi. La voie est libre !

Elle lui lança une échelle de corde et il se hissa facilement hors du cachot. Aveuglé par la lumière du jour, il cligna des yeux. Après avoir refermé la trappe, Célia le saisit par la manche et le guida au-dehors. Morcar boitait légèrement. Ils gagnèrent les buissons où était dissimulée la jument.

— Sois bénie, Célia !

— Comment va ta jambe ?

— Bien. Le Normand a envoyé une servante s'occuper de moi.

Morcar enfourcha la monture et se pencha vers sa sœur pour la serrer une dernière fois contre lui.

— Mes pensées t'accompagnent, Morcar !

— Au revoir, petite sœur ! Prends bien soin de toi... Je reviendrai !

Malgré sa pâleur, il était de nouveau le Morcar qu'elle avait toujours connu : fier, beau, exalté à l'idée de repartir au combat... Il éperonna la pouliche et disparut dans les bois. Célia ne put refouler le flot de larmes qui montait en elle et s'effondra sur le sol, secouée de lourds sanglots.

Ralph était assis sous un vieux noyer aux côtés d'Alice. Il ne réussissait pas à participer à la liesse générale. La migraine lui vrillait toujours les tempes et il n'avait pas avalé une seule bouchée du succulent repas préparé pour l'occasion.

Il était désormais irrémédiablement marié. Les yeux brillants d'excitation, Alice dévorait une tranche de gigot à belles dents. Ralph l'observa à la dérobée avant de tourner le dos avec impatience, n'aspirant qu'à un bon galop dans l'air frais. Il était épuisé, et les effets du vin commençaient à peine à se dissiper.

— Avez-vous faim, Monseigneur ? demanda Alice pour la troisième fois.

— Non.

— La fête vous déplaît-elle ?

Il se contenta d'émettre une vague dénégation, n'étant vraiment pas d'humeur à endurer le vain babillage de sa jeune épousée.

— Un peu de vin, alors ? insista-t-elle en lui tendant une gourde.

— Pour l'amour du Ciel, fichez-moi la paix !

Alice reposa le pichet et se garda bien de montrer son dépit. Ralph croisa les bras et contempla la foule d'un air absent. La fête battait son plein...

Alice se préparait dans la chambre nuptiale, et Ralph attendait au-dehors qu'elle eût terminé. Toutes ses articulations le faisaient souffrir et il ne songeait qu'à s'étendre et goûter un sommeil réparateur. En vérité, il aurait beaucoup de chance s'il parvenait à honorer sa femme ce soir-là...

Vêtue de sa plus belle chemise de dentelle, Alice s'était glissée entre les draps. Son souhait le plus cher était enfin exaucé : elle était mariée au Normand. Pourtant, elle ne pouvait réprimer sa frayeur à l'idée de partager sa couche.

Elle revit le torse puissant de son mari, si différent de celui de son ex-fiancé. Bill était mince et gracieux, il ne la terrifiait pas comme ce rustre qui allait bientôt réclamer son dû. Oh ! comme elle aurait aimé fermer les yeux et oublier l'épreuve à venir ! Mais c'était impossible.

La porte s'ouvrit, livrant passage à Ralph. Sans aucune pudeur, il commença à se déshabiller devant elle, dévoilant sa large poitrine et ses hanches étroites. Troublée, Alice agrippa nerveusement la couverture.

Il grimpa dans le lit qui grinça sous son poids. Alice se figea, et la sueur coula le long de son dos. Il ne fit aucun mouvement pour la toucher et demeura parfaitement immobile.

Quelques instants plus tard, il dormait à poings fermés.

La première réaction d'Alice fut un intense soulagement, qui fit bientôt place à une rage irraisonnée. Il ne la désirait même pas ! Il se consumait de passion pour cette catin de Célia, mais à elle, son épouse légitime, il n'accordait pas la moindre attention ! Elle n'ignorait pas qu'aux yeux de Dieu et de l'Église, leur union n'avait aucune valeur si elle n'était pas consommée.

Ralph émergea lentement de son sommeil. Il sentait contre son flanc la chaleur d'un corps humain. Il étendit la main et rencontra une chair douce et féminine. Célia ! Une douce euphorie l'envahit. Elle était là, près de lui, attendant son bon plaisir. Puis il se souvint, et déchanta. Il soupira, parfaitement lucide maintenant. Sa femme était toujours vierge. Bien qu'il n'en ait aucune envie, il devait accomplir son devoir conjugal.

Alice étouffa une exclamation lorsqu'il roula sur elle. Il retroussa la chemise et, du genou, écarta les cuisses de son épouse. Mais c'était une autre femme qu'il imaginait tenir dans ses bras, une créature aux cheveux de miel et aux yeux d'améthyste.

Il insinua une main brutale entre les jambes d'Alice. Il n'avait pas éveillé ses sens et elle n'était pas prête à le recevoir. Elle se raidit sous ses attouchements mais se contraint à la soumission.

Soudain, au moment où il s'apprêtait à la faire sienne, un roulement de tambour troubla la paix du manoir.

Oubliant son épouse pétrifiée sous lui, Ralph se dressa d'un bond et s'empara de son épée. A nouveau l'alarme retentit. Il avait à peine enfilé sa tunique que Guy martelait la porte de la chambre d'un poing vigoureux.

— Entrez ! ordonna Ralph.

— Monseigneur, je suis désolé...

— Que se passe-t-il ?

— Le Saxon s'est évadé !

24

— Explique-toi ! ordonna Ralph, fébrile.

— C'est un serf qui a découvert sa fuite. Il a aussitôt donné l'alerte.

Ralph se ruait déjà vers la porte.

— Monseigneur ! s'écria Alice, en dissimulant sa nudité sous les draps.

— Plus tard ! aboya-t-il sans se retourner.

— C'est certainement l'œuvre de Célia !

La voix de la jeune femme vibrait de triomphe, mais Ralph dévalait déjà l'escalier.

— Divise les hommes en quatre sections, enjoignit-il à Guy. A quelle heure Louis commençait-il son tour de garde ?

— A minuit.

— Le prisonnier était-il dans sa geôle ?

— Louis n'en sait rien. C'est Jean qui a pris la relève. Ils vous attendent tous deux dans la grande salle.

Ralph pénétra en trombe dans la pièce. Les deux gardes se dandinaient d'un pied sur l'autre, l'air terrifié.

— Lequel d'entre vous a vu le prisonnier pour la dernière fois ? jeta Ralph.

— Moi, Monseigneur, répondit Jean, le visage cramoisi.

— Quand ?

— Hier matin.

— S'y trouvait-il toujours lorsque tu as quitté ton poste ?

— Il était tard, je le croyais endormi...

— Et toi, Louis, t'es-tu assuré de sa présence ?

— Non, Monseigneur. Mais il n'a pu nous fausser compagnie pendant ma faction. Je n'ai pas fermé l'œil. Je le jure devant Dieu !

— Qu'as-tu à dire ? rugit Ralph à l'intention du second soldat, qui baissait les yeux, honteux.

— Pardonnez-moi, Seigneur. J'avais la colique !

— Tu as déserté ton poste ?

— J'étais malade... et incapable de me retenir...

— Quelle heure était-il ?

— C'était juste après le repas de noce.

— Confisque son épée ! fit Ralph en s'adressant à Guy. Jusqu'à nouvel ordre, cet homme est relevé de ses fonctions. Je suis certain qu'il a été empoisonné !

Jean avança d'un pas, l'air gêné.

— Monseigneur... ?

— Qu'y a-t-il, encore ?

— C'est cette fille... Elle m'a servi mon repas.

— De qui parles-tu ? s'enquit le Normand, tandis qu'un silence de plomb s'installait.

— De la sorcière... Célia.

— Et tu ne t'es pas méfié, après ce qu'elle a fait à Guy à Kesop ?

— Si. Mais elle a goûté à chaque aliment.

Une incommensurable fureur prit Ralph à la gorge. Célia avait agi sciemment, sans même chercher à se cacher ! Elle avait trahi !

Alice surgit dans l'encadrement de la porte, les traits déformés par une joie mauvaise.

— Je le savais ! jubila-t-elle. Depuis des jours, elle organise l'évasion de Morcar !

— Et vous ne m'en avez pas informé, Milady ?

— Vous n'étiez pas en état de m'écouter, Monseigneur. J'ai exigé de Guy qu'il l'enferme au cachot, mais il n'a rien voulu entendre.

— Lady Alice pensait que sa sœur vous avait intoxiqué, se défendit Guy. Vous m'avez vous-même assuré du contraire, aussi ai-je laissé cette fille tranquille. Si j'ai commis un impair, je suis prêt à en payer le prix.

— Tu as bien fait, le rassura Ralph. Inutile de se lancer à la poursuite du Saxon. Il doit être déjà loin ! Trouve-moi Célia, et enchaîne-la dans l'étable sous bonne garde.

— Bien, Monseigneur.

Ralph se dirigea vers l'immense table de chêne, et abattit de toutes ses forces le poing sur le plateau : le bois se fendit avec un craquement sinistre.

Célia cherchait une position confortable. Ses poignets étaient solidement liés derrière son dos et une chaîne la retenait à un pilier. Le garde chargé de la surveiller était assis sur une meule de foin à quelques pas de là. Bras croisés sur la poitrine, il observait d'un air soupçonneux les gens qui passaient devant l'étable.

Sous les prétextes les plus futiles, les villageois venaient traîner aux alentours pour jeter un coup d'œil à l'intérieur. Célia s'y était accoutumée. Elle était confinée dans la grange depuis l'aube. Les curieux la regardaient avec horreur et commisération. Elle était devenue le centre d'attraction du hameau.

Alice elle-même ne lui avait pas épargné ses sarcasmes.

— L'heure est venue de payer pour tes crimes, sorcière !

Célia s'était détournée sans répondre. Mais les paroles de sa demi-sœur l'avaient fortement ébranlée. Grâce à Dieu, Alice ne s'était pas attardée. Visiblement, elle exultait. Penser que la dame d'Aelfgar la haïssait à ce point déprimait Célia plus que tout.

« Ô mon Dieu, que va-t-il advenir de moi ? » se lamentait-elle en son for intérieur.

Dès que Guy s'était approché d'elle, elle avait su de quoi il retournait. Elle n'avait même pas songé à fuir — pour aller où, d'ailleurs ? Le cœur battant comme celui d'un petit oiseau pris au piège, elle était parvenue à dissimuler sa peur. A sa grande surprise, on l'avait conduite à l'étable. De longues heures s'étaient écoulées. On n'avait pas daigné lui apporter de quoi se sustenter. Elle avait froid et faim, et se sentait nauséeuse. Guy lui avait néanmoins fait servir un verre d'eau une heure auparavant, et elle avait pu étancher sa soif dévorante.

Plus le temps passait, et plus sa panique augmentait. La robe de la jeune femme était souillée de sueur. Cette fois, Ralph serait hors de lui. Si seulement il se décidait enfin à venir la trouver ! Cette attente était insupportable... Mais bien sûr, il la laissait délibérément se morfondre.

La nuit tombait. Célia priait avec ferveur. Elle n'osait pas questionner le garde, bien qu'elle en mourût d'envie. Ralph ferait-il preuve de mansuétude si elle se jetait à ses genoux pour implorer son pardon ? Un instant elle l'imagina, debout devant elle, impassible, tandis qu'elle se traînait à ses pieds. Mais non, il ne se laisserait pas fléchir. A moins qu'elle ne tente de le séduire ? Elle abandonna bien vite cette nouvelle idée, car elle se savait parfaitement incapable de vendre ses charmes pour sauver sa vie. Non, elle ne le supplierait pas, mais demeurerait digne.

Elle serait donc pendue.

Elle avait trahi, cette action la condamnait sans appel.

Incapable de trouver le sommeil, ou même de pleurer, Célia se recroquevilla dans la paille, tentant de chasser les images cauchemardesques qui hantaient son esprit : le visage convulsé de rage du Normand, l'exaltation morbide d'Alice, et la potence...

25

Ralph était assis, seul, dans la grande salle, et n'en avait pas bougé de toute la nuit, après avoir jeté tout le monde dehors. Il avait vaguement somnolé, mais son repos avait été troublé des pires cauchemars : Célia, hurlant, le dos zébré de traces sanglantes, se tordant sous la morsure du fouet... Dans son rêve, Ralph criait au bourreau de s'arrêter, mais les coups continuaient de pleuvoir. Il ouvrait la bouche, toutefois aucun son ne franchissait ses lèvres. Il s'était éveillé en nage, pour se retrouver effondré sur la grande table où il s'était assoupi.

Il avait une décision à prendre, mais s'en sentait incapable.

Ralph s'essuya le front et se frotta les yeux. C'était un chef de guerre, il avait l'habitude de donner des ordres et de les faire respecter. De nombreux soldats étaient sous sa responsabilité, il tenait sous son joug de vastes territoires qu'il avait soumis. Il devait se montrer à la hauteur de sa réputation. Il n'accordait qu'exceptionnellement sa pitié, et on lui désobéissait rarement. Les jeunes garçons et les femmes qui se rendaient coupables de trahison étaient fouettés, les hommes pendus. C'était la seule façon de mater la rébellion. Kesop avait été rasé pour punir les habitants d'avoir abrité une douzaine d'archers saxons. Telle était la règle, et elle ne souffrait aucune exception, sous peine de voir le pays sombrer dans le chaos.

— Monseigneur ?

Ralph n'avait pas entendu Guy entrer. Il fit signe au jeune homme de prendre place près de lui.

— Je ne peux pas, Guy... confessa-t-il.

— Elle vous a ensorcelé au premier regard, Monseigneur.

— Tu as raison...

— Il n'y a pas une seule âme au village qui ne connaisse sa forfaiture. Vous ne pouvez reculer. Tout le monde attend votre verdict.

Ralph adressa un sourire sans joie à son homme de confiance.

— Si c'était mon épouse, je pourrais l'enfermer au cachot et jeter la clé sans que jamais personne y trouve à redire...

— Mais elle n'est pas votre épouse.

Ralph songeait à Alice qui dormait à l'étage : il ne l'avait même pas revue depuis l'annonce de la fuite de Morcar.

— Je sais, Guy, répondit-il en se levant péniblement.

Guy le dévisagea, perplexe. De toute évidence, l'état d'esprit de son maître l'inquiétait beaucoup.

— Fais-la conduire dans la cour à midi. La sentence sera exécutée.

Un vent de folie soufflait sur Aelfgar. Les rumeurs les plus insensées circulaient, et chacun se perdait en conjectures. Célia serait-elle pendue, ou tout bonnement fouettée ? On connaissait l'intérêt que le seigneur portait à la sorcière, et quelques-uns avançaient qu'il se contenterait de l'écrouer un jour ou deux...

Le hameau tout entier était plongé dans l'expectative. L'intransigeance de Ralph laissait présager le pire.

Célia priait sans fin que Dieu lui accorde la force d'endurer l'épreuve. Chaque minute écoulée lui ôtait un peu de sa détermination. Le soleil s'élevait lentement dans le ciel. Bientôt, il serait à son zénith et Célia surveillait son inexorable ascension avec un désespoir croissant.

Une ombre se profila dans la grange, et elle reconnut Alice.

— Il est fou de rage, Célia. A cause de toi, son plus précieux otage s'est enfui. Sa vengeance sera terrible. Tu vas mourir !

— J'y suis prête !

— Comme si tu avais le choix !

Au grand soulagement de Célia, Alice tourna les talons et disparut. Ainsi, les dés étaient jetés : elle serait pendue. Le faible espoir qui malgré tout avait persisté en elle s'éteignit. Elle étouffa un sanglot.

Mais soudain, un miracle se produisit.

Célia sentit les battements désordonnés de son cœur s'apaiser. L'anxiété qui la torturait s'évanouit. L'univers tout entier sembla se nimber d'une parfaite sérénité et une profonde léthargie s'empara de tous ses membres. Le soleil n'était plus brûlant, mais dardait des rayons chaleureux. La terre n'était plus glacée mais délicieusement rafraîchissante. Au-dehors, les oiseaux pépiaient gaiement. Les sombres pensées qui rongeaient la jeune femme quelques instants plus tôt s'étaient envolées. La respiration calme et régulière, Célia attendait ses bourreaux, en paix avec elle-même.

Ralph sortit du manoir à midi. Tout le village se pressait devant les murs ; il n'en fut pas surpris, car il avait ordonné à Louis et à Beltain de rassembler toute la population. La condamnation et le châtiment seraient publics, pour l'exemple. Il espérait ainsi dissuader toute velléité de rébellion.

La bouche du guerrier ne formait plus qu'un mince trait dans son visage. Il s'arrêta sur les marches du perron. Son pouls s'accéléra, mais il demeura de marbre.

Alice se tenait à sa droite, la main posée sur le bras de son mari d'un air possessif. Un murmure d'appréhension parcourut la foule lorsque Célia parut, poussée par Guy. Ses mains étaient toujours attachées et sa robe déchirée. Sa chevelure retombait en boucles désordonnées sur ses épaules. Ralph sentit une douleur affreuse lui déchirer la poitrine.

Célia s'immobilisa devant le Normand. Il se sentit faiblir devant ces prunelles qui le fixaient avec innocence. Il ne parvenait pas à croire que ce petit bout de femme avait agi avec un sang-froid délibéré.

— Célia...

Il s'interrompit en voyant les yeux de la jeune femme se voiler, luttant contre l'envie irrépressible de la serrer contre lui.

— Vous recevrez dix coups de fouet !

Célia retint une exclamation. Une fois de plus, cette garce d'Alice avait menti ! Le visage de cette dernière se convulsa de rage.

Ralph surprit la lueur de soulagement qui traversa le regard de la jeune fille. Avait-elle réellement songé qu'il la condamnerait à la peine capitale ? C'était mal le connaître ! La correction était suffisante, surtout pour la peau délicate d'une femme. A cette idée, il faillit revenir sur sa décision et annuler le verdict. Mais il savait qu'un tel acte le discréditerait aux yeux de tous. Il fit un rapide signe de tête à Guy.

On enchaîna Célia à un poteau. Guy arracha le tissu de sa robe, dévoilant un dos long et gracieux.

— Prends garde à ne pas déchirer l'épiderme, Louis, enjoignit Ralph au bourreau.

Puis il donna le signal. La lanière décrivit un cercle dans l'air avant de s'abattre sur la jeune fille, qui frémit mais n'émit pas une seule plainte. Une zébrure rougeâtre apparut entre ses épaules. Ralph serra les poings. Un ricanement sardonique s'éleva derrière lui.

— Je vous prie de modérer votre joie, Milady !

A nouveau, Célia se crispa sous le fouet. Bientôt, la douleur devint insupportable et elle se tordit en gémissant. Le spectacle de cette flagellation mettait Ralph au supplice. L'ultime coup tomba et Célia s'écroula contre le poteau.

Sans tenir compte du regard ulcéré de son épouse, Ralph s'élança pour couper les liens de la suppliciée. Il passa son bras autour de la taille de Célia et la recueillit contre lui.

— Célia... chuchota-t-il, éperdu.

— Laissez-moi...

Elle était bien trop épuisée pour se débattre. Il l'enleva dans ses bras et elle enfouit sa tête contre le torse du guerrier.

26

Ralph gravit l'escalier en portant Célia dans ses bras et se dirigea vers ses appartements. Mais sur le seuil, il se ravisa et entra dans la pièce voisine. Il la déposa avec précaution sur le lit.

— Que faites-vous ? demanda Alice, qui avait rejoint son mari. Pourquoi ne la jetez-vous pas au cachot ? Vous êtes vraiment trop bon !

— Votre conduite est inqualifiable, Milady ! Taisez-vous et retournez dans notre chambre ! Dépêchez-vous, votre présence m'est insupportable !

Mortifiée, la péronnelle s'exécuta.

Ralph ne pouvait oublier le sourire victorieux d'Alice pendant le supplice infligé à Célia. Il s'agenouilla au chevet de cette dernière et tendit la main pour lui caresser la joue, mais le regard meurtrier qu'elle lui décocha alors interrompit son geste.

— Ne m'approchez pas !

La haine qui flambait dans les yeux de la jeune fille était telle qu'il eut un mouvement de recul.

— Que vous le vouliez ou non, vous demeurerez ici jusqu'à votre complète guérison. J'y veillerai personnellement.

— Vous ne suivez donc plus les conseils de ma chère sœur ? Que me vaut cet élan de générosité ?

Malgré son impétuosité, elle ne put contenir ses pleurs. Ralph observait les larmes qui roulaient sur ce visage douloureusement crispé et se maudissait intérieurement. La vision de ce corps meurtri l'émouvait au plus haut point. Le dos de Célia garderait longtemps les marques de son courroux. Il aurait voulu la réconforter, se faire pardonner, mais le courage lui manquait : il ne pouvait supporter l'idée d'essuyer un nouveau refus.

— Célia...

Elle fixait obstinément le vide, comme si elle ne l'entendait pas. Ralph n'avait aucune envie de la quitter mais il s'y résolut pourtant, car il ne lui était d'aucun secours. Célia attendit qu'il fût sorti pour laisser libre cours à son désespoir.

— Allons, ma douce colombe, reste tranquille.
Célia serrait les dents pour ne pas hurler, tandis que sa grand-mère pansait ses blessures afin d'éviter l'infection. Chaque effleurement mettait la jeune fille au supplice mais elle endurait son mal avec un courage extraordinaire.

— Là, c'est très bien, j'ai presque terminé... l'encourageait son aïeule. Tu seras sur pied en un tournemain.

— Tu désapprouves ma conduite, Granny ?

— Tu es bien trop impulsive, Célia, mais je ne peux t'en blâmer, car tu as agi selon ta conscience.

— J'étais la seule à pouvoir aider Morcar !

— Chut ! Ne te fatigue pas.

— Je hais ce Normand ! C'est un être sans cœur !

— Pourtant, il s'est empressé de te libérer devant tout le village et de t'emmener dans ses bras, sans se soucier du qu'en-dira-t-on...

Célia rougit sans répondre.

— Il s'est contenté de faire son devoir, enchaîna sa grand-mère. Il ne pouvait laisser ta faute impunie mais chacun sait qu'il n'a d'yeux que pour toi.

— Dis plutôt qu'il est comme un bouc en rut ! Il trousse le premier jupon qui passe ! Cela l'excite de lutiner sa propre belle-sœur.

— Alors, d'après toi, c'est par pure concupiscence qu'il a pris soin de toi ?

Célia esquissa une moue dubitative. A cet instant, la porte s'ouvrit, livrant passage à Ralph.

— Comment va-t-elle ?

— Elle sera bientôt rétablie, elle est d'une nature robuste, répondit Granny.

Célia sentait le regard insistant du guerrier sur son dos dénudé. Le drap qui la recouvrait jusqu'à la taille voilait à peine ses formes épanouies.

— Conservera-t-elle des cicatrices ?

— Elles s'effaceront avec le temps, ne vous inquiétez pas. Cet onguent a des propriétés miraculeuses ! Je ne peux rien de plus...

— Je vous remercie de vos attentions.

Ils sortirent pour laisser Célia se reposer.

Alice arpentait nerveusement la chambre nuptiale. Elle se figea en entendant le pas de Ralph dans l'escalier. Refoulant à grand-peine sa colère, elle s'obligea à sourire.

Il était tard, et le souper était depuis longtemps terminé. Ralph ne l'y avait même pas conviée, préférant lui faire porter un repas dans sa chambre. Tout le monde à Aelfgar devait être au courant et en faire des gorges chaudes ! Tout cela à cause de Célia !

Son humiliation était au moins aussi forte que sa fureur mais, plus que tout, elle était submergée par la haine farouche qu'elle vouait à son mari, et à cette garce. Toutefois, elle devait se faire violence et contrôler ses émotions : Ralph n'avait toujours pas daigné honorer sa couche. Elle espérait de tout cœur que, ce soir enfin, il remplirait son devoir conjugal.

Ralph entra dans la pièce, sans lui prêter la moindre attention. Alice avait déjà revêtu sa chemise de nuit. Elle attendait qu'il fasse le premier pas. Il commença à se déshabiller en soupirant.

— Vous semblez bien las, Monseigneur. Laissez-moi vous aider...

Il acquiesça et elle le débarrassa lentement de ses effets, prenant garde à ne pas effleurer la peau de l'homme. Elle plia précautionneusement les vêtements de son mari, d'un air dégagé. Il déambulait dans la pièce sans chercher à cacher sa nudité.

Lorsqu'il se mit au lit, elle s'approcha avec hésitation pour prendre place à ses côtés. Il paraissait exténué et sur le point de s'endormir. Alice se glissa sous les draps et ôta sa chemise, sans que Ralph fasse aucun geste pour la prendre dans ses bras. Elle était partagée entre le soulagement et le dépit. Comment osait-il la négliger ainsi ? Elle se lova contre lui mais il ne répondit pas à cette invite. Un immense désarroi s'empara d'elle : comment attiser le désir de cet homme ? Pourquoi ne réagissait-il pas ?

— Monseigneur ? souffla-t-elle.

Ralph émit un vague grognement.

— Je suis désolée de vous avoir offensé. Me pardonnez-vous ?

— L'incident est clos. Dormez, à présent.

Il roula sur le côté sans plus se préoccuper d'elle.

— Monseigneur... insista-t-elle.

— Quoi encore ?

— Ne désirez-vous pas consommer notre union ?

— Voilà, vous avez parfaitement compris !

Elle demeura interdite, stupéfaite par sa rudesse.

— Mais pourquoi ? Je suis votre épouse !

Il poussa un soupir exaspéré et sauta hors du lit.

— Faut-il vraiment vous l'expliquer ? Votre attitude aujourd'hui m'a écœuré. Je n'ai pas la moindre envie de vous posséder !

Alice blêmit sous l'insulte et un lourd silence s'installa.

— N'éprouvez-vous donc rien pour moi ? demanda-t-elle enfin.

— Vous êtes mon épouse.

— Pas aux yeux de Dieu.

— J'y remédierai peut-être un jour, si l'envie m'en prend. Mais pas ce soir !

Alice tira le drap sur sa poitrine frémissante. Elle n'en croyait pas ses oreilles ! Comment était-elle censée se comporter devant un tel affront ? Le crier sur les toits ? Non, elle ne pourrait jamais plus se montrer en public... Il en était conscient et en profitait lâchement. Les yeux de la jeune femme se remplirent de larmes.

— Vous ne voulez donc pas d'héritiers ? Je suis jeune et en pleine santé, je peux porter de nombreux enfants...

— J'ai une demi-douzaine de bâtards éparpillés entre la Normandie et l'Anjou ! Croyez-moi, Milady, c'est plus qu'assez !

— Ainsi, ce sera un mariage blanc, fit Alice amèrement.

Des pensées contradictoires se bousculaient dans son esprit. Il lui était difficile d'oublier cette offense mais, après tout, peut-être pourrait-elle tirer parti de la situation ?

Si le secret était bien gardé, elle n'aurait pas à subir les attouchements d'un homme qui la répugnait.

— Bonne nuit, Milady ! Dormez en paix, votre virginité ne risque rien ce soir...

Comme elle le détestait ! Quelques instants plus tard, il ronflait bruyamment. Elle se jura bien qu'il ne l'emporterait pas au paradis...

27

En dépit de son épuisement, Ralph ne parvenait pas à trouver le sommeil.

Tous ses projets tombaient à l'eau. Il ne pourrait pas livrer Morcar au roi le lendemain, comme prévu. Il était trop tard pour rattraper le messager parti prévenir Guillaume de la capture du Saxon. Comment réagirait le souverain en apprenant la disparition du prisonnier ? Sa colère serait terrible ! Il exigerait des explications et, sans nul doute, Ralph en subirait les conséquences. Une seule chose importait : protéger Célia. Il tairait son nom, il raconterait simplement que la coupable, une simple serve, avait été dûment châtiée. Mais de ce fait, il déguisait la vérité et ne se sentait pas la conscience tranquille... Célia n'était pas une vulgaire domestique mais la sœur de Morcar, détail non négligeable. Cette omission était une trahison en soi. Il fallait qu'elle soit une sorcière pour le détourner ainsi du droit chemin, lui le plus loyal chevalier de Guillaume...

Ce dilemme le torturait.

Soudain, un bruit étrange l'extirpa de ses sombres rêveries. Il crut tout d'abord qu'il s'agissait d'Alice, puis se rendit compte de sa méprise en entendant une plainte pitoyable s'élever à nouveau. Cela provenait de la chambre attenante. Il se rua au chevet de Célia et la découvrit recroquevillée sur sa couche, en proie à de terribles convulsions. Elle souffrait le martyre par sa faute ! Son pauvre petit corps se consumait de fièvre et elle délirait. Il fit demi-tour et courut réveiller Alice.

— Debout, Milady !

— Quoi ? Que se passe-t-il ?

— Allez veiller votre sœur. Elle est au plus mal !

Alice s'exécuta de mauvaise grâce et Ralph la suivit dans la chambre de Célia. Elle secoua rudement sa demi-sœur.

— Ne fais pas semblant de dormir. A quoi joues-tu ? Cesse tes simagrées...

— Vous êtes folle ! tonna Ralph. Vous voyez bien qu'elle est malade...

Célia ne les entendait pas.

Elle se débattait au milieu des ténèbres ; le rire sardonique d'Alice, au spectacle de sa flagellation, résonnait encore à ses oreilles. Dans le brouillard qui l'enveloppait, se dessinait la haute et noble silhouette de Ralph. Il était son ennemi, son tortionnaire, et pourtant, c'est lui qu'elle appelait désespérément.

— Ralph !... Ralph !...

Au grand dam d'Alice, Ralph caressa le front de la jeune fille avec tendresse.

— Allons, ce n'est qu'un mauvais rêve... Calmez-vous.

Célia s'accrocha comme une noyée au cou du guerrier. Se pelotonnant contre ce torse puissant, elle enfouit son visage ravagé par les larmes dans les plis de la tunique de laine. Le contact de ces bras protecteurs sembla l'apaiser et elle s'abandonna sans retenue.

Ralph était si ému qu'il en avait oublié jusqu'à la présence de sa femme. Il pressa plus étroitement le petit corps fébrile, s'enivrant de son parfum de violette. Tous ses griefs s'étaient subitement évanouis.

— Pardonnez-moi... Pardonnez-moi, Célia ! murmura-t-il d'une voix rauque.

Il sentit tout contre sa peau la douceur soyeuse des longs cils de la jeune fille, aussi légers qu'une aile de papillon : elle s'éveillait. Redoutant que cet instant privilégié ne prenne fin, il se mit à la bercer amoureusement. L'heure n'était point aux mots, seule comptait cette étreinte magique qui les unissait. Incapable de se maîtriser, il releva le menton de Célia et lui effleura la tempe de ses lèvres.

— Vous me répugnez ! cracha Alice. Votre comportement est inqualifiable ! Comment osez-vous...

Ralph sursauta.

— Si vous l'aviez consolée ainsi que je vous l'avais intimé, je n'aurais pas à le faire moi-même ! fit-il durement.

— A cause de vous, je suis la risée de tous ! Vous n'êtes qu'un goujat ! N'éprouvez-vous aucune honte à vous afficher de la sorte avec ma propre sœur ?

— Célia n'est pas ma maîtresse !

Il la saisit par les épaules, lui broyant presque les os, et la secoua jusqu'à ce que les yeux d'Alice s'embuent de larmes.

— Vous êtes ma femme, mais cela ne vous autorise aucunement à me juger, ni à vous mêler de ma vie privée ! Je suis libre d'agir à ma guise, et n'ai pas de comptes à vous rendre ! Enfoncez-vous cela dans votre petite cervelle, une bonne fois pour toutes !

Alice se dégagea d'un geste et prit l'air le plus méprisant qu'elle put.

— Vos aventures ne m'intéressent pas le moins du monde ! Je ne recherche pas vos attentions, et je suis fort aise de ne point partager votre lit ! Mais cette traînée...

— Suffit ! Vous me fatiguez avec vos balivernes !

Il reposa doucement Célia sur l'oreiller et sortit sans un regard pour Alice.

28

— Où allez-vous, Monseigneur ?

— A York.

Alice ne put cacher sa surprise. L'aube venait de poindre. Ralph donna ses dernières instructions à Guy, qui demeurerait au manoir pour commander le restant de la soldatesque, puis empaqueta quelques effets.

— Serez-vous longtemps absent ? s'enquit Alice, apparemment ravie.

En effet, elle n'aurait plus à supporter les railleries incessantes de son mari, ni à redouter ses avances. Elle allait de nouveau goûter à la liberté, agir comme bon lui semblait. C'était un véritable soulagement.

— Une quinzaine de jours tout au plus. Si un événement imprévu me retenait là-bas, je ne manquerais pas de vous en avertir.

Alice acquiesça sans poser de question. Elle le regarda s'éloigner et ne put s'empêcher d'admettre qu'il avait fière allure dans sa cape pourpre ourlée de blanc. Comme il ressemblait à Edwin et à Morcar ! Cette constatation la mit mal à l'aise car, encore une fois, Alice se sentait reléguée au second plan. Jamais elle ne posséderait cet homme... Elle pouvait certes s'enorgueillir d'être l'épouse du seigneur et, de ce fait, la première dame du domaine, mais il fallait à tout prix qu'elle lui donne un héritier, ne serait-ce que pour conforter sa position à Aelfgar.

Ralph s'arrêta pour jeter un coup d'œil dans la chambre de Célia. Cette dernière dormait paisiblement.

Rassuré, il poursuivit son chemin et Alice entendit le bruit de ses pas décroître dans l'escalier. Elle se précipita pour le rejoindre.

Une douzaine de soldats armés de lances, d'épées et de boucliers attendaient dans la cour. Leurs montures piaffaient d'impatience. Alice frissonna, songeant combien il était vain de la part de ses frères de s'opposer à une telle troupe.

L'étalon de Ralph attendait son cavalier avec une nervosité croissante. Il couchait les oreilles, lançait des ruades, et l'homme qui tenait la bride avait grand-peine à le maîtriser.

Alice rattrapa Ralph sur le perron.

— Je voudrais vous dire un mot, Monseigneur.

— De quoi s'agit-il ?

— Il est grand temps que Célia trouve un époux.

Pas un muscle ne tressaillit dans le visage de Ralph. Encouragée, Alice posa sa main sur celle de son mari.

— Cela serait bénéfique pour tout le monde, ne pensez-vous pas ?

— J'y songerai.

Il tourna les talons et se dirigea vers son destrier. L'animal se dressa sur ses postérieurs, fouettant sauvagement l'air de ses sabots meurtriers. Ralph flatta l'encolure de la bête qui se calma instantanément. Lorsqu'il fut en selle, la colonne se mit en marche.

Alice remonta l'escalier. Aucune servante n'était encore venue faire le ménage dans la chambre seigneuriale. A l'aide d'une petite dague, Alice se coupa résolument le doigt et fit tomber quelques gouttes de son sang sur les draps, ainsi que sur ses cuisses. Puis elle se coucha et appela sa chambrière.

— Je veux prendre un bain !

Elle savait que la nouvelle n'allait pas tarder à se répandre comme une traînée de poudre parmi la domesticité : le mariage avait été consommé.

Célia s'éveilla avec un étrange sentiment de culpabilité. Elle se remémorait distinctement son rêve : Ralph l'enlaçait et lui susurrait mille mots doux. Elle referma les paupières pour prolonger cette sensation de bien-être...

Elle poussa un soupir et se traita soudain d'idiote. Ralph était son ennemi juré, il l'avait fait fouetter. Ces rêveries étaient ineptes.

La fièvre la dévorait et tout son dos lui faisait mal. Ralph en était le seul responsable, se répétait-elle pour chasser les dernières réminiscences de la nuit.

La bouche sèche, Célia saisit la carafe posée sur la table de chevet. Constatant qu'elle était vide, la jeune fille retomba sur le lit et blottit son visage contre le traversin.

Des pas retentirent dans l'escalier mais Célia n'y prêta guère attention. Le sommeil la gagnait à nouveau ; elle se demandait si sa grand-mère allait lui rendre visite...

Dans le couloir, deux servantes gloussaient niaisement. Malgré elle, Célia tendit l'oreille pour saisir leurs propos.

— D'après ce qu'on raconte, c'est un chaud lapin !

— Alors, comment se fait-il qu'il ne se soit intéressé à aucune d'entre nous depuis son arrivée ? Sainte Vierge, je me souviens de ce jour, à Kesop... !

Célia reconnut la voix de Beth, et l'image de la servante arquée contre le Normand, gémissant de plaisir, lui revint en mémoire.

— Pour l'instant, il se doit de ménager Lady Alice. Mais d'ici quelque temps, tu verras !

— Peuh ! Il ne l'a même pas prise lors de la nuit de noce ! Si j'avais été à la place de cette péronnelle, je te jure bien qu'il n'aurait pas fermé l'œil avant l'aurore !

Célia se redressa, un peu honteuse d'espionner ainsi la conversation. Elle n'en croyait pas ses oreilles ! Ainsi Alice était toujours vierge !

— Beth ! Mary ! héla-t-elle.

Les domestiques entrèrent dans la chambre, l'air gêné.

— De quoi parliez-vous donc ?

— De rien... bredouilla Beth en rougissant.

— Je vous en prie, dites-moi la vérité. C'est important pour Aelfgar. Est-ce vrai ? Alice n'est pas vraiment sa femme ?

— Il ne l'a dépucelée qu'hier au soir, admit Beth avec réticence.

Mary, qui portait une pile de linge sale, brandit un drap taché de sang. Tous les espoirs de Célia s'effondrèrent. Ainsi, tandis qu'elle faisait ce rêve stupide, Ralph possédait Alice ! Elle eut l'impression d'avoir reçu une gifle.

— Apportez-moi de l'eau, ordonna-t-elle en se calant contre l'oreiller. Et faites chercher ma grand-mère.

Elle luttait contre les larmes qui picotaient ses yeux. A cet instant, Alice apparut sur le pas de la porte.

— Dépêchez-vous, bande de paresseuses ! gronda-t-elle à l'intention de Beth et de Mary qui décampèrent sans demander leur reste.

Alice s'adossa contre le chambranle et fixa sa demi-sœur.

— Tu n'as pas l'air dans ton assiette, Célia.

— Va-t'en !

— Je comprends maintenant pourquoi tu t'es donnée à lui. C'est un merveilleux amant. Cette nuit a été inoubliable !

Célia imagina Ralph allongé sur Alice et la menant savamment à l'extase. Elle secoua la tête pour chasser cette vision obsédante.

— Je suis malade, Alice. Pourrais-tu prévenir ma grand-mère et me faire porter un peu d'eau, s'il te plaît ?

— Il n'est pas question que cette sorcière entre chez moi !

Sur ces mots, elle lui tourna le dos et disparut.

29

Cette fois, York serait imprenable. La palissade de bois qui cernait autrefois le vieil édifice avait été remplacée par un mur de la pierre pâle et brillante de la région.

Ralph et ses hommes traversèrent le chantier. La plupart des habitants avaient été réquistionnés pour manœuvrer les immenses blocs à l'aide de treuils et de poulies. Une intense activité régnait sur le site : les ouvriers couraient en tous sens, tandis que les contremaîtres hurlaient leurs ordres. Des marchands s'étaient installés, proposant du pain, de la viande et de la bière. Les enfants trop jeunes pour participer à l'effort général folâtraient, nu-pieds. Le premier étage de la nouvelle tour était presque terminé.

Trois jours s'étaient écoulés depuis le départ de la troupe d'Aelfgar. Les routes n'étaient pas sûres et Ralph avait préféré ménager ses soldats, quitte à rallonger un peu le chemin. L'annonce de leur arrivée ne tarda pas à se répandre dans les ruelles de York. A maintes reprises, Ralph entendit prononcer son nom avec respect et admiration.

Guillaume avait installé ses quartiers à l'intérieur de l'enceinte. Des bannières décorées de ses armoiries flottaient au vent sur les hautes murailles. La colonne franchit le pont-levis et pénétra dans la cour.

Ralph se dirigea sans attendre vers la tente de Guillaume. Ce dernier était en réunion avec son demi-frère Odo et Ealdred, l'un de ses plus nobles vassaux.

Le roi était vêtu d'une longue tunique grège brodée de motifs verts. Il parut enchanté de voir Ralph.

Celui-ci s'inclina humblement devant son suzerain.
— Allons, pas de formalités entre nous, Ralph ! s'exclama cordialement le roi. Raconte plutôt ! Où est ce porc de Saxon ?
Ralph n'hésita qu'une seconde avant de se jeter à l'eau.
— Morcar s'est échappé, Majesté.
Guillaume blêmit, et poussa un rugissement de rage, suivi de quelques jurons bien sentis. Il se tourna vers Ealdred et, d'un impérieux signe de tête, le congédia.
— Explique-toi !
— Il s'est enfui durant la cérémonie du mariage, avoua Ralph en tombant à genoux. Quand on s'en est aperçus, il était trop tard pour le rattraper. Disposez de moi à votre gré...
Guillaume arpentait la tente en pestant. Odo observait la scène en se gardant bien d'intervenir. Le souverain finit par se reprendre.
— C'est incroyable ! Tu es mon plus fidèle serviteur. Comment cela a-t-il pu se produire ? A-t-on soudoyé le garde ?
Ralph courba la tête.
— L'homme de faction a été pris de colique et a abandonné son poste.
— Relève-toi. A-t-il été empoisonné ?
— Oui, Majesté.
— Mordieu ! Je briserai ces satanés Saxons, je le jure ! J'ose espérer que celui qui a commis ce forfait a été arrêté !
— Il s'agit d'une serve. N'ayez crainte, je me suis personnellement occupé d'elle.
— Tu l'as pendue ?
Ralph se tordit nerveusement les mains, en baissant les yeux, incapable de soutenir le regard de son roi.

— Elle a été publiquement fouettée, Majesté. Elle ne recommencera pas.

— As-tu perdu l'esprit ? explosa Guillaume. Cette créature me coûte mon plus précieux otage, et on se contente de la flageller ?

Le moment était venu de révéler l'identité de Célia, mais Ralph ne pouvait s'y résoudre.

— A mon avis, une pendaison aurait déclenché la rébellion du reste de la population. Je crois avoir agi sagement, néanmoins j'assume la pleine responsabilité de la fuite de Morcar, et je m'en remets à votre jugement pour le châtiment qui m'est dû.

— Tu es démis de tes fonctions à York. La sentence est légère, car j'ai plus confiance en toi qu'en mon bras droit. Mais sache que n'importe qui d'autre aurait été sur-le-champ dépossédé de tous ses fiefs. Va, maintenant !

Ralph venait de perdre la moitié de ses conquêtes. Il s'était attendu à un châtiment, mais pas d'une telle ampleur... Et tout cela à cause de cette maudite sorcière !

Au moment où il passait le seuil de la tente, la voix de Guillaume s'éleva.

— Ralph ! Ramène-moi la tête de ces deux Saxons et j'oublierai tout cela.

Edwin faisait nerveusement les cent pas, comme une bête féroce qu'on aurait mise en cage. Assis près du feu, Morcar remuait distraitement les braises à l'aide d'un bâton. Albie se tenait en retrait dans l'ombre du feuillage, gardant un silence circonspect.

La lune s'était levée sur les marécages qui séparaient l'Angleterre du pays de Galles. Le camp avait été installé à flanc de coteau. Quelque part, une flûte égrenait son chant mélodieux et nostalgique, et, de temps à autre, un rire gras perçait l'obscurité, provenant de groupes de soldats à moitié endormis.

— Je n'en peux plus ! explosa soudain Edwin. Je retourne de ce pas à Aelfgar !

— Tu es fou, c'est trop risqué ! N'oublie pas que j'ai failli perdre la vie.

— Tant pis, j'y vais !

— Mais réfléchis ! protesta Morcar avec emportement. Toi d'habitude si prudent, que t'arrive-t-il donc ! Rends-toi compte de la stupidité d'un tel geste !

— Je ne puis demeurer ainsi inactif.

— Attends quelques jours, au moins ! Tu boites encore. Nous ne pouvons pas partir avant que tu sois en pleine possession de tes moyens.

— Nous ? Non, mon cher Morcar. J'irai avec Albie, et lui seul.

— Rien ne m'empêchera de te suivre ! Le Normand est un homme dangereux, nous ne serons pas trop de trois.

— Je n'ai nulle intention de croiser le fer avec Ralph l'Inflexible. Du moins, pas tout de suite. Pour l'heure, je dois savoir ce qui se trame au domaine et s'il a détruit le village comme on le prétend.

— Je reconnais bien là la manière d'agir des Normands, intervint Albie, sortant enfin de son mutisme.

— Quelles nouvelles apportes-tu, Albie ? demanda brusquement Morcar.

Le jeune homme s'avança dans la lumière du brasier. Ses vêtements étaient maculés de boue. Il venait d'arriver au camp saxon, après une longue et épuisante chevauchée.

— Le mariage a eu lieu. Et Ralph de Warenne a fait ériger de nouvelles fortifications.

— Maudite Alice ! tonna Morcar. Elle trahit son peuple !

— Comment va Célia ? s'enquit Edwin.

— Elle a été publiquement fouettée, pour avoir aidé Morcar à fuir.

Un cri d'indignation échappa à Morcar.

— Calme-toi, conseilla Edwin. Nous la vengerons, ce n'est qu'une question de temps.

— Oh ! pourquoi ne l'ai-je pas ramenée avec moi ? se lamenta Morcar. Quel imbécile je suis !

— Ne te fustige pas avant de savoir ce qui s'est réellement passé, recommanda Edwin en posant une main réconfortante sur l'épaule de son frère. Célia nous est plus utile à Aelfgar.

— Le bruit court aussi que le Normand poursuit Célia de ses assiduités, continua Albie.

— Si jamais il la touche, je l'égorge ! rugit Morcar.

— Où se trouve actuellement Hereward ? demanda Edwin.

— Il fomente une rébellion contre Roger de Montgomery.

— Bien ! trancha Edwin. Nous irons à Aelfgar et ensuite nous rencontrerons Hereward.

— Que mijotes-tu ? s'alarma son frère.

Pour la première fois depuis longtemps, Edwin se dérida.

— Je pense qu'en septembre nous serons prêts pour le combat, Hereward, toi et moi...

30

— Sa vie est-elle en danger ? demanda Alice à Mary.

Toutes deux se trouvaient au chevet de Célia et observaient la malade.

— Je n'en sais rien, avoua la servante.

Alice torturait nerveusement la ceinture de sa robe. Elle avait interdit à la grand-mère de Célia l'accès au manoir, éprouvant un plaisir tout neuf dans cette démonstration d'autorité. Depuis quelques jours, personne n'était autorisé à pénétrer dans la chambre. Peu à peu, Célia s'était affaiblie et sa beauté s'était fanée. Elle n'avait plus que la peau sur les os.

— Je t'ai posé une question ! s'irrita Alice. Va-t-elle mourir ?

— Sans doute... souffla Mary d'un ton incertain.

La mort de Célia ! Alice en avait toujours rêvé. Lorsque sa demi-sœur était tombée gravement malade, une semaine auparavant, elle avait ressenti un sentiment de triomphe. Cette sorcière allait souffrir mille tourments !

Pourtant, aujourd'hui, Alice était rongée par l'anxiété. Si son vœu était exaucé, la colère de Ralph s'abattrait-elle sur son épouse ?

Elle tenta d'imaginer la réaction de son mari et fut prise de terreur. Il la ferait certainement flageller, puis jeter aux oubliettes ! Un instant elle crut sentir la morsure de la lanière sur sa peau délicate. Elle frémit et ses prunelles s'emplirent de larmes. En dépit de sa jalousie, elle n'était pas prête à endurer une telle épreuve. C'était injuste ! Elle était obligée de soigner Célia, alors que celle-ci méritait la mort !

— Va quérir Granny, Mary. Dépêche-toi. Dis-lui que sa petite-fille est au plus mal.

D'un geste brutal, elle poussa la domestique vers la porte, avant de revenir vers le lit. Si seulement Ralph pouvait voir Célia à cet instant ! Elle ne lui inspirerait plus que du dégoût !

Il existait d'autres moyens de se débarrasser de

cette créature gênante. Peut-être Ralph déciderait-il de l'unir à un Écossais, afin de garantir les frontières septentrionales ? Quelle bonne idée !

Alice résolut de se rendre à la chapelle chaque jour. Ainsi, tout le village la croirait inquiète de la santé de sa sœur et la nouvelle ne manquerait pas d'être rapportée à Ralph.

Célia luttait contre la Mort.

Cette dernière ne revêtait pas la forme d'un vieil homme au regard lubrique, ni même celle du Diable. C'était au contraire une créature douce, languide et magnifique, une enchanteresse qui promettait la paix éternelle. Elle flottait au-dessus de Célia, l'enveloppant de son parfum capiteux. Elle agitait ses longs doigts blancs, faisant signe à Célia de la suivre.

« Oui... songeait la jeune fille, je ne peux rester une seconde de plus ici... »

Tout son corps la faisait souffrir. Elle était en proie à une soif dévorante mais personne n'avait pris la peine de lui donner à boire. Une idée lui traversa soudain l'esprit : peut-être était-elle déjà morte ? Peut-être était-elle déjà en Enfer ?

Mais elle perçut la voix d'Alice, lointaine et étouffée. Elle était donc toujours vivante.

Puis l'image de Ralph apparut devant ses yeux.

— Non ! voulut-elle hurler à la Mort. Tu ne m'auras pas, disparais !

Mais, sourde à ses prières, la Mort s'avançait avec un sourire charmeur. Tout à coup, Célia réalisa avec effroi que l'apparition lui ressemblait trait pour trait : les mêmes yeux violets, les mêmes boucles de miel... Célia étendit le bras et, simultanément, le fantôme esquissa le même geste, comme si elle contemplait son reflet dans un miroir. La Mort tentait de l'entraîner dans son antre! Peut-être essayait-elle de lui voler son âme?

— Viens! susurrait la Mort d'une voix enjôleuse. Viens avec moi, Célia...

A nouveau, le visage de Ralph s'imprima dans le cerveau de la jeune femme.

— Non! se rebella-t-elle. Laisse-moi, il est trop tôt! Mon heure n'est pas encore venue.

La Mort se pencha sur elle. Célia recula mais elle n'avait nul endroit où fuir. Elle était perdue! Résignée, elle ferma les paupières, mais lorsqu'elle les rouvrit, le spectre s'était volatilisé. A la place, elle découvrit la figure parcheminée de son aïeule.

— Ne pleure pas, ma petite chérie. Tout ira bien, tout ira bien...

Ralph revint à Aelfgar quelques jours plus tard. Il ne pouvait oublier qu'il avait perdu York par la faute de Célia. Il avait menti à son roi! Cela ne se reproduirait plus, même s'il devait pour cela la confiner dans le plus noir des cachots. Il était déterminé à se racheter et à livrer Morcar pieds et poings liés à Guillaume.

Il se détendit en parvenant en vue de son domaine. Les travaux avaient progressé durant son absence. La tour était à présent achevée, le village reconstruit et on commençait à élever l'enceinte de la cour. Encore deux semaines et les fortifications seraient terminées.

Ralph avait la ferme intention de soutirer à Célia des renseignements sur ses frères.

Il avait souvent songé à la jeune femme. Même à distance, elle parvenait à éveiller son désir. Cela s'expliquait peut-être par le fait qu'il n'avait pas couché avec une femme depuis des lustres. Il était temps d'y remédier. Quelle bêtise d'être ainsi obnubilé par une seule alors que le monde en était plein !

Lady Alice l'attendait sur le perron pour l'accueillir, ce qui accrut sa mauvaise humeur.

— Des nouvelles ?

— Non, Monseigneur, aucune. Tout va pour le mieux.

— Parfait. Vous allez bien ?

— Très bien, Monseigneur. Je vous ai fait préparer un bain et une collation. Vous devez être rompu de fatigue.

Il suivit son épouse à l'intérieur du manoir, en regardant autour de lui. Il ne vit nulle trace de Célia.

Dans la chambre, Alice l'aida à se déshabiller. Il se glissa avec délices dans l'eau chaude, dont elle avait fait remplir un baquet. Une servante déposa un plateau de victuailles près de lui. Son visage rappela vaguement quelque chose à Ralph. Ah, oui ! C'était celle qu'il avait troussée à Kesop. Elle était brune et grassouillette, plutôt avenante, dotée d'une poitrine généreuse et de larges hanches. Au passage, elle lui décocha une œillade provocante.

— Ce pain est rassis ! remarqua sèchement Alice. Je vais en chercher d'autre. Emporte tout ceci à laver, toi ! ajouta-t-elle à l'intention de Beth, qui ramassait les vêtements épars de Ralph.

Beth grommela quelques mots d'assentiment. Alice sortit d'un pas précipité, tandis que Ralph dissimulait son amusement. Visiblement, son épouse était mal à l'aise en sa compagnie et le pain n'était qu'un prétexte pour s'éclipser. Les yeux du Normand tombèrent sur la servante, qui rassemblait le linge avec une lenteur délibérée. Elle se baissa pour attraper la tunique et Ralph put admirer à loisir sa croupe ronde et charnue.

— Approche donc, bougresse !

Elle se redressa et, sans discuter, se dirigea vers le baquet d'une démarche chaloupée. Ralph lui tendit une éponge ; elle s'agenouilla et entreprit de le savonner.

Ralph fixait avec insistance le généreux décolleté de la serve.

— Tu allaites, n'est-ce pas ?

— Oui, Monseigneur.

Il avança la main et referma les doigts sur le sein lourd et gonflé de lait. Beth retint sa respiration. Il saisit le téton entre ses dents à travers le tissu de la robe et l'agaça de la langue.

Beth étouffa un petit cri de plaisir. Elle agrippa les épaules mouillées du guerrier et pressa ses rondeurs contre lui. Mais il la repoussa et elle cacha sa déception.

Ralph soupira. La domestique avait éveillé ses sens mais pas au point de le faire passer à l'acte. Elle répandait une odeur aigrelette qui le rebutait. Il ne pouvait s'empêcher de la comparer à une autre qui, elle, sentait la violette.

— Prends un bain ce soir. Et rejoins-moi dans la grange après le souper.

— Oui, Monseigneur, chuchota Beth en rajustant son corsage trempé. Dois-je vous frictionner ?

Il secoua la tête et la congédia d'un geste.

31

Ralph descendit dîner dans la grande salle, ayant grand-peine à refréner son impatience : Célia serait à sa table ce soir-là !

Elle était déjà à sa place habituelle, et lui tournait le dos. Sa seule présence fit naître en lui un désir farouche.

Le repas débuta. Ralph était affamé, pourtant il chipotait dans son assiette. Comme Célia était pâle ! Elle semblait encore plus fragile et vulnérable que de coutume.

Alice posa sa main sur l'épaule du Normand. Il lui jeta un coup d'œil si noir qu'elle la retira immédiatement.

— Pardonnez-moi, Monseigneur... Avez-vous réfléchi à ce que je vous ai dit ?

— De quoi voulez-vous parler ? questionna-t-il en lançant un os aux chiens, qui se le disputèrent sauvagement sous la table.

— Du mariage de ma sœur.

— Non.

Son ton agressif indiquait clairement qu'il n'entendait pas poursuivre la conversation. En vérité, cette union représentait la solution de tous ses problèmes, mais il ne pouvait se résoudre à une telle décision.

— Faites mander Célia, ordonna-t-il à sa femme, en se levant.

Il contemplait les flammes dansantes dans l'âtre, lorsque, soudain, il sentit la présence de Célia derrière lui. Il lui fit brusquement face et ne put retenir une exclamation. Elle était méconnaissable ! La femme qui se tenait là n'était plus que l'ombre d'elle-même...

Elle se crispa en notant la stupéfaction du guerrier et se mit à tripoter les plis de sa jupe pour se donner une contenance. Avec une douceur inhabituelle, il lui saisit le menton et examina les traits livides et les larges cernes bleus qui trahissaient la fatigue extrême de la jeune femme. Bouleversé, il lut une détresse sans fin dans ces prunelles affolées. La chevelure de Célia avait perdu son lustre ; sa maigreur faisait peine à voir, mais n'enlevait rien à sa beauté.

— Mon Dieu, que vous est-il arrivé ?

— Je suis tombée malade.

— Suite à votre châtiment ?

Elle baissa les yeux et mit quelques instants avant de répondre :

— Je vais bien, à présent. Je n'ai perdu que quelques kilos ; d'ailleurs j'étais trop grosse...

— Mais vous tremblez ! Avez-vous de la fièvre ?

Il approcha la main du visage de la jeune fille mais elle se déroba, farouche comme une biche.

— Ne me touchez pas !

— Je veux absolument que vous vous reposiez ! Reprenez des forces et, surtout, n'oubliez pas de bien manger.

— Est-ce un ordre ?

— Tout à fait.

— Au moins, dans l'état où je suis aujourd'hui, je ne risque pas grand-chose de votre part !

— Ne vous amusez pas à me provoquer.

— Les femmes ne sont guère désirables lorsqu'elles sont malades.

— Il y a un moment, vous vous targuiez de vous porter comme un charme ! A moins que vous n'ajoutiez le mensonge à la trahison ?...

— Pourquoi pas ? Personne n'est parfait, n'est-ce pas ?

— Qu'insinuez-vous ?

— Si vous êtes en paix avec votre conscience, tant mieux pour vous !

— Vous êtes déconcertante, Célia. Un jour vous mentez comme une effrontée, un jour vous dites la vérité.

— Vous êtes mal placé pour me sermonner ! Vous ne faites pas souvent rimer mariage avec fidélité !

Elle s'arrêta, effrayée par sa propre audace.

— Calmez-vous, enjoignit-il. Vous allez faire monter la fièvre.

— Et alors ?!

— Je ne voudrais pas qu'il vous arrive quelque chose de fâcheux. Vous ne me seriez d'aucune utilité clouée au lit ! Où dormez-vous ?

— Lady Alice m'a permis d'aller vivre chez ma grand-mère.

— Je veux que vous réintégriez le manoir.

— Pour mieux me courir après ?

Un regard impérieux la fit taire, et elle jugea plus prudent de ne pas insister.

Ralph avait ordonné à tout le monde de quitter la grande salle afin de s'entretenir seul à seul avec Guy. Le jeune homme fut horrifié d'apprendre de la bouche même de son seigneur la sentence du roi Guillaume.

— C'est injuste ! Il n'a pas à vous traiter de la sorte. Vous êtes son plus fidèle chevalier !

— Je ne m'attendais pas à une faveur de sa part.

Il avait convoqué Célia, mais la jeune fille tardait.

— Bon Dieu, que fabrique-t-elle ? s'impatienta-t-il.

— Prenez garde, Monseigneur. Cette fille ne m'inspire rien qui vaille. A votre place, je me méfierais. Vous ne devriez pas la laisser sans surveillance.

— Elle ne trahira plus, rétorqua Ralph avec une assurance qu'il était loin d'éprouver. De plus, elle nous servira d'appât pour piéger Edwin et Morcar.

Célia apparut dans l'encadrement de la porte, sa silhouette éthérée toute nimbée de lumière. Ralph lui fit signe d'entrer et elle obtempéra avec méfiance. Comme Guy s'apprêtait à les laisser en tête à tête, il le pria de se rasseoir.

— Prenez place, commanda-t-il à Célia. Je sais que vous recevez des nouvelles de vos frères. Où sont-ils ?

— Je n'en sais rien.

— Ne me prenez pas pour un imbécile ! J'exige une réponse.

Mais elle s'enferma dans un mutisme buté.

— A cause de vous, j'ai été déchu de mes fonctions à York, poursuivit-il. Je compte bien les récupérer ! Rien ni personne ne m'empêchera de livrer Morcar au roi.

— Si vous croyez que je vais vous faciliter la tâche, vous vous trompez lourdement !

— Je songe sérieusement à vous unir à quelque paysan du domaine...

Célia suffoqua. Ralph savait combien elle chérissait son indépendance, il voulait simplement l'effrayer, c'était évident !

— Si vous vous montrez coopérative, peut-être changerai-je d'avis. Sinon... Je vous choisirai un fiancé pas plus tard qu'aujourd'hui. Un brave garçon soucieux de plaire à son seigneur... Qui saura mater son épouse.

— Vous ne feriez pas cela !

— Oh si !

Célia réfléchit longuement avant de se décider.

— Aux dernières nouvelles, ils se trouvaient dans les marécages.

Le guerrier sut qu'elle disait la vérité. Il n'avait rien appris de nouveau et se mordait les doigts d'avoir maltraité Célia de la sorte. Et pourtant, il n'avait pas le choix : il devait se comporter avec sévérité et fermeté.

— Je vous en conjure, Monseigneur... bredouilla

Célia entre deux sanglots. Ne m'obligez pas à me marier.

Il attendit quelques minutes et laissa tomber d'un air dégagé :

— Je me pencherai sur la question. Pour l'heure, regagnez vos appartements.

32

Une semaine s'était écoulée. Chaque matin, Célia se réveillait avec une terrible appréhension : Ralph allait de nouveau la convoquer, cette fois pour lui révéler l'identité de son futur mari et la date de la cérémonie. Sa décision serait irrévocable...

Cependant, rien ne se produisait. La vie suivait son cours monotone. Célia ne s'était vu assigner aucune tâche. Elle passait la majeure partie de son temps en compagnie de sa grand-mère, au village, loin de ce détestable manoir et de son seigneur. La jeune fille avait recouvré ses forces d'antan et repris du poids. Sa maladie n'était plus qu'un mauvais souvenir.

Célia venait juste d'enfiler un corsage lorsque la porte de la grande salle s'ouvrit, livrant passage à Ralph et à un inconnu. Elle reconnut aussitôt le messager royal qui s'était permis certaines privautés envers elle.

Le sire de Warenne demanda du vin et des rafraîchissements, et les deux hommes prirent place autour de l'immense table, sans s'apercevoir de la présence de la jeune fille. Cette dernière se tapit vivement dans l'ombre.

— Quels sont les ordres du roi ? s'enquit Ralph.

D'une main graisseuse, le messager lui tendit un parchemin cacheté. Ralph le prit mais ne chercha pas à l'ouvrir.

— Y a-t-il du nouveau à York ?

— Nous avons repéré deux vaisseaux danois au large des côtes et nous avons un moment redouté une invasion. Mais ce n'était qu'une fausse alerte. Le roi est, par ailleurs, très satisfait du déroulement des travaux en cours. Il a attribué votre poste à Jean, le bâtard d'Odo. Les Écossais ont envahi Lareby et l'ont rasé. Heureusement, Odo a pris la tête des troupes royales et les a repoussées jusqu'aux frontières. Je pense vous avoir résumé l'esentiel...

Le cœur de Célia battait la chamade. Elle osait à peine respirer. « Pourvu qu'il ouvre la missive avant de me découvrir ! » songeait-elle avec anxiété.

— Où sont les Danois, maintenant ? interrogea Ralph.

— Au sud. Guillaume s'est promis de les écraser avant l'hiver. Il veut passer les fêtes de Noël à Westminster.

A cet instant précis, une chose furtive et velue se faufila entre les jambes nues de Célia. Elle sursauta violemment et ne put retenir une exclamation de surprise. Un rat !

Ralph aperçut la jeune fille et, contre toute attente, l'invita à les rejoindre.

— Venez donc par ici, Célia...

— Je venais juste me changer... Je ne veux pas vous déranger, bredouilla-t-elle, cramoisie.

— Bien au contraire, approchez.

Elle obtempéra et s'assit à ses côtés.

Enfin repu, le messager se mit à relater son voyage, évoquant les villages qu'il avait traversés, l'attitude des paysans, et l'état des routes. Puis la conversation prit un tour plus anodin. Ralph semblait avoir oublié le pli royal.

Célia se faisait toute petite. Perplexe, elle ne comprenait pas pourquoi Ralph lui avait enjoint de rester. Elle ne pouvait détacher son regard du parchemin qui reposait sur la table. Le guerrier finit par s'en emparer, avant de congédier son interlocuteur. Celui-ci se leva et, au moment où il s'inclinait profondément devant Célia, il lâcha un pet sonore. Offusquée, la jeune fille le fustigea du regard. « Quel grossier personnage ! » s'indigna-t-elle.

Ralph triturait distraitement la lettre. Pourquoi ne parlait-il pas ? Se moquait-il d'elle ? Voulait-il jouer avec ses nerfs ?

— Savez-vous lire, Célia ?

— Oui, Monseigneur.

— Il n'est pas courant de rencontrer une femme cultivée. Mais j'oubliais... Vous n'êtes pas une femme ordinaire, n'est-ce pas ?

Était-ce une allusion à son œil ? Elle n'aurait su le dire. Que cherchait-il ? Il déroula le parchemin en souriant et le poussa vers elle.

— Alors, lisez !

Célia ne pouvait croire en sa bonne fortune. Ses mains tremblaient d'émotion lorsqu'elle saisit le manuscrit. Elle s'éclaircit la gorge et commença :

— Le roi vous adresse ses salutations... Il vous annonce qu'un espion a été arrêté... Un espion qui agissait pour le compte... — elle trébucha sur les derniers mots —... de mes frères.

— Continuez.

— L'homme a avoué qu'une autre rébellion se fomentait, mais il ignore où et quand elle aura lieu. Guillaume recommande la plus extrême prudence...

Elle referma le parchemin, en proie à de folles

supputations. Qui était tombé aux mains des Normands ? Que mijotait Edwin ? Toute action précipitée se révélerait catastrophique. Elle devait à tout prix avertir ses frères !

Elle réalisa soudain que Ralph la fixait avec attention. Elle lui rendit le pli, qu'il jeta dans la cheminée, le regardant se consumer d'un air impassible.

Pourtant, intérieurement, il vibrait d'impatience : la jeune fille avait mordu à l'hameçon, et le piège allait bientôt se refermer...

Feldric était l'oncle de Célia. Il avait environ une dizaine d'années de plus qu'elle et était veuf. Son plus jeune fils, Teddy, avait quatorze ans...

Célia s'était précipitée au village, chez le frère de sa mère. Maintenant, tous deux feignaient de ramasser des fagots à l'orée du bois.

— Je t'en prie, Feldric ! Si tu ne le fais pas pour moi, fais-le en mémoire d'Annie !

— Te rends-tu compte de ce que tu me demandes, Célia ? C'est trop dangereux... !

— Tu oublies que mes frères, eux aussi, sont en péril ! Les Normands ont découvert leurs plans, il faut les prévenir. Tu sais où ils sont retranchés, vas-y ! Écoute, je m'en chargerais moi-même si je le pouvais. Mais comme tu peux le constater, je suis étroitement surveillée.

Elle désignait le garde qui les avait suivis et se tenait légèrement en retrait.

— Pars ce soir, dès qu'il te sera possible de t'esquiver, enchaîna-t-elle. Glisse-toi dans la nuit et cours les rejoindre !

Feldric soupira avec résignation et Célia comprit qu'elle l'avait convaincu.

— C'est bon, j'agirai au mieux, concéda-t-il. Mais

si je ne réussis pas à les dénicher rapidement, je n'insisterai pas. La récolte n'attend pas.

— Du fond du cœur, merci, Feldric !

Cette nuit-là, Feldric se fondit dans l'obscurité et quitta discrètement le village pour prendre la route des marécages.

Ce qu'il ignorait, c'est que Beltain l'avait pris en filature...

33

Célia s'éveilla le matin suivant avec un profond sentiment de victoire. Enfin, elle allait aider ses frères ! Elle avait déjoué les plans du Normand ! Elle s'était montrée plus maligne que lui ! Cette sensation était exaltante !

Durant tout le repas, elle fut incapable de soutenir le regard de Ralph, tant elle craignait de trahir son secret. Elle n'avait pas la conscience tranquille ; pourtant, elle ne faisait que son devoir.

Beth, qui se penchait pour la servir, lui glissa à l'oreille de la retrouver aux cuisines dès la fin du déjeuner. Célia dissimula sa surprise, car la domestique et elle n'avaient jamais été en très bons termes.

Lorsque Ralph partit chasser en compagnie de quelques fidèles, Célia se rua à l'office. Bien entendu, son gardien lui emboîta le pas sur-le-champ.

— Alors ? demanda-t-elle à Beth avec impatience.

— J'ai vu Morcar.

La fébrilité de la domestique n'avait rien d'étonnant, car elle avait été longtemps la maîtresse du Saxon.

— Où ? Où ? la pressa Célia.

— Chez ta grand-mère.

Célia retint un cri de stupeur. Elle mourait d'envie de se précipiter chez Granny mais se rappela la présence de son cerbère.

— Maudit soit cet homme ! maugréa-t-elle. Il ne me lâche pas d'une semelle.

— Ne t'inquiète pas, Célia. Je m'occupe de cette brute !

La servante se dirigea vers le garde d'une démarche féline. Il la regarda s'approcher d'un air méfiant. Elle lui adressa un sourire enjôleur et se pressa contre lui. Il n'eut pas le temps de se défendre. Déjà, de ses petites mains habiles, elle dénouait la ceinture du soldat et ses braies tombaient. Lentement, sans pudeur, elle s'agenouilla et saisit le vit qui se durcit sous les doigts experts. Elle le prit en bouche et il gémit sourdement. Incapable de résister au désir qui montait en lui, il attrapa la serve par son opulente chevelure brune et la maintint immobile, tandis qu'il allait et venait entre ses lèvres. Il s'abandonna au plaisir torride qui l'envahissait et ferma les yeux...

Célia ne demanda pas son reste et courut au-dehors. Elle était partagée entre la joie et l'exaspération. Il fallait s'appeler Morcar pour se comporter de façon aussi imprudente et revenir au village au nez et à la barbe de l'Ennemi !

Elle entra en coup de vent chez sa grand-mère, pour se retrouver non pas face à un seul homme, mais bien à deux.

— Edwin !

Ce dernier lui ouvrit grands les bras et la reçut contre son cœur. Il était encore plus grand et plus beau que dans son souvenir. Comme il ressemblait à leur père !

— Vous avez parcouru tout ce chemin si vite! s'exclama-t-elle. Je ne peux y croire!

— N'embrasses-tu pas ton vieux frère ? protesta Morcar.

Elle se jeta à son cou en riant.

— Comment vas-tu, petite sœur ? Nous étions si inquiets à ton sujet...

— Nous ne pensions pas venir jusqu'ici, expliqua Edwin. Mais quand nous avons appris que le Normand s'absentait pour la journée, nous avons succombé à la tentation!

Soudain, Célia se figea: une idée lui traversait l'esprit.

— J'ai envoyé Feldric à votre recherche! Il est trop tard pour le rattraper...

Brièvement, elle relata l'épisode rapporté par Guillaume dans sa lettre.

— Il faut me dire où se trouve votre camp! supplia-t-elle. Ainsi, je pourrai vous contacter...

— Non! répliqua Edwin. Tu as fait le bon choix, mais je ne veux pas que nos agissements te mettent en danger.

Elle acquiesça, songeant à la menace de Ralph de la pourvoir d'un époux.

— Allez-vous annuler votre plan ?

Comme Edwin secouait la tête d'un air résolu, elle s'accrocha à son bras.

— Oh, Ed, je t'en prie! C'est trop risqué!

— Nous n'avons pas peur! rétorqua Morcar.

— Fais-nous confiance, poursuivit Edwin. Ne sommes-nous pas les dignes fils de notre père ?

— On dit que le Normand te court après, gronda Morcar. Est-ce la vérité ? T'a-t-il fait du mal ?

— Je t'assure... je vais bien...

— Ce n'est pas une réponse!

— Il m'a infligé le fouet après ton départ, admit-elle. Mais c'est loin, maintenant...

— Le misérable ! gronda Morcar. Je vais l'étriper !

— Quelle belle preuve de courage tu nous as donnée là, fit Edwin avec douceur.

— Vous auriez été fiers de moi ! Je ne l'ai pas supplié et je n'ai pas pleuré.

— Ta bravoure égale celle d'un guerrier. Nous aideras-tu encore, Célia ?

— Tu le sais bien.

— Alors, continue d'espionner. Je projette une nouvelle insurrection et j'ai grand besoin d'informations.

Il hésita avant de poser la question qui lui brûlait les lèvres :

— T'a-t-il touchée ?

Elle se troubla sous son regard perçant et rougit jusqu'à la racine des cheveux.

— Es-tu encore vierge ?

— Ou... Oui.

— On raconte partout qu'il est fou de toi. Et il est très beau...

Célia regarda Edwin avec inquiétude. Elle ne voyait pas où il voulait en venir. Mais bientôt, un doute l'effleura. Elle n'osait comprendre...

— Ed ?

— Si tu sais t'y prendre, tu auras plus de pouvoir sur lui que n'importe qui... Le pouvoir d'une femme sur un homme.

Morcar se récria, tandis que la jeune femme dévisageait Edwin, abasourdie.

— Je suis conscient de te demander un lourd sacrifice, Célia. Et si tu refuses, je comprendrai. Mais j'ai bien réfléchi. Après tout, un pucelage compte moins qu'une guerre... Si tu deviens sa maîtresse, tu auras accès à ses secrets les plus intimes.

— Edwin ! Es-tu devenu fou ?! s'insurgea Morcar.

— Je me tuerais volontiers pour empêcher cela ! coupa Edwin. Je donnerais ma vie pour Aelfgar, tu le sais ! Mais Célia est la seule à pouvoir agir.

La plus grande confusion régnait dans le cerveau de la jeune fille. Elle refoulait ses larmes. Pourquoi se sentait-elle si bouleversée ? Ce qui importait c'était de se débarrasser de l'Ennemi. Le prix à payer était dérisoire. Elle n'avait pas le choix...

— C'est entendu, Ed. J'essaierai... Mais s'il me repousse ?

— Alors, tu n'auras rien perdu. Mais il te faut courir ta chance.

34

Comment séduire son ennemi juré ?

Recroquevillée sur elle-même, Célia se perdait en mille conjectures et ne parvenait pas à trouver le sommeil. Elle désirait de tout cœur aider ses frères mais ne savait comment s'y prendre. La seule idée de coucher avec le Normand lui donnait la nausée.

Une cavalcade résonna dans la cour et elle se leva d'un bond pour jeter un coup d'œil par la fenêtre. La silhouette de Ralph se découpait distinctement dans la lumière du crépuscule. Ed avait raison : c'était vraiment un bel homme. Il dut sentir le regard de la jeune femme s'attarder sur lui, car il se retourna dans sa direction. Elle recula dans l'ombre.

Célia n'était pas une séductrice-née. N'avait-elle pas déjà essuyé un échec avec le messager royal ?

Le Normand était entiché d'elle, même Edwin l'avait confirmé. Mais à présent, elle était envahie par le doute. Et si le manège de Ralph n'avait été qu'un simple jeu ? Et si, au dernier moment, comme tous ses prédécesseurs, il était rebuté par son « mauvais œil » ? Et s'il la repoussait ?

Mais ce qu'elle redoutait plus que tout, c'était de s'abandonner à ses étreintes avec un indicible plaisir.

Son sommeil fut peuplé de rêves étranges : elle évoluait en tenue légère devant le guerrier, au beau milieu d'une prairie. Il la contemplait avidement et elle en éprouvait un plaisir inouï. Elle dansait et virevoltait avec une grâce aérienne. Puis elle ôtait ses vêtements et exhibait sa splendide nudité sans aucune pudeur. Elle n'était plus qu'à quelques centimètres de lui, quand soudain il se mettait à rire à gorge déployée. Célia se figeait, rouge de confusion : il se moquait d'elle !... Quelle naïveté d'avoir cru qu'elle l'envoûtait ! Brusquement, Alice apparaissait derrière Ralph, un sourire triomphant aux lèvres...

— Sorcière ! Il ne t'aime pas, et ne t'aimera jamais !

De ses petits bras, Alice encerclait la taille de son mari. Célia aurait voulu mourir...

— Les sorcières reçoivent le fouet ! lançait Ralph.

— Oh, oui ! Cent coups pour cette garce ! renchérissait Alice.

Célia voulait implorer la clémence du Tout-Puissant, mais elle s'apercevait avec horreur qu'elle n'avait plus de voix. La lanière cruelle s'abattait sur son dos et elle distinguait les ricanements démoniaques de sa demi-sœur. Puis elle sombrait dans un brouillard ténébreux... Tout à coup, un bras la soutenait, on lui murmurait des paroles réconfortantes. Le rêve échappait à toute logique, car c'était Ralph...

— Ne vous agitez pas, ma douce colombe. Tout va bien, je suis là.

Célia se réveilla en sursaut, le visage inondé de larmes. La maisonnée entière commençait à s'activer. Elle demeura allongée, immobile, revivant chaque seconde du cauchemar. Elle tenta de se raisonner. Pourquoi se ronger les sangs pour un mauvais rêve ? L'avenir dirait si Ralph tenait sincèrement à elle et, de toute manière, elle ne pouvait changer le cours des événements.

Mais il fallait agir adroitement. Elle procéda à de rapides ablutions. D'ordinaire, elle se rendait à la crique, à l'orée du bois, mais depuis que le Normand s'était emparé d'Aelfgar, elle n'avait pas osé. A ce propos, elle prierait Ralph de la débarrasser du garde afin de pouvoir prendre son bain en toute tranquillité. Peut-être même réussirait-elle à le convaincre de l'accompagner et de la surveiller lui-même ? Plus vite elle deviendrait sa maîtresse, mieux cela serait : elle pourrait ainsi recueillir les renseignements dont les Saxons avaient besoin. Pourvu que tout se déroule comme elle le souhaitait... !

Au moment où Célia franchissait le pont-levis, elle entendit des chevaux piaffer derrière elle. Faisant volte-face, elle repéra Ralph au sein de sa troupe. Elle prit son courage à deux mains et lui adressa son plus beau sourire, avant de poursuivre son chemin comme si de rien n'était. A un soudain galop, elle devina qu'il la rattrapait.

— Vous me semblez de bien belle humeur, ce matin, ma jolie ! Dois-je prendre cela pour une invite ?

— Ne vous méprenez pas ! railla-t-elle. Vous êtes bien présomptueux !

— Surveillez-vous, Célia ! Votre attitude peut porter à confusion. Vous risqueriez de vous en mordre les doigts...

Elle bredouilla quelques mots inintelligibles, troublée par la prestance du guerrier.

— Seriez-vous en train de succomber à mon charme ? ironisa-t-il.

— Vous savez parfaitement quel attrait vous exercez sur les femmes. Cela vous flatte, n'est-ce pas ?

— Surtout quand c'est vous qui m'admirez.

Par inadvertance, le genou de Ralph frôla la poitrine de la jeune femme dont les seins tendaient la fine étoffe de la tunique.

— Je ne suis qu'une faible créature... balbutia-t-elle. Je ne puis rester insensible à votre allure.

Il se pencha et, du doigt, lui effleura la gorge, tandis qu'il plongeait son regard dans le décolleté. Célia frémit, refoulant une émotion qu'elle ne connaissait que trop bien.

Elle mourait d'envie que les caresses de l'homme s'enhardissent. Mais ils étaient en public et il se redressa avec une moue insolente. Sur un signe de sa part, les soldats le rejoignirent et ils s'élancèrent à bride abattue vers le village.

Célia se ressaisit. Ses doutes s'estompaient. Elle ne lui était pas indifférente ! Ainsi, sa tâche s'avérerait aisée.

Elle rebroussa chemin et découvrit Alice sur le perron. Sa sœur, qui n'avait pas perdu une miette de la scène, pinçait les lèvres avec colère.

35

Ralph était perplexe. Le repas venait de s'achever, et tout au long du service, Célia n'avait cessé de lui décocher de langoureuses œillades. Que lui valait ce soudain intérêt ? Elle tentait manifestement de l'aguicher. Mais il décelait dans ses prunelles violettes une gêne et une vulnérabilité qui détonnaient et qu'il ne s'expliquait pas. En toute autre circonstance, ou pour toute autre femme, il s'en serait diverti. Mais c'était Célia, et le moindre de ses gestes enflammait ses sens.

Que cherchait-elle ?

Peut-être était-elle sincère, après tout... Peut-être avait-elle décidé de ne plus lutter contre ses sentiments et l'attirance qu'elle éprouvait envers lui ? Elle ne voyait plus en lui l'occupant, l'ennemi, mais tout simplement l'homme. Mieux valait toutefois demeurer sur ses gardes.

Il reporta son attention sur Guy et Athelstan qui menaient une discussion animée. Ils évoquaient les problèmes posés par les Écossais aux frontières du Nord. Guillaume avait repoussé les assauts du clan Campbell mais d'autres raids avaient eu lieu sur les côtes.

— Aujourd'hui ils ne sont qu'une poignée, mais demain il en viendra des centaines ! s'écria Guy. Malheureusement pour eux, il leur faudra compter avec le sire de Warenne !

Athelstan sourit devant une telle impétuosité.

— Les Écossais sont bien plus rusés que vous ne le croyez, Guy. Et les Campbell plus que tout autre. Un traité de paix, voilà la meilleure solution. Même s'il ne durait pas, il offrirait au moins un répit.

A la surprise générale, la voix d'Alice s'éleva dans la pièce :

— A moins que ce pacte ne soit indissoluble.

— Seriez-vous donc experte en la matière ? s'étonna Ralph avec un brin d'ironie.

— J'ai passé toute mon enfance dans cette contrée. Il y a quelques années, mon père avait projeté de m'unir à un Écossais.

— Le mariage est le moyen le plus sûr de cimenter une alliance, assura Guy, péremptoire.

— Qu'en sais-tu, toi ? ricana Ralph.

— J'observe les faits, Monseigneur. Si, comme prévu, Guillaume avait donné sa fille Isolda à Edwin, ne pensez-vous pas que les relations entre Normands et Saxons se seraient nettement améliorées ?

— Au contraire, c'eût été pure folie ! Edwin y aurait gagné en puissance.

— Pour en revenir à mon histoire, intervint Alice, le promis qu'avait choisi mon père a refusé ma main.

Ralph allait de surprise en surprise. Où voulait-elle en venir ? Elle, d'habitude si effacée, s'immisçait sans retenue dans la discussion.

— Il convoitait Célia, enchaîna Alice. Bien entendu, mon père a refusé.

C'était un mensonge éhonté mais elle le proféra sans sourciller. Cette fois, Ralph comprit son dessein.

— Si je vous suis bien, cet Écossais accepterait encore d'épouser Célia aujourd'hui ?

— Évidemment !

— Si je peux me permettre, Monseigneur, remarqua Guy, cette idée est grandiose et s'avérerait extrêmement bénéfique pour nous.

— Sans doute... maugréa Ralph.

Furieux, il se traita intérieurement d'imbécile.

Pourquoi n'avait-il pas arrêté Alice à temps ? Guy avait raison : marier Célia à un chef de clan garantirait la sécurité des frontières. Mais il ne pouvait supporter l'idée de savoir la jeune femme dans les bras d'un autre homme. Quelle excuse inventer maintenant, pour rejeter une proposition aussi alléchante ?

Alice savourait sa victoire en silence. Exaspéré, Ralph repoussa son fauteuil et sortit à grandes enjambées.

— Monseigneur !

Une fine main blanche se posa sur son bras. C'était Célia.

— Je désirerais m'entretenir avec vous en particulier.

Il acquiesça et ils se dirigèrent vers la cour intérieure. Célia lança un coup d'œil furibond pardessus son épaule : le garde ne la lâchait pas d'une semelle.

— M'accorderez-vous une faveur, Monseigneur ? Depuis mon plus jeune âge, je vais régulièrement me baigner dans une petite crique derrière le village. A présent, je n'ose m'y risquer, à cause de cet homme qui me suit comme mon ombre. Je vous en conjure, délivrez-moi de lui pendant une heure !

— Je ne vous laisserai jamais seule, même une minute ! J'aurais bien trop peur que vous en profitiez...

Il lui était difficile de garder son calme. Son esprit était assailli de visions enchanteresses : Célia, nue, sortant de l'onde, sa poitrine provocante scintillant dans les rayons du soleil...

— Si je m'y rends avec votre sbire, il me violera !

Ralph soupira et fit signe au jeune soldat de s'approcher.

— Wilfred, tu accompagneras cette jeune femme

à sa toilette. Ne la quitte sous aucun prétexte mais je t'interdis formellement d'en profiter ! Si jamais tu portais la main sur elle, cela te coûterait la vie. Voilà ! ajouta-t-il à l'intention de Célia. Vous n'avez rien à craindre.

— En êtes-vous certain ?

— Si vous n'êtes pas convaincue, vous vous contenterez d'un bain dans votre chambre.

— Je veux me baigner dans la crique, nager en toute liberté !

— Alors, dix minutes, pas une de plus !

Elle avait l'air désappointé, et il doutait de sa sincérité. Nager ! Quelle était cette nouvelle lubie ? Avait-elle donné rendez-vous à un complice ? Ou comptait-elle l'attirer, lui, Ralph, dans un piège ?

— Je n'ai aucune confiance en votre Wilfred ! insista Célia.

— Tant pis pour vous.

Elle cilla, désemparée.

— S'il vous plaît... implora-t-elle, les yeux larmoyants. Et si vous...

— Oui ?

— J'ai confiance en vous. Vous pourriez... me surveiller...

Ralph eut peine à dissimuler sa stupeur. Qu'avait-elle encore inventé ? Il lui saisit le menton et plongea son regard perçant dans les merveilleuses prunelles améthyste.

— Que complotez-vous ?

— Mais, rien... je...

Il aurait dû la prendre à son propre subterfuge et accéder à sa requête. Aurait-elle le front de l'emmener droit dans une embuscade ?

— Êtes-vous en train d'essayer de me séduire ?

— N... Non, je...

— Êtes-vous amoureuse de moi, Célia ?

— Non ! Oui ! Oh, arrêtez !

— Décidez-vous !

— Ne me tourmentez pas !

Il la lâcha, excédé. Il n'était pas assez sot pour se bercer d'illusions et croire à cette soudaine invite. Elle se fichait de lui !

— Disparaissez de ma vue ! Je suis las de vos entourloupes !

Il la planta là sans plus de façons.

Le cœur de Célia se serra douloureusement. Jamais, de sa vie, elle n'avait subi pareille humiliation ! Quelle piètre séductrice elle faisait ! L'avenir d'Aelfgar reposait sur ses frêles épaules, et elle venait d'échouer lamentablement dans sa mission. Quelle amère déception pour Edwin et Morcar !

Son regard se perdit sur l'horizon, vers ces lointains marécages qui abritaient le camp saxon. Allons, il ne fallait pas s'apitoyer sur son sort ! Après tout, le ciel était d'un bleu limpide, le soleil brillait de tous ses rayons, la nature tout entière l'invitait à reprendre courage. Elle irait se baigner !

A quelques pas d'elle, Wilfred attendait avec embarras, se dandinant d'un pied sur l'autre.

— Je vais à la crique ! lança-t-elle au jeune homme médusé. Et jusqu'à la tombée de la nuit, que cela vous plaise ou non ! Mais je vous préviens, si vous tentez ne serait-ce qu'une fois de me regarder ou de me toucher, je vous jetterai un sort ! Vous périrez, ainsi que toute votre famille !

Ses yeux lançaient des éclairs. Elle était hors d'elle, et elle constata avec satisfaction que le visage du garde se décomposait. Célia passa devant lui la tête haute, ne songeant plus qu'au plaisir de la baignade. Cet imbécile n'allait pas le lui gâcher !

36

Il fallait qu'il sache à tout prix !

Cette nuit-là, au souper, Ralph prit Wilfred à part.

— S'est-elle rendue à la crique ?

— Oui, Monseigneur. Mais je ne l'ai pas touchée, je vous le jure.

— Je ne mets pas ta parole en doute.

Elle y était allée... Cette subite envie de baignade avait-elle été sincère ou n'était-ce qu'un grossier prétexte ? Le guerrier éprouva un vif soulagement, bien qu'il ne pût se départir d'un vague sentiment de méfiance. Il reporta son attention sur Célia qui mordait à belles dents dans un cuissot de chevreuil. Ses cheveux fraîchement lavés resplendissaient et Ralph eut peine à déglutir, tant le charme de la jeune femme l'étourdissait.

Le lendemain, Wilfred vint le trouver pendant les exercices militaires. Chaque jour, en effet, les soldats s'entraînaient au maniement de l'épée et de la masse.

Ralph fronça les sourcils en voyant le jeune homme s'approcher. Quelque chose d'anormal s'était produit, sans quoi le garde n'aurait jamais quitté son poste.

— Que se passe-t-il ?

Célia avait-elle rechuté après l'accès de fièvre qui avait failli lui coûter la vie ? S'était-elle noyée ? Mille supputations lui traversèrent l'esprit.

Wilfred était tout essoufflé par sa course éperdue à travers les bois.

— Célia est retournée à la crique malgré vos consignes, Monseigneur ! J'ai essayé de l'en dissuader mais elle n'a rien voulu entendre. Elle s'est contentée de hausser les épaules et de me rire au nez ! Je ne sais que faire...

— Tu l'as laissée seule ? Quelle inconscience ! Tu n'as pas deux sous de jugeote ! Rejoins-la immédiatement.

Il aurait bien botté le train de l'écervelé mais celui-ci décampa sans demander son reste. Il ne perdait rien pour attendre ! Dès demain, Ralph l'assignerait aux tâches les plus ingrates. Récurer les écuries lui servirait de leçon ! Le Normand regarda le jeune homme s'éloigner et mémorisa l'endroit où il disparaissait.

L'incident l'avait perturbé, et il ne parvenait pas à se concentrer sur le travail de ses chevaliers. Sans cesse, il jetait un coup d'œil dans la direction empruntée par Wilfred. Il regrettait de ne pas avoir accompagné lui-même la jeune femme. Il l'imaginait surgissant des eaux, telle une merveilleuse naïade, dans sa nudité splendide.

Sur le champ de manœuvre, Beltain s'élança à la charge de Guy et, d'un vigoureux coup de lance, le déséquilibra.

— Si tu n'es pas plus vigilant, Guy, tu finiras embroché sur une pique saxonne ! gronda Ralph.

Guy se renfrogna sous le sarcasme. Ralph observa distraitement le combat suivant, dans lequel s'affrontaient deux de ses meilleurs cavaliers. Une fois de plus, ses yeux revinrent vers l'orée des bois, comme attirés par un aimant. Cette maudite sorcière le hantait encore ! Il se traita mentalement d'imbécile et brandit sa lance.

D'une main, il abaissa la visière de son heaume, puis il releva son bouclier. Beltain se prépara à l'assaut, tandis que Guy s'effaçait pour livrer passage à son seigneur. Éperonnant sa monture, Ralph se lança au triple galop sur son adversaire. Grisé par la vitesse de son destrier, il oublia l'image de la blonde séductrice qui l'envoûtait. Les deux armes s'entrechoquèrent violemment et Beltain manqua d'être projeté à terre. Sans lui laisser un instant de répit, Ralph tourna bride et chargea à nouveau. Cette fois, le coup se révéla si puissant que Beltain fut désarçonné et s'étala de tout son long dans la boue, sous les rires et les quolibets des spectateurs. Ralph demeura impassible sur sa selle.

— A ton tour, Guy ! enjoignit-il.

Il défia ainsi ses hommes à tour de rôle, jetant à terre plus de la moitié d'entre eux. Les ricanements s'étaient tus et toute la bonne humeur de la soldatesque s'était envolée. Leur chef avait coutume de participer à l'entraînement mais jamais, auparavant, il ne s'était comporté avec autant de sauvagerie.

Ralph lâcha sa lance et arracha son casque. Son sang bouillait dans ses veines, il haletait et la sueur perlait sur son front. Dans un élan irraisonné, il piqua des deux et s'enfonça sous la chênaie.

Au bout d'un moment, les fourrés s'épaissirent. Il dut mettre pied à terre pour continuer sa route, en abandonnant sa monture derrière lui. Le bruit cristallin d'une cascade lui parvint soudain et il comprit qu'il n'était plus qu'à quelques mètres de son but. Il n'avait pas encore repéré Célia mais il l'entendait fredonner gaiement.

Tout à coup, le Normand aperçut Wilfred, qui tournait le dos à la crique. Surpris, ce dernier écarquilla les yeux, tandis que Ralph lui faisait signe de se taire et de s'éclipser.

Puis il la vit... Elle n'était pas nue et il en fut presque désappointé. Elle avait conservé une fine chemise de lin et s'ébattait gaiement dans l'eau fraîche. La jeune fille avait dénoué sa tresse et sa chevelure dorée retombait en une masse soyeuse jusqu'à la taille. Elle s'éclaboussait en riant et offrait un tableau enchanteur. Un incommensurable désir s'empara de Ralph.

Célia plongea dans l'onde et resurgit, ruisselante. L'étoffe de son vêtement épousait étroitement ses formes avantageuses. Ralph promena un regard indiscret sur ces hanches pleines, cette poitrine voluptueuse, cette taille étranglée... Les seins de la jeune femme pointaient effrontément sous le tissu translucide.

La respiration de Ralph se fit saccadée. Oh, pourquoi n'avait-il pas résisté à la tentation ? Pourquoi était-il venu ? Elle était sa belle-sœur, il s'était promis de ne pas la convoiter... Son sexe palpitant était douloureusement gonflé. Il glissa la main dans son haut-de-chausses et effleura sa virilité dressée avec un gémissement rauque. Jamais il n'avait atteint un tel degré d'excitation.

D'un mouvement de tête langoureux, Célia rejeta en arrière les mèches qui lui obstruaient la vue. Elle escalada un rocher pour exposer son corps d'albâtre aux chauds rayons du soleil.

Incapable de se contrôler, Ralph referma les doigts sur son membre vibrant de désir. Célia s'ébroua comme un jeune chiot, et l'innocence de son geste ne fit qu'accroître la concupiscence du Normand. Elle se cambra et écarta légèrement les cuisses. Devant un tel spectacle, Ralph crut devenir fou. La jeune femme roula sur le côté et il entrevit les fermes rondeurs de sa croupe. Un long frisson parcourut l'échine du guerrier, tandis qu'il caressait lentement sa verge. Il laissa échapper un gémissement et comprit, à la façon dont Célia s'était figée, qu'elle l'avait perçu. Mais il n'en avait cure. Il devait soulager cette terrible tension qui le tenaillait. Sa main allait et venait, dans un rythme toujours plus rapide, et il ferma les yeux en grinçant des dents.

Célia sauta sur ses pieds, sondant les buissons du regard. Et brusquement elle le découvrit, agenouillé dans les fougères. Choquée, elle fit un bond en arrière en étouffant une exclamation. Il émit un grognement sourd et, dans un ultime sursaut, se laissa aller au plaisir qui explosait en lui. Pendant quelques secondes, il fut parcouru de spasmes violents.

Persuadé qu'elle s'était enfuie, il ouvrit les paupières. Mais elle n'avait pas bougé d'un pouce. Elle se tenait à l'autre bout de la crique, pantelante, les bras croisés sur la poitrine. Ralph rajusta son caleçon.

— Me faites-vous toujours confiance ? jeta-t-il sur un air de défi.

Sa fièvre était momentanément apaisée, mais sa frustration restait la même : ce qu'il voulait réellement, c'était la posséder. Parviendrait-il toujours à se maîtriser ? Rien n'était moins sûr. Sa farouche détermination avait fondu comme neige au soleil quand il avait contemplé les formes affriolantes de cette Vénus...

Cette situation ne pouvait plus durer. Il allait y mettre bon ordre !

— Quoi ?! s'écria Alice.

— Je vous jure, Milady ! assura Mary. C'est Beth qui me l'a raconté, pas plus tard que ce matin.

— Morcar et Edwin, à Aelfgar ? Tous les deux ! Si c'est une plaisanterie, tu t'en mordras les doigts !

— C'est la vérité. Beth les a surpris quand ils ont rencontré Célia en secret.

Distraitement, Alice tendit une pièce d'or à la servante qui s'empressa de disparaître. Elle s'agrippa au pilier du lit, encore sous le choc de cette incroyable nouvelle. Oh, elle l'aurait parié ! Célia complotait à nouveau contre le Normand ! La sale petite garce ! Quand Ralph apprendrait l'affaire, il ne pourrait fermer les yeux...

Un plan machiavélique germait déjà dans l'esprit d'Alice. Un rictus mauvais déforma ses traits : l'occasion se présentait. Elle allait enfin se débarrasser de sa demi-sœur ! Et alors... à elle Aelfgar et son seigneur !

Sans plus attendre, elle se précipita à la recherche de son époux. Elle le trouva dans la grande salle, confortablement installé devant un verre de vin. Il semblait détendu et de fort bonne humeur. Le moment était parfait pour lui annoncer ce qu'elle venait d'apprendre.

— Puis-je vous entretenir un instant, Monseigneur ?

— Je vous en prie, asseyez-vous.

— Si cela ne vous dérange pas, je préférerais vous parler en particulier. Ici, les murs ont des oreilles.

Il haussa un sourcil amusé mais obtempéra et la suivit obligeamment jusque dans leur chambre. Alice referma doucement la porte derrière eux.

— Monseigneur, j'ai des informations de première importance à vous communiquer.

— Vraiment ?

— Il s'agit d'une chose qui nous concerne tous deux.

— Venez-en au fait.

— Célia a profité de votre partie de chasse pour aller rejoindre Edwin et Morcar. Le rendez-vous a eu lieu chez la vieille Granny. Cette catin tente une fois de plus de vous trahir ! Elle est de mèche avec ses frères. Ils préparent une insurrection, j'en suis convaincue !

— On ne lance pas de telles accusations à la légère. Avez-vous des preuves, au moins ?

— Beth a servi d'intermédiaire entre Morcar et Célia. Elle niera les faits, car l'idiote s'est entichée de ce dernier — d'après ce qu'on dit, il serait même le père de ses rejetons —, mais elle avouera certainement sous la torture !

Ralph dévisagea son épouse d'un air dubitatif.

— Pardonnez-moi mais j'ai grand-peine à croire en de telles assertions. Vous avez prouvé à maintes reprises que vous haïssiez votre sœur.

— Monseigneur, je suis dorénavant la dame d'Aelfgar, et j'entends bien le demeurer. Si une rébellion se fomente, je la combattrai jusqu'à mon dernier souffle, car nos intérêts sont identiques. J'ai chèrement acquis cette position et je ne suis pas près d'y renoncer. Écoutez-moi bien : je déteste ma sœur, vous avez raison, mais vous ne pouvez remettre en question ma loyauté à votre endroit.

— Quelle diatribe !

— Je vous parle avec mon cœur. Quelles sont vos intentions, à présent ?

— Si je ne m'abuse, vous avez déjà songé à une solution et vous brûlez de m'en faire part.

— Célia causera votre ruine si vous n'y prenez garde. C'est une véritable vipère. Désormais, vous voici acculé, une décision s'impose. Elle a déjà échappé à la potence par miracle. Il n'y a que derrière des verrous qu'elle ne pourra plus vous nuire.

— N'avez-vous aucune alternative à proposer ?

— En dernier ressort, nous pourrions envisager de la marier à un lointain vassal.

Elle se tut, pantelante d'avoir tant discouru. Ralph l'avait écoutée sans mot dire, comme s'il découvrait subitement la situation sous un autre angle. Soudain il serra les poings.

— Je suis tout à fait de votre avis !

Le masque était tombé : les yeux du Normand étincelaient de rage...

37

Ralph était blême de fureur.

Il ne tenait pas rigueur aux deux Saxons de s'être glissés à Aelfgar dès qu'il avait eu le dos tourné. En vérité, leur témérité lui imposait plutôt du respect. Non, toute sa colère était dirigée contre Célia.

Une fois de plus, elle l'avait trompé ! Pensait-elle vraiment échapper à sa vindicte ? Mais en se remémorant la flagellation publique de la jeune femme, Ralph comprit qu'il ne pourrait réitérer cette punition.

Il lui avait épargné le courroux royal, en dépit de son propre code de conduite. On ne l'y reprendrait plus !

Ralph arpentait nerveusement la chambre. Il commençait à comprendre Alice. Son ambition égalait la sienne. Tous deux convoitaient le pouvoir. Jusqu'ici, il avait considéré son épouse comme une importune, mais aujourd'hui, il réalisait qu'elle s'avérait une alliée précieuse.

Alice avait analysé les faits avec discernement : Célia était dangereuse, car elle vouait aux Normands une haine sans borne. Il ne pourrait la faire surveiller indéfiniment. Comme l'avait souligné sa femme, il ne restait plus qu'à emprisonner ou à marier cette sorcière.

Ces deux solutions lui semblaient tout aussi exécrables l'une que l'autre. Pourtant, il devait se décider ! Il était impensable de continuer à couvrir les incartades de Célia, car il risquait de se discréditer aux yeux du roi.

Il aurait pu arguer auprès d'Alice que Célia lui servait d'appât afin de piéger Edwin et Morcar. Mais comment protéger une femme qui se jouait de lui sans cesse ?

Il se ressaisit et frappa du poing sur la table.

— Bon sang ! Je suis Ralph de Warenne, seigneur d'Aelfgar ! Depuis des années, je combats aux côtés de Guillaume et, à cause de cette donzelle, j'ai déjà été spolié de la moitié de mes terres ! Alice a raison : Célia finira par causer ma ruine !

Il était en train de perdre tout ce qui faisait de lui un chef respecté. Toute sa vie, il avait su discerner le bien du mal et avait aligné sa conduite sur des principes bien établis. Aujourd'hui, tout s'obscurcissait dans son cerveau.

Les sentiments qu'il éprouvait pour la jeune femme l'empêchaient de l'abandonner à son triste destin. Une seule chose était claire : s'il ne pouvait se charger lui-même de sa protection, une personne de confiance devait assumer cette responsabilité...

Soudain, un sourire illumina ses traits virils, tandis que la clé de ses problèmes lui apparaissait ; il se rua vers la porte, l'ouvrit à toute volée et héla :

— Guy !

— Monseigneur ?

— Tu vas épouser Célia !

Guy laissa échapper une exclamation mais Ralph ne lui laissa pas le temps de se ressaisir de son étonnement.

— Les bans seront publiés demain et le mariage aura lieu après-demain.

— Il en sera fait selon votre volonté...

Guy affichait une attitude soumise, sans toutefois parvenir à dissimuler son aversion.

— Bien entendu, je fournirai la dot. Tu recevras le village de Dumstanbrough. Nous irons le visiter plus tard. Par ailleurs, je ne compte pas me passer de tes services dans l'immédiat. Cette année, tu me devras trois cents jours, j'estime que c'est raisonnable. L'année prochaine, si la sécurité d'Aelfgar est assurée, nous réduirons ta charge. Cet arrangement te convient-il ?

Le ton impérieux du Normand n'autorisait aucune protestation. Mais Guy en était bien loin. Son rêve le plus cher se réalisait. Qu'importait que Dumstanbrough ne soit qu'un minuscule hameau comprenant tout au plus une douzaine de cahutes ! Désormais, il possédait son propre domaine, si insignifiant fût-il ! Plus tard, quand il en aurait les moyens, il engagerait des soldats. Le jeune homme se prosterna devant Ralph et lui embrassa la main avec ferveur.

— Allons, debout ! réprimanda Ralph avec une pointe d'agacement. Nous avons à parler sérieusement. Tu devras tenir Célia à l'œil.

— Ne vous inquiétez pas, Monseigneur. Je saurai la mater.

Ralph acquiesça, bien qu'il doutât fortement de l'autorité de Guy. La jeune femme n'était pas précisement malléable. Évidemment, s'il l'engrossait tous les ans, elle serait confinée à la maison.

Satisfait de cet arrangement qui signifiait la fin de ses tourments, Ralph se fit monter du vin. Il s'était acquitté au mieux de son devoir seigneurial et déchargé d'une responsabilité qui lui pesait. Même convaincue de haute trahison, Célia serait dorénavant protégée par son rang et n'encourrait pas la peine capitale. Oui, cette décision était sage entre toutes.

Mais il ne reverrait plus jamais Célia ! Cette idée déclencha en lui une colère irraisonnée. Qu'importait, après tout ! Sa position ne lui permettait pas de s'abandonner à de tels états d'âme. Célia ne serait jamais sienne. Aujourd'hui, elle appartenait à Guy. Celui-ci était d'un tempérament égal, il n'userait pas de violence à l'égard de la jeune Saxonne. Quant à elle, elle serait plus heureuse loin de la perfide Alice, il en était persuadé. Alors, comment expliquer ce malaise, ce goût amer dans sa bouche ? Imaginer Célia se pâmant sous les caresses de Guy le bouleversait. Le jeune soldat comblerait son épouse, lui arracherait des gémissements de plaisir, la mènerait jusqu'à l'extase, tandis que lui, Ralph, se morfondrait en songeant à ce fin minois, à ces grands yeux limpides, à ce nostalgique parfum de violette, à tout jamais perdus...

Célia ne comprenait pas pourquoi Ralph l'avait convoquée. La mine triomphante d'Alice, qui la précédait dans l'escalier, ne présageait rien de bon. Au fur et à mesure qu'elle gravissait les marches, un funeste pressentiment l'envahit...

La porte de la chambre était ouverte. Ralph attendait près de la fenêtre, le dos tourné. Le bruit de leurs pas l'arracha à sa rêverie. Il fit brusquement volte-face, et Célia fut aussitôt assaillie d'images troublantes : elle, nue, sous le regard concupiscent du Normand, tandis qu'il se livrait à un acte honteux. Bouleversée jusqu'au tréfonds de sa féminité, elle n'avait pu détourner les yeux de ce spectacle obscène. Mais, curieusement, elle en avait ressenti une étrange excitation. Ses sens avaient pris le dessus et des ondes torrides avaient traversé son corps.

Ralph semblait lire en elle et Célia se troubla violemment. Comme elle aurait souhaité se trouver à cent lieues de là, ne plus avoir à supporter l'impudence du Normand, ni à lutter contre ses propres émotions ! Elle se ressaisit avec promptitude et releva le menton, s'apprêtant au pire.

— Vous allez épouser Guy Le Chante.

Elle le considéra, bouche bée, les yeux écarquillés. Pas un murmure de protestation ne franchit ses lèvres crispées.

— La cérémonie sera célébrée dans deux jours. Vous avez beaucoup de chance.

— Je... c'est impossible ! Que voulez-vous dire ? balbutia-t-elle.

— J'ai offert votre main à Guy. Je lui ai fait don d'un petit fief en guise de dot. Vous deviendrez la dame de Dumstanbrough, Célia.

— Je ne comprends pas... Est-ce une plaisanterie ?

— Au contraire ! Je suis tout ce qu'il y a de plus sérieux.

Autour de Célia, le monde venait de s'écrouler. Ses espoirs s'évanouissaient et tous ses beaux projets tombaient à l'eau. Si Ralph la désirait, pourquoi la livrait-il à un autre, elle qui était supposée le séduire, devenir sa maîtresse... ? Un flot de larmes amères noya les yeux de la jeune fille.

— Jamais, vous m'entendez, jamais je ne vous laisserai disposer de mon existence de la sorte !

— Ne me défiez pas. Ma décision est sans appel !

— Pourquoi me punissez-vous ? Je vous ai révélé que mes frères se terraient dans les marécages ! Je ne sais rien de plus... Oh, je vous en conjure, Monseigneur, ne m'y obligez pas !

La voix de Célia se brisa, et Ralph sentit sa détermination fléchir. Il contracta les muscles de ses mâchoires : non, cette fois, elle ne l'entortillerait pas. Il se montrerait intraitable !

— Il ne s'agit pas d'une punition. Comment pouvez-vous bouder ce que je vous propose : un domaine et un nom ! Ne soyez pas ingrate !

Il se remit à contempler le paysage, lui signifiant par là même que la discussion était close. Célia demeura pétrifiée. Mille pensées contradictoires se bousculaient dans son esprit. L'attirance que Ralph avait feint d'éprouver à son égard n'avait-elle été qu'une grotesque comédie ? Dans quel but l'avait-il torturée ? Et cet après-midi encore, dans la crique... Le désir qu'il ressentait pour elle n'était que peu de chose comparé à l'ampleur de ses ambitions. Il avait assuré son avenir et obtenu tout ce qui comptait à ses yeux : Aelfgar et Alice. Habitué à satisfaire le moindre de ses caprices, il aurait aisément pu prendre Célia pour concubine. Mais le fait d'unir la jeune femme à Guy, pour des raisons purement politiques, prouvait le peu d'intérêt qu'il lui portait. Ce n'était guère flatteur...

Célia hésitait. Devait-elle regimber contre son autorité tyrannique ? Ou se soumettre docilement ? De fait, elle n'avait pas le choix.

Mue par un ultime espoir, elle s'approcha du guerrier et agrippa sa manche d'une main tremblante.

Il frémit à son contact et l'observa intensément. Enhardie par son silence, la jeune femme effleura le torse mâle du bout des doigts. Le pouls de Ralph s'accéléra.

— Je ferai tout ce que vous voudrez... mais ne me forcez pas à cette union !

— Tout ? Absolument tout ?

— Oui.

— Seriez-vous en train de vous jeter dans mes bras ?

Il referma sa main sur celle de Célia et, l'espace de quelques secondes, elle crut à sa victoire. Mais tout à coup il broya durement la petite paume.

— Encore un de vos tours de sorcière, je présume ! Vous ne m'abuserez pas avec vos airs de sainte nitouche ! Cela ne marche pas avec moi ! Et inutile de pleurnicher, vous m'agacez !

— Je ne pleure pas !

— Vous épouserez Guy, un point c'est tout ! Rien ne me fera changer d'avis, pas même votre proposition, si alléchante soit-elle... Débarrassez-moi le plancher, maintenant ! Je ne veux plus vous revoir avant la noce !

Il la repoussa avec rudesse et, aveuglée par les larmes, elle s'enfuit à toutes jambes en trébuchant.

38

Il n'était pas trop tard, elle pouvait encore s'échapper.

Ce fut la première pensée de Célia lorsqu'elle se réveilla le matin de ses noces.

Les quelques heures qui s'étaient écoulées depuis la publication des bans avaient passé comme l'éclair. La panique la gagnait. On allait la marier à un inconnu, pire, à un Normand, et sous peu, elle serait obligée de quitter Aelfgar pour toujours ! Les événements se précipitaient, échappaient à son contrôle. Son destin était aux mains de l'Ennemi !

Elle avait lamentablement échoué dans sa mission. En ce moment, Ed et Morcar l'imaginaient sans doute au fond du lit du sire de Warenne. La réalité était tout autre. Elle allait épouser Guy Le Chante... Quelle serait leur réaction quand ils l'apprendraient ? Enverraient-ils des hommes à sa rescousse ? Ou croiraient-ils qu'elle les avait abandonnés, qu'elle était passée du côté de l'Envahisseur ?...

Une douleur atroce transperça le sein de la jeune femme : Ralph ne la désirait pas ! Il avait repoussé ses avances avec dédain. Alice partageait ses nuits et elle, Célia, ne représentait pour lui qu'un simple divertissement, une lubie passagère.

Oh, comme elle le haïssait ! Elle aurait dû crier sa colère, mais seule une immense amertume l'habitait. Pourquoi ? Il n'était pas le premier homme à la dédaigner, elle en avait l'habitude...

Elle savait pertinemment que son amertume provenait de la méchanceté du Normand, et non de l'échec de sa mission.

Elle aurait encore pu fuir sa destinée. Mais où se réfugier ? Dans le camp des Saxons ? Dans les bois, comme un animal traqué ? Ralph la pourchasserait, et, inéluctablement, la retrouverait. Tenter de s'échapper était inutile : un jour ou l'autre, on la mènerait à l'autel.

Allongée sur son lit, Célia implorait le Tout-Puissant de toute son âme. Pourquoi ne lui venait-Il pas en aide ? Elle n'avait pas mérité une telle injustice ! Mais aucune réponse ne parvenait de l'Au-Delà. Elle était seule, seule et misérable...

Il ne lui restait plus qu'à épouser Guy. Au moins, elle continuerait à espionner l'Ennemi, et, de la sorte, poursuivrait son combat pour Aelfgar.

C'était une bien maigre consolation.

Célia enfila sa plus belle toilette, une tunique de velours brodée d'or, qu'elle affectionnait particulièrement. Mas en ce jour, il lui répugnait de la porter.

Alice l'observait, tandis que Beth et Mary s'affairaient fébrilement dans la chambre.

— Tu ne comptes tout de même pas mettre ce haillon ?

Célia ignora sa demi-sœur et continua à se préparer comme si de rien n'était. Alice se rua au-dehors et réapparut quelques secondes plus tard, brandissant une de ses robes.

— Ôte cette nippe miteuse ! Elle est usée jusqu'à la trame et ne convient pas à une mariée. Tu ne veux pas ressembler à un épouvantail le jour de tes noces ? Il faut soigner ton apparence par égard pour ton fiancé.

Célia haussa les épaules avec indifférence, mais s'exécuta. La robe d'Alice était d'un blanc lilial, tissée de fils arachnéens. Célia était beaucoup plus grande qu'Alice et l'étoffe moulait étroitement le corps de la future mariée.

— Je peux à peine respirer ! objecta-t-elle.

En habile camériste, Mary relâcha du mieux qu'elle put les coutures ; mais le vêtement demeurait étriqué et ne cachait rien des formes voluptueuses de la jeune femme.

Beth s'était mise à brosser les longues boucles de miel pour tenter de les discipliner.

— Je n'ai jamais vu plus belle promise ! babillait-elle. Regardez-moi cette chevelure ! Si épaisse, si blonde... Vous êtes une véritable princesse de conte de fées ! Guy sera un homme comblé.

— Cesse de jacasser, sotte ! vitupéra Alice.

Mary fixa une couronne de fleurs fraîchement coupées sur le chignon de Célia. La blancheur des pétales rehaussait encore l'éclat opalin de sa tendre carnation et formait un contraste saisissant avec ses prunelles couleur d'améthyste.

Ralph les attendait sur le seuil du manoir. En parvenant à sa hauteur, Célia le toisa avec mépris mais il ne lui prêta aucune attention. Il tenait la bride d'une haquenée blanche, splendidement harnachée pour l'occasion.

Guy se trouvait déjà à la chapelle. En tant que seigneur d'Aelfgar, c'était à Ralph qu'incombait la tâche de mener la mariée à son futur époux. Tout le village s'était réuni pour fêter l'événement.

Célia gardait la tête haute. Ralph avait revêtu son habit d'apparat, celui-là même qu'il arborait le jour de ses propres noces : une tunique bleu chamarrée d'or et un manteau rouge.

Le père Green se tenait aux côtés de Guy, qui portait une superbe tunique vert bronze et des braies pourpres.

Ralph aida Célia à mettre pied à terre et la conduisit à l'autel.

En quelques minutes, la cérémonie fut terminée. Célia appartenait désormais à Guy.

On avait décoré le lit de mille guirlandes et déposé une collation sur la table de chevet.

Célia était censée se préparer pour la venue de son nouvel époux, mais elle ne pouvait s'y résoudre. Elle avait conservé sa robe de mariée ; toutefois, elle s'était débarrassée des rubans qui retenaient ses boucles dorées.

Le festin s'était éternisé dans le bruit des chansons paillardes et des rires avinés. Guy avait gaiement ripaillé et bu plus que de raison, peu désireux de précipiter les choses. Célia n'avait pas avalé une seule bouchée du succulent repas tant elle avait l'estomac noué. Pourtant, selon la tradition, Guy lui avait offert les meilleurs morceaux de chaque plat. Mais elle avait fait preuve d'une telle mauvaise grâce qu'il avait fini par se lasser. Au grand soulagement de Célia, il n'avait pas insisté. Elle s'était complètement désintéressée de ce qui se passait autour d'elle.

Pas une seule fois elle n'avait tourné la tête vers Ralph, assis à sa droite. Comme elle, il semblait peu enclin au bavardage. A maintes reprises, elle avait senti le regard du guerrier posé sur elle. Elle avait l'impression d'assister à un spectacle cauchemardesque.

On frappa soudain à la porte de la chambre et Célia, brusquement arrachée à ses pensées, sursauta.

— Entrez !

Guy pénétra dans la pièce et referma doucement le battant derrière lui. Remarquant la tenue de son épouse, il s'immobilisa, indécis.

— Veuillez m'excuser, je me suis peut-être trop hâté... Je reviendrai plus tard.

Comme il tournait les talons, Célia l'arrêta d'une voix sèche :

— Ne vous donnez pas cette peine ! Je n'ai nulle intention de passer la nuit en votre compagnie. Ce mariage n'est qu'un triste simulacre, auquel je n'ai jamais consenti.

Guy se raidit devant ce ton péremptoire.

— J'en suis navré pour vous mais, en ce qui me concerne, cette situation me convient pleinement.

— C'est Dumstanbrough que vous convoitez, pas moi !

— Vous avez raison. Mais vous étiez indissociables l'un de l'autre. Le domaine fait partie de votre dot et je n'y renoncerai pas.

— Je me fiche bien de Dumstanbrough ! Je ne vous appartiendrai jamais.

— Vous me refuseriez ce que vous devez à votre époux ?

— Je vous tuerai si vous me touchez ! Je vous jetterai un sort ! Vous deviendrez impuissant. Vos dents et vos cheveux tomberont ! Vous ne serez plus qu'un vieillard sénile et grotesque !

Elle éclata d'un rire hystérique, qui paralysa un instant le jeune homme, puis il se signa nerveusement.

— Je ne vous veux aucun mal.

— Écoutez, soyons raisonnables : vous ne me désirez pas plus que je ne vous désire ! Comme la plupart des hommes, vous redoutez mon « mauvais œil ». Ne le niez pas, j'en ai l'habitude. Nous avons tout intérêt à nous entendre. Personne n'a besoin de savoir quel genre de relations nous entretenons. Prenez donc votre plaisir ailleurs, je n'en serai aucunement jalouse.

— Mais je veux des héritiers !

— S'il n'y a que cela, prenez une maîtresse parmi les jeunes vierges du village, assurez-vous qu'elle soit fidèle et docile, et adoptez ses bambins.

Guy hésita.

— C'est vrai, admit-il enfin. Je ne ressens aucune attirance pour vous. Vous me plaisez physiquement mais vos pouvoirs m'effraient. Il n'en demeure pas moins que si ce mariage n'est pas consommé, il devient caduque.

— Personne ne l'apprendra, si vous savez tenir votre langue. Qu'importe que cette union ne soit pas dûment scellée ; nous formerons un couple peu ordinaire, mais je n'ai rien d'une femme ordinaire. Je suis une sorcière, n'est-ce pas ?

— Après tout, je me range à votre avis. Le monde regorge de jolies filles qui ne demandent qu'à s'amuser. Ce qui m'ennuie, c'est que... je ne me suis jamais dérobé à mes devoirs auparavant.

— Vous oubliez votre devoir envers Dieu !

Il sourit tout à coup, soulagé. Célia entrevit une lueur d'espoir.

— Pourquoi n'y ai-je pas pensé plus tôt ? Vous n'êtes pas une créature de Dieu et la première de mes obligations revient de droit au Tout-Puissant. Marché conclu, Célia ! Mais tout cela doit rester secret.

— Faites-moi confiance, je n'en soufflerai mot à personne.

Leurs regards s'accrochèrent l'espace de quelques secondes, puis Guy haussa les épaules avec indifférence. Il prit une pâtisserie sur le plateau et mordit dedans à pleines dents.

— Avez-vous faim ?

Célia réalisa qu'elle était affamée. Elle ouvrit la bouche pour acquiescer, mais n'eut pas le temps de répondre : on frappait violemment à la porte. Guy porta aussitôt la main à son fourreau.

— Qui va là ?

— Votre sire. Ouvrez !

Guy obtempéra prestement et dévisagea Ralph avec anxiété.

— Que se passe-t-il ? Sommes-nous attaqués ? Les Saxons...

— Je viens réclamer mon droit !

— Je ne comprends pas... Quel droit ?

D'un geste du menton, Ralph désigna Célia.

La jeune femme sentit le souffle lui manquer.

— Le droit de cuissage !

39

Un silence pesant succéda à ces mots, dont le cerveau de Célia déchiffrait peu à peu le sens. Elle ne parvenait pas à maîtriser les battements affolés de son cœur. La détermination farouche qu'elle lisait dans les prunelles d'azur la terrifiait.

Guy retrouva le premier l'usage de la parole.

— Votre volonté est souveraine, Monseigneur.

Il se soumit sans protester et sortit.

Ralph dégrafa son manteau, qui tomba lourdement sur le sol. Puis il déboucla sa ceinture et se débarrassa de son épée. Célia recula, apeurée. Il était résolu à la posséder sans plus attendre, alors qu'il venait de la donner à un autre. Il ne tenait aucun compte de ses sentiments à elle !

— Vous n'êtes pas sérieux ! articula-t-elle enfin.

— Croyez-vous ?

Il n'y avait nulle trace d'ironie dans la voix rauque du Normand. Il rejeta sa tunique avec négligence. La lumière des candélabres se refléta sur son torse nu.

— Mais... je suis la femme de Guy ! protesta Célia, qui luttait de toutes ses forces pour ne pas céder à la panique.

Le regard du guerrier la cloua sur place. Il contenait avec peine une rage incommensurable.

— Je le sais parfaitement !

— Et que faites-vous d'Alice ?

— Je suis maître dans ma demeure et j'agis comme bon me semble.

Célia se réfugia derrière le lit mais toute tentative de fuite était inutile : elle ne lui échapperait pas ! Le combat était par trop inégal. Rien ne le ferait changer d'avis. Elle était perdue !

Il rejoignit en quelques enjambées et la plaqua contre lui, tandis qu'elle martelait de ses petits poings le visage de son agresseur.

D'un coup de genou, il la déséquilibra et elle tomba sur le dos. S'installant à califourchon sur sa victime, il l'immobilisa en lui maintenant d'une main les bras au-dessus de la tête, tandis que de l'autre il déchirait la tunique de haut en bas.

Indignée, Célia parvint à libérer une de ses mains et planta ses ongles dans la joue du guerrier. La riposte de ce dernier fut immédiate : il lui flanqua une gifle magistrale. La respiration coupée, elle leva sur lui des yeux embués de larmes.

— A quoi bon vous rebeller ? gronda-t-il. Vous ne pouvez rien contre moi.

— Jamais je ne cesserai de vous combattre ! hurla-t-elle en se débattant comme une furie. Vous êtes mon ennemi !

Sourd à ses vitupérations, il força les genoux fermés de la jeune femme. Elle sentit le sexe dur de l'homme s'insérer entre ses cuisses et tenta en vain de le repousser. Mais d'un coup de reins brutal, il la pénétra.

Célia éprouva une brûlure fulgurante et poussa un cri strident. Le cœur battant à tout rompre, la poitrine près d'éclater, elle ferma les yeux. Il la chevaucha, d'abord lentement, puis son rythme s'accéléra, tandis qu'il s'enfonçait toujours plus profond en elle. Soudain il se cambra, parcouru de longs frissons, avant de s'effondrer de tout son poids sur Célia.

Les joues de la jeune femme ruisselaient de larmes. Ainsi, tout était terminé. Il n'avait même pas pris la peine de la séduire... Il l'avait tout simplement violée. Heureusement, le forfait n'avait duré que quelques minutes. Elle resta sans bouger, espérant qu'il ne tarderait pas à se retirer et à la laisser.

Mais Ralph ne faisait aucun geste. Il avait enfoui son visage dans le cou de la jeune fille. Son érection était à moitié retombée mais il était toujours en elle. Célia comprit qu'il n'allait pas s'en tenir là.

Il resserra son étreinte et une étrange sensation s'empara d'elle, une émotion qu'elle n'avait jamais connue auparavant et qui était loin d'être désagréable. Comme il posait ses lèvres sur la gorge de nacre, elle sentit la pointe de ses seins se durcir. La bouche du Normand dessinait des cercles de feu sur sa chair palpitante et elle fut traversée par une onde de plaisir.

Les doigts de Ralph suivirent la courbe de sa taille et se refermèrent avidement sur la rondeur d'un sein. A nouveau, son membre viril vibra au plus profond d'elle-même. Célia se contracta involontairement, tandis qu'il se mouvait dans son ventre avec un feulement rauque.

Célia n'avait plus de résistance, le sens des réalités lui échappait. Tout son corps s'embrasa et ses reins s'arquèrent pour venir à la rencontre de l'homme.

Il eut un sourire victorieux avant de la bâillonner d'un baiser enfiévré. Célia était submergée par son odeur masculine, le goût de ses lèvres, la chaleur de sa peau. Leurs langues se mêlèrent et elle s'abandonna en lâchant une plainte languide. Elle noua les jambes autour de sa taille et se plia à sa loi, labourant des ongles le dos moite du guerrier.

Un délire charnel proche de la folie l'emportait. Le monde disparut dans une explosion multicolore et elle fut transportée dans un tourbillon féerique où plus rien n'existait que ce plaisir qui allait crescendo.

Lentement, elle reprit ses esprits et ouvrit les paupières. Une seule certitude s'imposait à elle : Ralph était un Normand, son ennemi honni, il l'avait sauvagement violentée. Et pourtant, elle venait de connaître dans ses bras une volupté étourdissante. Dévorée de remords, elle essaya de se dégager.

— Partez !

Pour toute réponse, le guerrier titilla son mamelon du bout de la langue et elle ne put résister à la vague torride qui déferla en elle. Vaincue par l'émotion qui la submergeait, elle attira la tête de Ralph dans la vallée entre ses seins. Bien vite, elle se mit à gémir sous ses coups de boutoir répétés. Soulevés par une passion mutuelle, leurs corps confondus dans une étreinte effrénée, ils atteignirent ensemble l'extase. Épuisé, Ralph roula sur le côté, près de la jeune fille.

Célia reprit peu à peu conscience.

— Je ne peux vous quitter... murmura-t-il.

Hypnotisée, Célia promena son regard sur le corps splendide de son compagnon, ses larges épaules, sa taille étroite... Toute à son observation, elle ne s'était pas rendu compte qu'il la détaillait pareillement. Le Normand effleura délicatement la douceur duveteuse du ventre plat. Elle faillit protester mais, surprenant la lueur brûlante qui illuminait les prunelles bleues, elle resta coite. Avant qu'elle ait pu réagir, il l'avait soulevée de terre et portée jusqu'à la couche nuptiale. Il s'allongea sur elle et flatta les courbes tièdes et féminines, tandis que son sexe s'érigeait fièrement.

Célia subissait sans protester ses caresses. Elle soupira et cambra l'échine sous la paume du guerrier. Quand il glissa ses doigts dans le creux satiné des cuisses de la jeune femme pour visiter son temple secret, elle le supplia d'aller plus loin, d'entrer dans le vif de son désir. Elle perdit la tête et se mit à onduler sous les caresses ferventes. N'y tenant plus, il lui écarta les jambes et l'empala.

Apaisés et comblés, ils s'étaient assoupis dans les bras l'un de l'autre. Mais le sommeil de Ralph fut de courte durée.

Il avait mené la jeune femme à l'extase à plusieurs reprises mais n'était nullement fatigué. Toutes ses terminaisons nerveuses l'aiguillonnaient, ses veines charriaient des rivières de feu et son esprit bouillonnait. Allongé sur le flanc, une jambe jetée par-dessus le corps endormi de Célia, il pressa sa compagne contre lui. Il s'était levé quelques instants auparavant pour ranimer les braises dans la cheminée, car il voulait admirer le corps somptueux de la jeune femme à la lueur dansante des flammes. Il voulait pouvoir surprendre sur son visage l'attente, l'excitation, la montée du plaisir, qui se traduisaient par un frémissement des paupières, ou une moue suppliante... Cette nuit, Ralph avait découvert un univers inconnu, ô combien délicieux, dont il reculait sans cesse les frontières ; un monde qu'il explorait avec ravissement et qui dépassait ses rêves les plus insensés ; une jouissance illimitée, qui offrait des promesses sans fin.

Pelotonnée contre lui, Célia blottit sa frimousse contre le torse velu. Ce geste candide arracha un sourire satisfait au guerrier qui, dans un élan impulsif, déposa un léger baiser sur le front de la jeune femme. Il caressa la nappe soyeuse de sa chevelure éparse, brûlant de la posséder à nouveau.

Cette soif inextinguible le surprenait et le ravissait en même temps. Leurs étreintes renouvelées avaient exténué Célia mais, chaque fois, elle s'était unie à lui avec un empressement égal au sien. La nuit leur appartenait ; il ne fallait pas penser au lendemain.

La main du guerrier s'aventura sur la frêle épaule de la jeune fille, suivit le tracé d'un bras rond et délié, jusqu'à la paume innocemment ouverte. Avec une infinie lenteur, leurs doigts se croisèrent.

Bientôt l'aube poindrait et il devrait la quitter. La nuit s'était écoulée trop vite à son gré. Il ne pouvait se rassasier du spectacle offert par cette Vénus. Célia possédait la plus belle poitrine qu'il ait jamais vue, créée pour le bonheur d'un homme. Il se pencha pour goûter la saveur sucrée d'un sein.

Elle se tourna légèrement dans son sommeil et il put alors saisir plus commodément le globe irisé. Au-dehors, l'aurore se levait et le ciel se teintait de couleurs orangées.

Les doigts du guerrier s'immiscèrent dans la toison claire. Célia s'éveilla et ouvrit les cuisses, sans opposer la moindre résistance. Il s'introduisit en elle, creusant la taille de la jeune femme de pressions légères pour mieux la posséder. Comme il l'éperonnait inlassablement, elle l'implora :

— Encore !

Ralph n'allait certainement pas interrompre là leurs ébats. L'heure de la séparation était proche, et il désirait profiter de ces dernières minutes en sa compagnie. Ses soucis, ses obligations s'étaient envolés dès qu'il avait effleuré la peau satinée de Célia. Rivés l'un à l'autre, ils ne formaient plus qu'un seul être et retardaient autant que possible l'instant où la passion les engloutirait. L'irrésistible ascension culmina enfin en une apothéose éblouissante.

Lorsque Ralph se releva, Célia haletait encore, terrassée par la violence de l'ouragan qui s'était déchaîné sur eux. Il faisait jour à présent. Elle avait la gorge serrée par l'appréhension et était au bord des larmes. Elle cacha son visage dans l'oreiller pour ne pas donner cours à son désespoir devant le Normand. Elle était désemparée. Fallait-il feindre le sommeil ? Ou au contraire lui parler ? Il n'avait pas prononcé un mot de toute la nuit.

Ralph finit de s'habiller et boucla son ceinturon d'un geste sec. Célia risqua un œil dans la pièce. Il se tenait au milieu de la chambre et drapait autour de ses épaules les plis de son manteau, tout en la dévisageant d'un air fermé. Elle gisait nue et échevelée dans le désordre des draps, sans chercher à se couvrir.

Il gagna la porte en quelques pas. Le battant claqua de façon sinistre dans le silence du petit matin.

Elle était seule. On n'entendait plus que le crépitement du feu dans l'âtre.

Enfouissant son visage dans le drap, elle se mit à sangloter.

40

A midi, les larmes de Célia s'étaient taries.

Elle n'avait vu personne depuis le départ de Ralph. Guy était parti, en compagnie d'un groupe de soldats, sur le champ d'exercices.

On n'avait pas jugé utile d'attribuer une femme de chambre à Célia, mais celle-ci ne s'en était pas offusquée car il en avait toujours été ainsi. De plus, les servantes étaient fort occupées aux cuisines : il fallait bien nourrir ce surplus d'hommes tombé du ciel. Le personnel du manoir n'avait pas une minute de repos.

Célia remerciait la Providence de ne pas avoir été

dérangée ce matin-là. Mais ce n'était qu'un court répit, car elle ne pourrait indéfiniment se terrer dans la chambre.

Le corps endolori, le visage tuméfié d'avoir tant pleuré, elle se leva avec peine et voulut s'habiller pour le déjeuner. Tôt ou tard, il lui faudrait affronter les regards indiscrets et ironiques de la valetaille. Mais elle n'en avait cure ; ce qui l'effrayait, c'était de se retrouver nez à nez avec Ralph.

Lorsqu'elle ramassa la robe de mariée qui gisait en tas sur le sol, elle s'aperçut que ce n'était plus qu'une loque. Mais elle n'avait pas le choix et elle l'enfila tant bien que mal, rassemblant du mieux qu'elle put les pans déchirés sur sa poitrine.

Quand elle franchit le seuil des communs, toutes les conversations cessèrent et tous les yeux convergèrent vers elle. Gênée, Célia chercha une tête connue mais Tildie et Teddy travaillaient désormais au manoir et elle ne rencontrait que des visages étrangers dévorés de curiosité. Heureusement, à cet instant, Lettie entra dans la pièce. C'était une jeune serve à peu près du même âge que Célia, à la figure joviale, aux joues rebondies et aux yeux pétillants de malice.

— Peux-tu courir jusqu'au manoir et me rapporter une robe ?

— Bien sûr ! acquiesça Lettie en ébouriffant sa tignasse rousse. Attends-moi ici, j'en ai pour une seconde.

Une lueur de sympathie éclaira son regard, tandis qu'elle examinait la tenue de Célia.

— Il s'est jeté sur toi, n'est-ce pas ?

Comme Célia ne répondait pas, elle lui tapota gentiment l'épaule avant de se hâter en direction du manoir.

Célia s'assit dans un coin retiré de l'office, en se

tordant nerveusement les mains. Lettie tint parole et réapparut quelques minutes plus tard, portant dans ses bras une toilette décente que Célia se dépêcha d'enfiler. Elle remercia chaudement son amie.

— C'est la moindre des choses, assura Lettie avec un sourire compatissant. Si nous ne nous serrons pas les coudes, ces brutes auront raison de nous, pas vrai ?

Cette philosophie étonna quelque peu Célia, car, à ce qu'on disait, Lettie était loin de se montrer farouche avec la gent masculine. Depuis l'arrivée des Normands, elle avait d'ailleurs épuisé plus d'un galant.

La jeune rouquine, qui observait Célia à la dérobée pendant que celle-ci se changeait, remarqua des meurtrissures bleutées sur ses poignets.

— A-t-il été brutal ?

— Non !

Célia avait répondu sans réfléchir et s'étonna de sa véhémence.

— Tu devrais retourner t'allonger. Personne ne se rendra compte de ton absence.

— J'irai déjeuner au manoir comme tous les jours.

Lettie haussa les épaules et son minois piqueté de taches de son prit une expression mutine.

— Dis-moi, est-ce vrai qu'il est monté comme un taureau ?

Célia s'empourpra jusqu'à la racine des cheveux. Voyant que son amie n'était pas disposée à faire des confidences, Lettie esquissa une moue désappointée et retourna vaquer à ses occupations.

Présidant la tablée, Ralph surveillait de près les allées et venues dans l'espoir d'apercevoir Célia. Mais elle demeurait invisible.

Allons, que diantre, il n'allait pas recommencer ! Qu'exiger de plus, maintenant qu'il avait assouvi son désir ? Depuis le matin, il n'avait pas pensé une minute à la nuit qui s'était écoulée. Il était en bonne voie de guérison ! Après tout, il se moquait éperdument qu'elle vienne déjeuner ou non. Qu'elle accorde ses faveurs à qui bon lui semblait, cela ne le regardait plus !

Alice remplit cérémonieusement le hanap de son mari. Ils ne s'étaient pas revus depuis les noces de Célia. Elle demeurait impassible, comme si de rien n'était, et ne tremblait nullement en versant le vin. Mais sa colère était flagrante.

Qu'à cela ne tienne ! songea Ralph. Il était maître chez lui et avait toute licence d'exercer le droit de cuissage sur les donzelles des environs.

Il entama son repas, la conscience en paix. Pourtant, intérieurement, il ne pouvait s'empêcher de se tracasser au sujet de Célia, car elle n'était pas très robuste et, cette nuit, il ne l'avait pas ménagée. Avait-elle supporté ses assauts réitérés ? Peut-être était-elle mal en point et trop épuisée pour se lever ? Ou cette absence n'était-elle qu'une provocation supplémentaire de la part de la jeune femme ?

Décidément, ce n'était pas son jour !

L'heure du repas avait sonné depuis longtemps, mais Célia regagnait le manoir sans se presser le moins du monde. Elle ne parvenait pas à dissiper le malaise qui l'habitait. Il n'y avait pourtant aucune raison de s'alarmer. Elle avait survécu au pire. Dorénavant, son mariage lui conférait une position respectable. De plus, elle avait conclu un pacte avec Guy : elle n'était plus tenue de remplir son devoir conjugal. Alors pourquoi n'était-elle pas heureuse ?

Au moment où elle franchissait tranquillement le pont-levis, une voix la héla :

— Célia ! Célia !

Toute à sa rêverie, la jeune femme n'avait pas vu s'approcher Feldric.

— Que se passe-t-il ? demanda-t-elle avec une pointe d'anxiété.

— Mon fils est souffrant. Peux-tu venir à son chevet ?

Célia n'avait pas eu l'occasion de parler à son oncle depuis le retour de ce dernier des marécages. Comme il la regardait avec insistance, elle comprit qu'il s'agissait d'une feinte pour l'attirer à l'écart des oreilles indiscrètes.

— Bien sûr, Feldric.

Elle lui emboîta le pas, sachant pertinemment que son jeune cousin se portait comme un charme. Feldric avait des informations à lui communiquer. Apportait-il quelque message d'Edwin et de Morcar ? L'intérêt de la jeune fille s'éveilla subitement.

Lorsqu'ils eurent atteint le hameau, elle poussa son oncle dans un recoin et le pressa de ne pas la faire languir plus avant.

— Albie veut te rencontrer, Célia.

Ils prirent le chemin du moulin où les attendait le messager. Celui-ci s'était déguisé en paysan pour ne pas attirer l'attention.

— Comment vont mes frères ?

— Très bien, ne t'inquiète pas.

— Dieu merci !

— Ed est très impatient de recevoir de tes nouvelles. As-tu glané quelques renseignements d'importance ?

— Euh... non.

— Tu n'es donc toujours pas la maîtresse du Normand, Célia ?

Albie n'était assurément pas au courant des derniers cancans. Le feu aux joues, Célia perdit contenance.

— Il est bien trop tôt... Je n'ai encore rien appris.

— Le temps presse ! remarqua Albie. L'insurrection doit avoir lieu dans un mois. Dis-moi la vérité, Célia. Le sire de Warenne a-t-il repoussé tes avances ?

— Je crains bien n'avoir que de mauvaises nouvelles. Oh, Albie, il m'a obligée à épouser l'un de ses chevaliers !

Le trop-plein de son cœur déborda et les larmes se mirent à ruisseler sur ses joues. Albie pesta d'un air sombre. Comme elle s'essuyait les yeux d'un geste furtif, il posa une main amicale sur le bras de la jeune femme.

— Je suis désolé, Célia.

— Ce n'est pas tout. Il s'est octroyé le droit de cuissage sur ma personne.

— Quelle occasion rêvée ! Alors ?...

— Je n'ai pu lui tirer les vers du nez...

Une colère sourde vibrait en elle. Ainsi, Albie se réjouissait de ce viol ! Quant à Edwin et à Morcar, ils ne manqueraient pas de se féciliter de l'aubaine ! Une flambée de haine envers le monde entier submergea la jeune femme.

— Mais c'est magnifique ! s'extasiait Albie. Avec un brin d'habileté, tu peux devenir sa concubine en titre. Tout n'est donc pas perdu ! Reprends-toi, je t'en prie ! Il faut nous aider. Nous devons à tout prix connaître ses plans. C'est la seule manière de parvenir à reconquérir Aelfgar.

Célia aurait voulu lui crier combien elle se fichait des pensées du Normand et combien l'idée de partager son lit lui répugnait. Mais elle resta silencieuse, en proie à une angoisse insurmontable. Ils étaient tous indifférents à son sort, ils se moquaient des épreuves qu'elle avait traversées ! On l'avait violentée et personne n'en faisait cas. Ralph l'avait abandonnée sans le moindre remords. Il s'était servi d'elle, tout comme Edwin et Morcar. Jamais elle ne s'était sentie si humiliée et si seule. Que le Diable les emporte tous !

— Il vaut mieux que je ne traîne pas, fit Albie. Encore quelques mois de patience et nous bouterons les Normands hors de nos terres. Que Dieu t'accompagne, Célia !

Elle était trop blessée dans son amour-propre pour lui souhaiter bon voyage. En outre, elle venait de prendre une décision irrévocable : plus jamais elle n'accepterait que Ralph l'approche. Non, jamais ! Mais loin de la réconforter, cette résolution lui déchirait le cœur.

Comme averti par un sixième sens, Ralph se retourna à l'instant précis où Célia fit irruption dans la grande salle.

Le repas était déjà bien avancé. La jeune femme gagna discrètement sa place et s'assit avec grâce. Le Normand se remit à manger de façon automatique, ayant perdu son bel appétit.

Célia tremblait comme une feuille. Quand elle avait passé le seuil, les discussions s'étaient interrompues et des dizaines de regards s'étaient rivés sur elle. Dans un effort surhumain, elle avait réussi à ne pas trahir son émoi.

Soudain elle nota avec effarement qu'elle avait commis un impair : elle s'était installée en bout de table, alors que Guy se tenait à la droite de Ralph. Elle releva la tête et vit que son mari avait repoussé son siège et marchait droit sur elle. Lorsqu'il s'arrêta à son niveau, quelqu'un laissa échapper un ricanement désobligeant. Guy foudroya du regard l'importun, avant de s'adresser à Célia :

— Votre place est à mes côtés, madame.

Le ton était courtois mais c'était bien un ordre qu'il lui donnait. Il prit la main de Célia avec gentillesse et elle lui en fut immensément reconnaissante.

— Es-tu bien certain qu'elle ait sa place auprès de toi ? lança méchamment Beltain, à l'autre bout de la pièce. Tu devrais peut-être la conduire dans ta chambre et rectifier la situation !

Des gloussements saluèrent cette boutade indélicate. Célia blêmit, tandis que Guy se figeait. Ils étaient la risée de tous ! La jeune femme aurait voulu disparaître sous terre. Quant à Ralph, il affichait une profonde indifférence.

— Beltain, je réclame réparation pour cette insulte ! rugit Guy.

— Oh oh ! Notre jeune marié semble d'une humeur massacrante, à ce qu'on dirait ! Mais je connais un moyen infaillible de le dérider...

Son rire gras et bruyant retentit dans la salle tout entière. Mais avant qu'il puisse poursuivre, Ralph s'interposa :

— Ça suffit, maintenant !

« Au moins, il a la décence de mettre un terme à l'humiliation de Guy... », songea Célia avec amertume.

Un lourd silence retomba sur l'assistance. Ralph s'était dressé.

— Je ne tolérerai aucune querelle entre mes hommes ! menaça-t-il. Si l'épouse de Guy se sent offensée, tu lui feras tes plus humbles excuses, Beltain !

Sur ces mots, il repoussa son siège et sortit.

— Tu as saisi, Beltain ? tonna Guy. Excuse-toi immédiatement ! Ne m'oblige pas à t'arracher les mots de la bouche !

Beltain s'exécuta de mauvaise grâce.

— Je suis navré. C'était juste une plaisanterie, je ne pensais pas à mal...

Célia bredouilla une réponse indistincte. Elle regrettait de s'être jointe aux convives. La nuit qu'ils venaient de vivre ne représentait rien aux yeux de Ralph. Une fois parvenu à ses fins, il avait aussitôt balayé de son esprit tout ce qui s'était passé entre eux.

Si seulement elle avait pu en faire autant !

41

Ralph était parvenu à oublier Célia durant tout l'après-midi. Mais cet exploit fut de courte durée. Le dîner terminé, les soldats s'étaient retirés. Ralph s'était retrouvé seul dans sa chambre, à ressasser de funestes pensées.

Il contemplait distraitement le coucher de soleil sur l'horizon et la nuit qui envahissait peu à peu la campagne. L'image de Célia le hantait sans répit. Il l'imagina pâmée dans les bras de Guy et crut devenir fou. De toutes ses forces, il abattit le poing sur un coffre. Étrangement, la douleur le délivra un instant de ses tourments. Mais son soulagement fut éphémère. Car déjà, la vision enchanteresse d'une chevelure de miel et d'immenses prunelles violettes revenait à la charge. Il ne pouvait plus contenir la rage qui jusqu'alors avait couvé en lui, l'envie irrépressible de punir, de tuer... Sans parler de la jalousie irraisonnée qui l'aiguillonnait et meurtrissait son cœur !

Il avait conscience de la démesure de ses réactions mais ses sentiments prenaient le pas sur la logique. Célia n'était pourtant qu'une femme parmi tant d'autres ; le monde entier regorgeait de jeunes beautés. Cette passade ne durerait pas. Que représentait une donzelle comparée à l'envergure de sa mission, à son ambition, à sa soif de pouvoir... ? Il devait se consacrer à son roi et à la défense de sa patrie. Les seules préoccupations du sire de Warenne auraient dû se résumer à la bonne marche de son domaine : étouffer d'éventuelles insurrections, châtier les rebelles, faire régner la loi et l'ordre...

Il avait uni Guy et Célia dans l'unique but de protéger cette dernière de la peine capitale. La jeune femme avait-elle attisé la passion de son époux ? Ralph suffoquait à la seule idée que Guy puisse porter la main sur ce corps de déesse... Il avait envie d'étrangler le jeune chevalier et ne parvenait qu'à grand-peine à se retenir de traverser le manoir pour déloger Guy de la chambre conjugale. S'il s'était écouté, il aurait calmé ses nerfs en rouant de coups le malheureux.

« Je perds la tête, songea-t-il. Elle est désormais son épouse légitime... »

Quelqu'un frappa à la porte, et Ralph ouvrit le battant à toute volée. Alice se tenait sur le seuil, vêtue de ses plus beaux atours pour la nuit. Avisant la mine mauvaise du Normand, elle eut un mouvement de recul.

— Que voulez-vous ?

— Je... Je voulais...

— Quoi donc ? coupa-t-il avec grossièreté.

Le ton cinglant priva Alice de ses moyens. Elle était venue lui rendre visite en désespoir de cause. Elle aurait tant aimé qu'il lui témoigne ne fût-ce qu'une once d'affection ! Chaque soir elle priait avec ferveur pour qu'il daigne honorer sa couche et lui donne un héritier.

Elle ne l'avait jamais vu dans un tel état. Les traits livides du guerrier étaient déformés par la colère. Bien que terrifiée, elle demeura là, bien décidée à l'affronter.

La situation de la jeune femme était pour le moins précaire. L'incartade de Ralph avec Célia n'arrangeait en rien cet état de fait. Alice ravalait son humiliation avec prudence ; elle devait tout mettre en œuvre pour être enceinte. Peut-être alors réussirait-elle à écarter son mari de cette satanée garce ! Plus que tout, Alice redoutait qu'il n'ait déjà engrossé Célia...

— Je vous ai préparé du vin chaud, Monseigneur. Cela vous apaisera.

— Remportez-le aux cuisines !

Elle fit la sourde oreille et pénétra dans la pièce. Ralph resta interdit devant la témérité de sa femme. Celle-ci posa le breuvage sur une petite table avant de se retourner en direction de l'homme, de manière que l'éclat des flammes nimbe sa silhouette et ne dissimule rien de ses formes.

Elle n'attendait qu'un geste de sa part pour se jeter à son cou. Arracherait-il ses vêtements sauvagement comme il l'avait fait pour Célia ? Userait-il de violences à son endroit ? Elle frissonna.

— Je vous ai dit que je n'avais besoin de rien ! aboya Ralph.

— Laissez-moi combler votre solitude...

— Déguerpissez ! Je ne veux plus vous voir tourner autour de moi !

Ralph la poussa dehors sans ménagement et claqua la porte derrière elle.

Le soleil brillait de tout son éclat dans l'azur. Ralph pressa sa monture qui avançait péniblement, en ruisselant de sueur. Le guerrier lui-même était en nage; sa tunique lui collait à la peau.

— On recommence! hurla-t-il à l'intention de ses hommes.

L'entraînement durait depuis des heures déjà et le Normand ne semblait pas décidé à y mettre fin. Les soldats renâclaient devant l'intensité de l'effort à fournir.

— Guy, tiens-toi prêt à m'affronter de nouveau!

Guy était cramoisi. Il obtempéra malgré son extrême lassitude. Le restant de la soldatesque formait deux rangs distincts de chaque côté du terrain. Ralph abaissa son heaume dans un claquement sec.

Toute la journée durant, il avait mené ses hommes à ce rythme infernal, sans se ménager lui-même. C'était la sixième fois qu'il combattait Guy. Il songeait avec une jubilation malsaine que ce soir, le jeune chevalier serait bien trop fatigué pour penser à la gaudriole.

Il donna le signal et les deux lignes chargèrent. Ralph s'élança au grand galop en direction de Guy. Sa lance heurta avec violence le bouclier de son adversaire qui chancela, déséquilibré. Mais le jeune homme parvint à rétablir son assise. De toute évidence, Ralph désirait le pousser à bout et ne cesserait l'exercice que lorsqu'il aurait atteint son but. Stoïque, Guy avait soutenu les assauts du sire de Warenne sans mot dire.

De longues heures s'écoulèrent avant que Ralph ne donne le signal de la fin de l'exercice. Dans un silence inhabituel, les soldats s'éloignèrent, fourbus, leurs lances traînant derrière eux. Le cœur de Ralph se gonfla de fierté. Il les avait conduits jusqu'aux limites de l'endurance et ils ne lui avaient pas fait faux bond. Quand cette troupe partirait en guerre, elle serait invincible.

Il remarqua soudain que Guy l'attendait. Il était conscient d'avoir abusé de son autorité. Mais après tout, se répétait-il pour se rassurer, Guy devait se plier aux ordres de son chef s'il voulait un jour devenir son second. Le Normand ne voulait pas discuter avec le jeune chevalier. Ce dernier ne lui rappelait que trop sa frustration. Néanmoins, les deux hommes regagnèrent le manoir côte à côte.

— Cette journée m'a paru interminable, entama Guy. Les hommes se sont révélés dignes de votre confiance, Monseigneur. Pas une seule plainte !

— Tu ne t'es pas mal débrouillé non plus...

— Vous avez été impitoyable ! Mais j'espère parvenir bientôt à vous désarçonner.

Ralph s'esclaffa malgré lui.

— J'attends ce moment avec impatience ! Tu es bien présomptueux ! Je ne suis nullement impressionné, mais peut-être me trompé-je ?

Malgré son ressentiment, Ralph ne pouvait décemment détester un vassal aussi loyal et franc que Guy.

— Dis-moi, que penses-tu du mariage ? ne put-il s'empêcher de demander. Connais-tu le bonheur parfait ?

L'hésitation de Guy ne lui échappa pas. Le jeune chevalier était pourtant réputé pour se vanter de ses succès auprès des femmes, et régaler ses camarades de détails croustillants. Ralph, quant à lui, n'avait jamais aimé s'étendre sur le sujet, car pour lui toutes les femmes se ressemblaient. Les descriptions enthousiastes de Guy sur telle rousse ou telle blonde le divertissaient d'autant plus que lui-même se souvenait difficilement du visage de ses partenaires.

Et voilà que, pour la première fois, Guy se montrait réticent à faire des confidences ! Cela provenait sans doute du fait qu'il respectait son épouse, à l'encontre des filles de ferme qu'il avait l'habitude de trousser.

— Ma foi... Ce n'est pas désagréable, concéda Guy.

Le Normand blêmit. Il se remémorait les instants délicieux qu'il avait passés en compagnie de Célia et comprenait pourquoi Guy gardait jalousement le silence sur son intimité. On ne révèle pas une passion, on se contente de la vivre pleinement...

Ralph éperonna sa monture et devança le jeune soldat.

Le souper venait de prendre fin. Alice était sur le point de s'installer près de l'âtre avec sa broderie, lorsque son mari s'approcha d'elle. Il s'arrêta à sa hauteur.

— Allez vous préparer ! enjoignit-il. Je vous attends dans notre chambre.

Alice frémit de tout son être. Enfin, l'union allait être consommée ! A la fois impatiente et effrayée, elle parvenait à peine à respirer. Ralph s'était révélé de si méchante humeur depuis qu'il l'avait brutalement éconduite, qu'elle n'avait pas osé lui adresser la parole depuis.

D'après les ragots colportés par Mary, on avait trouvé du sang sur le plancher de la chambre de Célia. Le Normand l'avait donc déflorée à même le sol. Allait-elle subir le même sort ?

Ralph se servit un verre de vin. Il ne pouvait chasser de son esprit l'ensorcelante créature blonde qui l'obsédait. Il en avait presque oublié la prochaine visite de sa femme. La nuit s'avançait inexorablement et ses tourments grandissaient. A l'heure qu'il était, Guy et Célia devaient se livrer aux pires turpitudes, et cette idée mettait Ralph au supplice. Il aurait préféré rendre l'âme plutôt que d'endurer une telle souffrance !

Un coup léger frappé à la porte le tira de ses sombres pensées. Il émit un vague grognement et Alice entra timidement dans la pièce.

Ralph regarda son épouse avec dégoût. Il ne pouvait plus retarder l'échéance, il devait remplir son devoir une bonne fois pour toutes. Pour se donner du courage, il remplit une nouvelle coupe de vin et en avala le contenu d'un trait.

— Il est grand temps que je vous fasse honneur, Milady. Déshabillez-vous !

— Je ne vous résisterai pas. Je souhaite de tout mon cœur porter vos héritiers.

— J'espère ne pas vous décevoir.

Alice se glissa lentement sous les draps, attendant le bon vouloir de son mari. Il souffla les bougies et la chambre fut soudain plongée dans l'obscurité. Une crainte insidieuse s'infiltra dans les veines de la jeune femme. Quelques secondes s'écoulèrent sans qu'il la touche. Apparemment, elle ne lui inspirait aucun désir. Elle éprouva un sentiment de fureur en pensant à la manière dont il s'était jeté sur Célia. Ralph exhala finalement un soupir et roula sur elle. Retroussant la chemise de nuit jusqu'aux hanches, il introduisit la main dans l'entrecuisse d'Alice. Ses gestes n'avaient rien de tendre et cette dernière se tordit pour échapper à ces attouchements brutaux.

— Restez tranquille !

Il était clair qu'elle ne l'intéressait pas. Son sexe n'était même pas érigé. Les caresses qu'il lui prodiguait n'étaient qu'un moyen de stimuler ses sens. Faire l'amour ainsi humiliait Alice. Elle n'était qu'un vulgaire objet entre les pattes grossières de cet homme. Machinalement, il agaça la fleur de sa féminité et, sans autres préliminaires, la chevaucha. Quand le membre tendu la pénétra, Alice hurla de douleur. Ralph s'interrompit, non à cause de ses plaintes, mais parce qu'elle était trop étroite pour le recevoir. Il la prit à nouveau, sans se soucier des cris pitoyables de son épouse.

— Je vous en prie, arrêtez ! gémit-elle entre deux sanglots. Arrêtez ! Vous me faites trop mal !

Toujours en elle, il s'immobilisa.

— Je suis désolé mais je n'y peux rien. Cela ira mieux par la suite.

Insensible à ses protestations, il la martela de cruelles estocades. Les joues de la jeune femme ruisselaient de larmes, tandis qu'elle tentait de le repousser. Il demeura sourd à ses prières. Au moment où elle croyait défaillir, tant la souffrance devenait insupportable, tout son corps fut traversé d'ondes torrides qui culminèrent au tréfonds de son bas-ventre et elle explosa en mille sensations étourdissantes.

Son orgasme surprit Ralph, car il n'avait pas cherché à l'exciter. Le désir du Normand s'intensifia et il fut tout à coup secoué de spasmes qui le projetèrent entre les jambes écartelées de son épouse. Alice perdit alors la tête. Fermant les yeux, elle attira son mari pour qu'il replonge en elle, plus loin, toujours plus loin, et elle resserra l'étreinte de ses cuisses autour de la taille masculine.

— Je veux sentir votre sexe jusqu'au fond de mes entrailles ! Venez ! Oh, oui ! Venez !

Il se convulsa en elle une dernière fois et s'enfonça de toute sa virilité palpitante dans le fourreau de chair. Alice ressentit comme un coup de couteau qui aurait déchiré son ventre. Elle hurla.

Ralph se retira immédiatement et retomba sur le flanc.

Il ne daigna pas s'excuser pour la douleur qu'il lui avait occasionnée et la laissa pleurer seule dans le noir. Il se retenait pour ne pas éclater de rire : sa coquine de femme aimait souffrir ! Mais à tout bien réfléchir, ce n'était pas étonnant de sa part...

42

— Milady, venez vite ! s'égosilla Mary.

Célia, à l'office, donnait des directives à deux marmitons pour la journée.

— Qu'y a-t-il ?

— C'est le sire de Warenne ! Il est grièvement blessé. Il vous réclame à cor et à cri.

Environ une semaine s'était écoulée depuis son mariage. Célia n'avait pas revu le Normand depuis le lendemain de la cérémonie. Elle s'était arrangée pour se tenir à l'écart du manoir et de son seigneur. Une fois, alors qu'elle coupait à travers le verger, elle avait vu passer les hommes de Ralph en direction du champ de manœuvre. Elle les avait espionnés quelques minutes, puis s'était empressée de prendre la poudre d'escampette avant d'être surprise.

Deux jours plus tôt, Ralph avait emmené une douzaine de ses soldats à la chasse et la troupe venait juste de réintégrer le domaine, dans un concert de trompes et d'aboiements furieux.

Célia supervisait les préparatifs du repas au moment où la soldatesque pénétra dans l'enceinte. Elle feignit de ne rien entendre mais les domestitiques présents abandonnèrent là leur tâche et se ruèrent au-dehors pour saluer les nouveaux arrivants.

Célia évitait résolument de penser à sa nuit de noces. Mais lorsque le soleil se couchait, les cauchemars revenaient et elle ne parvenait plus à trouver le sommeil. Elle essayait de ne pas songer au Normand. Chaque fois que son visage à la beauté païenne s'imposait à son esprit, elle se répétait qu'elle le haïssait. Elle s'était finalement habituée à l'indifférence qu'affichait le guerrier à son endroit. Le temps avait passé et guéri ses maux.

Pourtant, quand Mary l'interpella, le sang se mit à battre à ses tempes.

— Je cours chercher mes remèdes ! lança-t-elle aussitôt.

Elle avait l'impression d'avoir des ailes et ne mit que quelques secondes pour rejoindre la domestique. Elle la trouva éplorée, se tordant les mains.

— Que se passe-t-il ? s'enquit Célia, brusquement paniquée.

— Il s'est fait embrocher par un sanglier ! C'est terrible !

Célia traversa comme une flèche l'espace qui la séparait du manoir et se précipita dans le bâtiment.

Les hommes du Normand s'étaient rassemblés dans la grande salle, silencieux et lugubres. Célia se fraya un passage jusqu'à Beltain qui lui indiqua que Ralph avait été porté à l'étage. Sans hésiter, elle se précipita dans l'escalier et gravit les marches quatre à quatre.

La jeune femme s'immobilisa sur le seuil de la chambre. Alice et Beth s'affairaient au chevet de Ralph, tandis que Guy et Athelstan arpentaient la pièce d'un air soucieux. Le Normand ne semblait pas le moins du monde à l'article de la mort, ainsi que Célia l'avait craint. Il était assis, bien droit, le visage fermé. Le cœur de la jeune fille bondit dans sa poitrine. Comment avait-elle réussi à l'oublier ces derniers jours ?...

Le guerrier l'aperçut et l'enveloppa d'un chaud regard. Une rage irraisonnée s'empara de Célia. Pour un blessé, il semblait en pleine possession de ses moyens ! Elle devinait le feu latent qui couvait en lui et qu'il ne demandait qu'à assouvir...

— Approchez ! fit-il d'une voix chevrotante. Je me sens si faible...

Cette fois, aucun doute, il se moquait d'elle ! Jusqu'où comptait-il pousser la plaisanterie ? Réticente, elle s'avança, les lèvres pincées. Les deux chevaliers et la domestique s'écartèrent pour lui laisser le passage. Seule Alice ne broncha pas, et agrippa farouchement le bras de son mari d'un geste possessif. Ce ne fut qu'en atteignant le bord du lit que Célia comprit que Ralph était réellement blessé. Il n'avait pas jugé utile de se couvrir et elle aperçut avec effroi une plaie béante qui lui zébrait la cuisse droite sur toute la longueur.

— Apportez-moi de l'eau et des linges propres, ordonna aussitôt Célia, en s'agenouillant aux côtés du guerrier.

Elle examina la blessure, consciente que tous les yeux étaient braqués sur elle. Tout le monde attendait son diagnostic. A en juger par sa peau brûlante, le Normand avait certainement beaucoup de fièvre. Il tressaillit sous la pression des doigts qui le palpaient.

— Je vous fais mal ? s'alarma-t-elle.

— Au contraire ! Chacune de vos caresses est un véritable réconfort pour moi.

La gentillesse inaccoutumée de ces paroles la surprit. La passion contenue dans les prunelles bleues faillit faire oublier à Célia qu'ils n'étaient point seuls. Il fallut qu'Alice se racle bruyamment la gorge pour qu'elle se reprenne. Elle poursuivit son examen, et Ralph se crispa soudainement en serrant les dents.

— Pardonnez-moi... J'essaie d'agir le plus doucement possible...

— Ne vous inquiétez pas, j'en ai vu d'autres !

— Ne jouez pas au héros ! Cela ne m'impressionne pas.

— Moi qui espérais vous éblouir par ma bravoure ! ironisa-t-il.

Sa voix avait pris des inflexions tendres et, dans un éclair, Célia revit ce grand corps nu arqué au-dessus d'elle.

— Dans ce cas, vous vous méprenez sur mon compte.

— Je suis navré de le constater.

Excédée, Alice les interrompit brutalement.

— Monseigneur, vous êtes mal installé ! Calez-vous plus confortablement contre les oreillers. Je vais...

— Je suis très confortablement installé. Cessez donc de me materner de la sorte ! C'est agaçant, à la fin, je ne suis plus un gamin !

Alice fit un pas en arrière, abasourdie par le ton dur qu'il avait employé. Célia reporta toute son attention sur la jambe du guerrier. La plaie était profonde mais l'os n'avait apparemment pas été touché. Néanmoins, il fallait la nettoyer au plus vite pour éviter qu'elle ne s'infecte. Beth réapparut avec ce qu'on lui avait réclamé. Célia se pencha pour attraper un linge mais Alice la gêna dans son mouvement.

— Peux-tu te pousser, Alice ? J'ai besoin de place.

— Pour qui te prends-tu ? s'insurgea sa demi-sœur. Je n'ai pas d'ordre à recevoir de toi !

— Tudieu, Lady Alice ! s'exclama Ralph. Débarrassez-moi le plancher !

Elle obéit de mauvaise grâce, et Célia ne put s'empêcher de s'apitoyer sur le sort de cette malheureuse qui, en dépit de tous ses efforts, ne s'attirait que les foudres de son mari. Comment pouvait-il se comporter avec autant de cruauté envers celle qu'il avait librement choisi d'épouser ? De toute évidence, Ralph n'éprouvait qu'aversion pour sa femme et, pourtant, il n'avait aucun scrupule à la rejoindre chaque soir dans son lit. Mais bien sûr, pour cet homme, désir ne rimait pas avec amour ! Bah ! Après tout, cela ne la concernait pas, elle n'avait aucun droit de se mêler des affaires d'autrui.

— Attention, cela risque de vous brûler un peu, prévint-elle en appliquant un onguent sur la cuisse du Normand.

— Ne vous souciez pas de moi !

Il serrait les poings et contractait les mâchoires pour ne pas hurler. Lorsque la blessure fut soigneusement lavée, Célia prit du fil et une aiguille, et sans la moindre hésitation, recousit les chairs sanglantes. Ralph ne proféra pas une seule plainte durant toute l'opération.

— La chasse a-t-elle été fructueuse ? s'enquit-elle pour détourner son attention.

— Nous avons capturé trois cerfs, un loup et un sanglier.

— Ce même sanglier qui vous a férocement chargé ?

— Oui.

— Comment l'accident est-il survenu ?

— Tout s'est déroulé très vite. Le sanglier est un animal imprévisible.

— Pourquoi prendre tant de risques avec des bêtes sauvages ?

— C'est là tout l'intérêt du jeu. Le danger est grisant.

— Quel divertissement puéril ! Est-ce là votre manière de prouver votre virilité ?

— J'en connais bien d'autres, tout aussi agréables...

Confuse, elle baissa les yeux et réalisa que le sexe de l'homme s'était dressé.

— Vous êtes bien vigoureux pour un agonisant... balbutia-t-elle.

Elle se redressa et fit un pas vers la sortie, mais il lui happa le bras pour la retenir près de la couche.

— Ne me quittez pas !

— J'ai terminé. Je ne peux rien de plus pour vous...

— Je vous en prie... Je souffre !

— J'ai parfaitement compris la nature de votre mal ! Je ne suis pas idiote !

— Vous devez me soulager.

— Demandez donc à votre femme de s'en charger !

— Vous êtes la seule à pouvoir apaiser mes tourments.

— Vous êtes grotesque ! Cessez de débiter des inepties, et lâchez-moi !

— Seulement si vous me promettez de revenir. Je n'autoriserai personne d'autre à me soigner. Qui changera mes pansements ?

— N'importe qui peut s'en acquitter.

— Peut-être, mais je préfère que ce soit vous.

— Comme il vous siéra, Monseigneur.

— Quand reviendrez-vous ?

Elle hésita un moment avant de répondre du bout des lèvres :

— Demain.

— Pourquoi pas ce soir ? J'ai bien peur que mon état n'empire...

Indécise, Célia se balançait d'un pied sur l'autre. « Pourquoi pas, après tout, songea-t-elle. Cela ne sert à rien de retarder l'inévitable... »

— Je viendrai lorsque j'aurai rempli mes devoirs au manoir, concéda-t-elle enfin.

— Bien sûr ! Vos devoirs conjugaux, j'imagine ? Vous consigne-t-il dans votre chambre chaque soir, au cas où il requerrait vos services ? Vous aurait-il manqué ces deux dernières nuits ? Ce soir, n'oubliez pas, je vous attends. Je vous ai peut-être donnée à Guy, mais je suis libre de vous enlever à lui quand bon me semble !

Il disait la vérité, la jeune femme ne le savait que trop. Ralph imposait sa loi à Aelfgar. Il pouvait même faire de Célia sa maîtresse attitrée sans qu'elle ou que Guy puissent élever la moindre protestation.

Malgré la fureur qui l'envahissait, Célia se contint.

— Est-ce tout ? demanda-t-elle. Puis-je me retirer, à présent ?

— Allez ! Mais ne vous avisez pas de me faire faux bond !

Elle quitta la pièce avec un désagréable sentiment d'impuissance.

43

Malgré la douleur qui lui lancinait la cuisse, Ralph se glissa hors du lit et boitilla jusqu'à la cheminée pour se perdre dans la contemplation des flammes.

La nuit était tombée. Il prêtait une oreille attentive à tous les bruits qui lui parvenaient du couloir.

Célia n'était pas venue.

Il était furieux contre lui-même de l'avoir harcelée devant témoins. Il n'avait pas eu l'intention de la blesser. En vérité, jamais auparavant il n'avait parlé à une femme de cette manière. La beauté ensorcelante de Célia lui faisait perdre la tête. Comment avait-il pu se montrer si odieux ? Était-ce parce qu'il avait été séparé d'elle pendant plusieurs jours ? Était-ce le souvenir brûlant des doigts de fée sur sa peau ? Et dire qu'il lui avait tenu des propos indélicats en présence d'Alice et de Guy ! Quelle grossièreté ! S'il ne pouvait maîtriser ses élans charnels, au moins devait-il surveiller ses paroles. Il n'avait aucune excuse ! Tout le monde avait assisté à la scène et, à l'heure qu'il était, les langues devaient aller bon train au manoir... Il avait été étonné, voire gêné, par l'attitude de Guy. Ce dernier n'avait pas paru affecté, ou alors il avait su dissimuler avec tact sa contrariété. A sa place, Ralph aurait violemment réagi !

Il regrettait d'avoir convoqué Célia ce soir, il n'avait aucun droit de disposer d'elle aussi librement. Mais pourtant, il aurait tant aimé que la jeune femme lui rende visite de son plein gré... Cela aurait prouvé qu'elle lui témoignait un peu d'intérêt.

Et soudain, au moment où il perdait tout espoir, il l'entendit ! Il se dressa, tout émoustillé de la savoir si proche.

Célia parut dans l'encadrement de la porte, auréolée de sa somptueuse chevelure d'or, une expression mutine peinte sur le visage. Les prunelles violettes brillaient de mille feux, comme des pierres précieuses.

— Je constate que vous n'êtes pas à l'article de la mort, Monseigneur ! Je ne vous suis donc d'aucune utilité.

— Regardez quand même ma blessure.

Il regagna son lit en claudiquant et s'y assit. Sans cacher son mécontentement, Célia obéit. Elle s'agenouilla au chevet du guerrier et releva la courte tunique de serge. Il ne portait rien en dessous et, instantanément, sa virilité s'érigea. La jeune femme sursauta.

— Vous vous moquez de moi ?! Croyez-vous que je ne vois pas clair dans votre jeu ?

— Je ne le fais pas exprès ! C'est vous qui attisez mon désir.

— Il est hors de question que je trompe mon mari !

— Pensez-vous que je vous aie demandée dans ce dessein ?

— Je n'ai aucune confiance en vous ! Je sais parfaitement ce que vous avez derrière la tête !

— Vous vous flattez, ma belle !

Il la saisit par le poignet et l'attira contre lui. Célia se débattit farouchement avant de s'avouer vaincue par la force du Normand.

— Vous n'êtes qu'une sale brute !

— Vous vous méprenez sur mes intentions. Jamais je ne cocufierais Guy !

— Alors lâchez-moi !

Ralph lui prit le menton et plongea son regard dans le sien.

— Quelle véhémence ! Seriez-vous amoureuse ? Ma foi, c'est un véritable coup de foudre ! Quelques galipettes, et vous voici d'une loyauté à toute épreuve...

— Oh ! Quel toupet !

— Guy vous plaît-il, Célia ? Allons, répondez-moi sincèrement.

Le guerrier paraissait calme, mais sa voix s'était teintée d'inflexions menaçantes.

— Mêlez-vous de ce qui vous regarde !

Cette fois, la coupe était pleine ! Célia éclata brusquement en sanglots. Comment lui avouer la vérité, dévoiler que son propre époux la craignait et lui préférait les charmes de Lettie ou de Beth ? Jamais elle ne pourrait partager ce lourd secret avec Ralph ! L'humiliation était trop grande !

— Je ne vais pas vous violer, alors cessez de pleurer !

Il la repoussa si rudement qu'elle chancela.

— Allez-vous-en ! aboya-t-il. J'ai changé d'avis, je me passerai de vos services !

La jeune femme s'essuya les yeux du revers de la manche et demeura pétrifiée, comme écrasée par un chagrin démesuré.

— Retournez donc à votre mari ! Hors de ma vue, sorcière !

Célia ne s'expliquait pas ce brutal revirement. Hébétée par tant de haine, elle resta figée sur place.

— Vous avez saisi ?! Déguerpissez ! Qu'espérez-vous encore ? M'envoûter, me rendre fou ? C'est peine perdue ! Ne prenez pas cet air misérable. Vous pensiez pouvoir m'amadouer aussi aisément ?

Aveuglée par les pleurs, elle s'éloigna en trébuchant. Pourquoi tant de cruauté ? Qu'avait-elle fait pour mériter de telles injures ? Chaque mot fielleux qui franchissait les lèvres du Normand était un coup supplémentaire qui la faisait tituber.

— Dites à Alice de venir ! lança-t-il avec arrogance. J'ai envie d'elle ! Maintenant !...

Célia se boucha les oreilles pour ne pas en entendre davantage et s'enfuit.

44

Une semaine plus tard, Ralph et Guy prirent le chemin de Dumstanbrough pour une tournée d'inspection. Ralph n'était pas complètement rétabli mais se tenait à cheval sans trop de peine. Une douzaine de soldats accompagnaient les deux chevaliers pour les protéger en cas d'embuscade. Beltain assurait la défense d'Aelfgar en leur absence.

Il leur fallut une journée pour atteindre le hameau; le soir même, ils avaient fait le tour du domaine.

Les hommes firent halte pour la nuit et allumèrent un feu de camp pour éloigner les bêtes sauvages. Leur arrivée au village avait déclenché une grande effervescence, mais avec le coucher du soleil, le calme était revenu dans les ruelles. Les habitants de cette contrée si retirée avaient accueilli à bras ouverts les arrivants, trop heureux d'avoir de la visite pour se soucier du fait qu'ils étaient normands.

Guy avait déjà repéré l'endroit où il construirait son château. Dès qu'il en aurait l'opportunité, ou plutôt dès que Ralph l'y autoriserait, il reviendrait sur les lieux pour surveiller personnellement son édification.

Bientôt, songeait Ralph avec mélancolie, Célia régnerait sur ce petit fief, aux côtés de cet époux qu'elle chérissait si tendrement! Il avait le cœur serré à l'idée qu'il ne la reverrait pas. Pourtant, en y réfléchissant bien, il aurait dû être satisfait de la tournure que prenaient les événements. Guy était à la hauteur de la tâche qui lui incomberait. Il saurait protéger avec efficacité les frontières du Nord. A ce propos, Ralph envisageait sérieusement de poster une garnison supplémentaire à Dumstanbrough.

Une question le turlupinait depuis quelques jours: Célia était-elle sincèrement éprise de son mari ? Elle était si difficile à cerner ! L'attitude de la jeune femme à son égard le déroutait. Parfois il avait l'impression qu'elle était sur le point de se jeter dans ses bras, mais à d'autres moments, sa froideur et son mépris le confondaient.

Ressassant ces pensées contradictoires, il se leva pour se dégourdir les jambes. Il boitait légèrement, car le froid avait ravivé la douleur.

Pourquoi se cacher plus longtemps la vérité ? Il devait être honnête avec lui-même et s'avouer qu'il ne supportait pas l'éventualité que Célia puisse aimer Guy. Il était dévoré de jalousie. Pourquoi diable avait-il écouté les conseils d'Alice et uni la jeune femme à son homme de confiance ?

Il gardait précieusement en mémoire les moments d'ivresse que Célia et lui avaient vécus. Quel imbécile il faisait ! Mais il était inutile de s'apitoyer ainsi sur son propre sort ! Il ne reviendrait pas sur sa décision. L'amour était l'apanage des femmes et des damoiseaux ! Ce sentiment n'existait pas ; ce n'était qu'une excuse pour satisfaire sa concupiscence.

La nuit fraîche et claire soulevait en lui une étrange exaltation, comme un accès de fièvre. Il s'arrêta soudain, réalisant qu'il s'était éloigné du campement, et s'apprêta à rebrousser chemin. Mais un gloussement attira son attention. Il scruta les fourrés autour de lui. Quand un second rire fusa, il sut qu'il s'agissait de Guy.

Dans la pénombre, il finit par distinguer un couple enlacé près d'un chêne, baigné par les rayons de la lune. Le Normand s'approcha sur la pointe des pieds et aperçut le jeune chevalier. Une femme était assise sur ses genoux, toutes jupes retroussées, et tous deux se balançaient en cadence suivant le rythme éternel de l'amour.

Se gardant bien de révéler sa présence, Ralph espionna les amants jusqu'à ce que la gueuse se redresse enfin et rabatte ses jupes. Guy se rajusta et flanqua une tape grivoise sur la croupe de sa partenaire. En se relevant, il découvrit son maître à quelques mètres de là. La fille le vit également et, provocante, lui décocha une œillade assassine. Comme Ralph l'ignorait, elle décampa, l'air désappointé.

— Vous me cherchiez, Monseigneur ?

— Non, je passais par hasard et j'ai entendu du bruit.

Les deux hommes se mirent à marcher en direction du camp.

— Tu n'es pas fidèle à ton épouse, remarqua Ralph d'un ton dégagé.

— Non, bien sûr ! Je suis trop jeune pour tomber en quenouille et m'attacher à une seule femme, sorcière de surcroît !

— Je ne te permets pas de l'injurier ainsi !

— Oh, oui, j'oubliais !... fit Guy avec un sourire en coin. Vous êtes son plus ardent défenseur !

— Je suis surpris que tu ne respectes pas plus la femme que tu as promis de chérir devant Dieu...

Mal à l'aise, Guy observa un silence circonspect.

Ralph se disait en son for intérieur que s'il avait été marié à Célia, jamais il n'aurait cherché son bonheur ailleurs. Pensif, il dévisagea Guy, se demandant ce qu'aurait éprouvé la jeune femme en apprenant la conduite libertine de son époux.

— Arrêtez-la ! tempêta Alice.

Célia, qui allumait les bougies du chandelier dans la grande salle, suspendit son geste en percevant la voix de sa demi-sœur. Avant qu'elle ait réalisé ce qui lui arrivait, deux soldats se précipitèrent sur elle.

— Que... que me voulez-vous ?

Alice s'approcha ; elle jubilait.

— Tu as trahi une fois de trop, Célia ! En l'absence de mon doux sire, je me dois de veiller à ses intérêts.

— De quoi parles-tu ? Je ne...

Elle fut interrompue par l'arrivée de Beltain, qui brandissait un parchemin.

— Une servante a découvert ceci dans votre chambre, accusa-t-il.

— J'ignore de quoi il s'agit.

— C'est un message de votre frère Edwin... Il vous est personnellement adressé.

La jeune femme ne sentait que des regards hostiles posés sur elle. Elle s'affola.

— C'est un mensonge ! Je n'ai jamais rien reçu de tel !

— Ne niez pas, c'est inutile ! Qui vous a transmis cette missive ?

— Mais personne, vous dis-je ! C'est un coup monté !

— Je crains qu'il ne soit difficile de vous croire, car malheureusement pour vous, vous n'en êtes pas à votre première tentative. Personne n'ignore qu'avant votre mariage, le seigneur de Warenne vous faisait surveiller parce qu'il se méfiait de vous.

— Cette sorcière essaie de vous embobiner, Beltain ! cracha Alice. Ne vous laissez pas manipuler par elle ! Elle a plus d'un tour dans son sac ! Il faut la jeter au cachot, sinon elle s'enfuira et Ralph entrera dans une colère terrible...

— Je ne peux tout de même pas enchaîner la femme d'un chevalier ! Mais je l'aurai à l'œil.

— Quelle imprudence ! Elle vous ensorcellera comme tous les autres, c'est certain ! Faites-moi confiance, sans quoi elle nous faussera compagnie !

Abasourdie, Célia se campa devant sa demi-sœur.

— Tu es folle ! Je parie que c'est toi qui as tout manigancé ! Quelqu'un a dû rédiger ce faux pour toi, puisque tu ne sais même pas écrire... Je reconnais bien là tes manières retorses !

Sans se préoccuper d'elle, Alice se rua sur Beltain.

— Je vous aurai prévenu ! Rappelez-vous l'évasion de Morcar !

Ce dernier argument acheva de convaincre le chevalier. Il toisa Célia d'un air sévère.

— Lady Alice a entièrement raison ! Jetez-la aux oubliettes ! ordonna-t-il aux deux soldats.

— Non, je vous en prie ! s'exclama Célia. Montrez-moi d'abord la lettre !

Beltain marqua un temps d'hésitation, puis avec un haussement d'épaules, lui tendit le pli. Célia le parcourut brièvement.

— Ce n'est pas l'écriture d'Edwin !

— Cela ne prouve rien, objecta Beltain, agacé. Allons, ça suffit, emmenez-la... !

— Non, pitié !

Elle se jeta à genoux, implorant la clémence de ses accusateurs.

— Ne sois pas cruelle, Alice ! Qu'escomptes-tu retirer de tout cela ? Quand le Normand rentrera...

— Il te pendra ! acheva Alice, hors d'elle.

Les deux soldats entraînèrent la malheureuse dans les sombres couloirs.

La porte claqua sinistrement derrière elle. Célia se retrouva plongée dans le noir le plus complet. Tremblante, elle se pelotonna sur elle-même. Elle osait à peine respirer, dégoûtée par l'air vicié et oppressant, chargé de relents pestilentiels. Ses pieds nus s'enfonçaient dans une fange saumâtre. Elle se cogna contre un mur suintant d'humidité et poussa un petit cri, secouée de frissons incoercibles.

En tendant l'oreille, elle distingua des chuintements furtifs. Des rats... !

Elle qui haïssait Ralph de Warenne, se mit à espérer son retour avec ferveur. Il ne serait pas dupe du complot ourdi par Alice et ses complices, et la relâcherait sur-le-champ. Mais à l'heure qu'il était, il devait se trouver à des lieues d'Aelfgar...

Elle allait mourir, seule, abandonnée de tous, dans cette geôle nauséabonde...

Le souffle lui manquait. Son corps était parcouru de spasmes violents, et la panique lui étreignait la gorge. Ses poumons étaient en feu, elle étouffait...

Elle ne pouvait pas rester là, il fallait sortir à tout prix ! Les murs allaient l'engloutir, l'enterrer vive, elle suffoquait... !

Dans un ultime sursaut, elle se jeta contre la porte et, telle une furie, se mit à labourer de ses ongles le bois vermoulu. Sa tête explosait, elle devenait folle ! Elle ne pouvait rester une seconde de plus dans cet enfer.

— Ouvrez-moi ! Libérez-moi !

Ses ongles se cassèrent et elle s'écorcha les mains. Des échardes s'enfoncèrent douloureusement sous sa peau, mais elle n'y prit pas garde. Enfin, épuisée, à bout de nerfs, elle s'effondra sur le sol.

Une chose tiède lui frôla la cheville. Elle bondit sur ses pieds, épouvantée, et frappa le battant à coups redoublés, s'égosillant comme une possédée, mais en vain... L'horreur la submergea et elle glissa sur le sol sans connaissance.

45

L'aube naissante baignait la campagne d'une douce lumière éthérée. Ralph s'éveilla, sur le qui-vive, comme si un sixième sens l'avertissait de l'imminence d'un danger. L'atmosphère lui parut soudain irrespirable. Craignant une embuscade, il donna le signal du départ.

— Ne nous attardons pas ! intima-t-il à Guy.

Mais chemin faisant, son pressentiment s'accrut et il houspilla ses hommes pour les presser. Il était à l'affût du moindre mouvement dans les fourrés et dressait l'oreille au moindre frémissement. Plus le temps passait, et plus il redoutait une catastrophe. Pourtant, lorsque la petite troupe s'arrêta pour dresser le camp à la tombée de la nuit, rien n'était venu bouleverser sa quiétude. Assailli par de funestes pensées, Ralph ne put fermer l'œil de la nuit. Il fallait rejoindre Aelfgar au plus vite !

Ils atteignirent le domaine peu avant midi. Ralph s'était attendu à ne retrouver qu'un tas de ruines fumantes et la vision du manoir intact lui procura un indicible soulagement, bien que la terrible appréhension qui lui nouait les entrailles ne se fût pas dissipée.

Alice l'accueillit sur le perron avec son habituel empressement. Le premier souci de Ralph fut de convoquer Beltain. Il remarqua aussitôt la mine ennuyée du chevalier.

— Des nouvelles durant mon absence, Beltain ?

— Rien de neuf, Monseigneur. Excepté cette missive que nous avons découverte dans la chambre de Lady Célia.

— Une missive ?

— Une lettre de son frère.

Ralph blêmit de colère. Cette petite peste était décidément incorrigible !

— Qu'on m'apporte immédiatement ce pli, et qu'on fasse mander Lady Célia !

Beltain se dandina d'un pied sur l'autre, visiblement mal à l'aise.

— C'est que... elle est aux oubliettes.

— Quoi ?

— Votre épouse a insisté pour qu'on l'enferme, en disant que c'était le seul moyen de l'empêcher de fuir ! s'empressa d'expliquer Beltain. J'étais indécis, mais je m'y suis résolu, en me disant que vous trancheriez à votre retour. Je ne voulais pas prendre de risques.

Sans l'écouter davantage, Ralph se précipita vers les souterrains, Guy et Beltain sur ses talons. Le lourd battant grinça et il s'engouffra en trombe dans l'obscurité.

— Célia ?

Aucune réponse ne lui parvint et, pendant une seconde, il se crut seul. Mais tout à coup une longue plainte le fit tressaillir. Il tâtonna en direction du bruit et buta sur une forme recroquevillée à terre.

— Célia !

Il s'agenouilla près d'elle et posa la main sur la hanche de la jeune femme. A sa grande surprise, elle se contracta de tout son être en hurlant. Comme il essayait de la calmer, elle se débattit dans les ténèbres, tentant de lui labourer le visage. Il réussit à la maîtriser et la souleva dans ses bras. Tout d'abord elle n'opposa aucune résistance, puis elle le frappa à nouveau, aveuglément, exhalant des gémissements de bête blessée.

— Allons, c'est moi, Ralph ! Tenez-vous tranquille !

— Laissez-moi sortir ! Laissez-moi sortir ! souffla-t-elle d'une voix rauque, presque inaudible.

— Je suis venu vous chercher, ne craignez rien.

Lorsqu'ils revinrent au jour, Ralph poussa une exclamation stupéfaite.

Célia était couverte de boue. Son corps était agité de soubresauts incontrôlables et de longues traînées sanglantes zébraient ses bras et ses joues. Ses ongles étaient cassés, certains même arrachés. Mais son regard surtout choqua Ralph : hagard, dément, c'était celui d'un animal traqué.

Le guerrier voulut toucher la jeune femme mais elle se ramassa instinctivement sur elle-même. Lentement, pour ne pas l'effaroucher davantage, il s'accroupit à ses côtés. Un sentiment incroyable monta en lui : une infinie tendresse, qui gonflait son cœur jusqu'à le faire déborder.

— Là, là... chuchota-t-il d'une voix apaisante. Vous êtes sauvée maintenant, tout va bien...

Elle ouvrit les paupières et cilla, éblouie par la lumière. L'émotion de Ralph était si forte que ses yeux le piquaient. D'une main hésitante, il effleura le front de Célia.

— C'est moi, Ralph...

Elle fut secouée par un sanglot déchirant et il la prit contre lui. Les sourcils froncés pour masquer son émoi, il la souleva comme un fétu de paille et l'emporta. Célia enfouit son visage trempé de larmes dans le cou du Normand. Il sentit les battements désordonnés du cœur de la jeune femme et son inquiétude grandit. Elle l'agrippait si fort qu'il en était presque étranglé.

Beltain, livide, s'était retourné vers Guy d'un air désemparé.

— Je... Je ne voulais pas... balbutia-t-il. Je suis désolé... vraiment désolé !

— Elle a perdu l'esprit, constata Guy froidement. J'ai déjà rencontré des hommes qui étaient devenus fous après un séjour sous terre.

Il lança à Ralph un regard interrogatif.

— Dois-je l'emmener, Monseigneur ?

— Non !

Ralph fit un effort surhumain pour ne pas se ruer sur Beltain et l'égorger sur place. A longues enjambées il se dirigea vers le manoir.

Le Normand gagna sa propre chambre, et avec d'infinies précautions, déposa la jeune femme sur son lit. Cramponnée à son cou, elle haletait et claquait des dents. Ralph la serra de toutes ses forces, caressant les longues boucles dorées. Il lui frictionna le dos afin de la réchauffer.

— Chut, chut... Je suis là, ma douce.

Soudain un flot de paroles incohérentes franchit les lèvres de Célia. Il fallait qu'elle lui dise comment elle avait failli mourir, étouffée entre des murs froids et humides, comment elle s'était débattue, avait lutté pour se libérer, alors que seul le silence lui répondait ! Elle parlait, parlait, libérant son âme des cauchemars affreux qui l'avaient menée aux confins de la folie.

— Taisez-vous, mon petit, murmurait-il. Il faut vous reposer.

Elle se détendit un peu et se laissa aller contre son sauveur. Peu à peu, la respiration de la jeune femme se fit plus calme. Au fur et à mesure que Célia reprenait vie, Ralph sentait sa peur se muer en une fureur noire.

Brusquement il se rendit compte d'une présence

dans la pièce. Sans pour autant lâcher Célia, il tourna la tête et aperçut Alice. Les traits de son épouse étaient déformés par une joie mauvaise. Ses yeux croisèrent ceux du guerrier et elle perdit soudain contenance, réalisant qu'il était prêt à lui tordre le cou. Elle recula d'un pas, épouvantée.

— Sortez ! gronda Ralph. Regagnez votre chambre, je m'occuperai de vous tout à l'heure !

Alice ne se le fit pas dire deux fois et s'enfuit sans poser de question.

Ralph se pencha sur Célia. Il voulut l'allonger sur la couche, mais avec un cri de protestation, elle se pressa plus étroitement contre lui. Il devait l'examiner pour s'assurer qu'elle n'était pas blessée. Gentiment, mais fermement, il lui releva le menton et plongea son regard dans le sien.

La détresse qu'il lut dans ses yeux le bouleversa. Elle semblait si vulnérable, là, blottie contre son torse ! Dans un élan de tendresse, il posa ses lèvres sur celle de la jeune femme. Elle ne le repoussa pas. Ralph s'enhardit et son baiser devint plus exigeant. Il goûta le miel de sa bouche et but son souffle comme un élixir de vie. Il avait une telle envie d'elle que son sexe tendait douloureusement l'étoffe de son vêtement. Il mourait d'envie de se fondre en elle, de lui procurer un bien-être réconfortant. Pourtant, il se ressaisit et se leva.

Il alla jusqu'à la porte et commanda un bain chaud à un domestique qui passait au même instant. Puis il attendit sur le seuil, laissant une distance respectable entre la jeune femme et lui. Les mains crispées, elle gisait inerte sur les draps.

— Ne vous inquiétez pas, je ne pars pas, murmura-t-il.

Il remarqua que les doigts de Célia relâchaient légèrement leur étreinte.

— Comment vous sentez-vous ? Répondez-moi, je vous en prie.

— J'avais si peur... J'ai prié... prié pour que vous veniez me délivrer...

Elle acheva sa phrase dans un hoquet. Faisant fi de ses résolutions, il s'élança à son chevet.

— Je suis arrivé trop tard, je le regrette.

Deux servantes entrèrent dans la chambre afin de remplir le baquet d'eau chaude. Lorsqu'elles eurent terminé, Ralph les congédia et se mit en devoir de déshabiller Célia.

— Vous verrez, vous irez bien mieux après un bon bain.

Quand il essaya de la relever, Célia s'effondra contre lui, comme une poupée de chiffon. Il la débarrassa de sa tunique maculée, en tâchant de ne pas s'attarder sur le corps nu de la jeune femme, sa taille fine, les globes nacrés de ses seins, et ses hanches épanouies. Le Normand la soutint jusqu'au baquet et Célia se glissa dans l'eau parfumée. Elle soupira d'aise en fermant les yeux.

Appuyé au bord de la baignoire, il la dévorait du regard. La vision de ce buste adorable avait déchaîné en lui un désir lancinant. Il entreprit de laver la chevelure souillée de boue, puis de nettoyer les pieds et les jambes. Pour finir, il passa un linge mouillé sur le visage de la jeune femme. Il s'en tint là, par peur de succomber à la tentation trop forte.

Ensuite, le guerrier enveloppa le corps d'albâtre dans un drap sec, avant de le transporter à nouveau sur le lit.

— Ne me quittez pas ! gémit-elle aussitôt.

— Non, je vous le promets.

Après un temps d'hésitation, il s'étendit à ses côtés. Elle se pelotonna dans ses bras et s'endormit sur-le-champ, délivrée de ses craintes.

46

Lorsque Ralph quitta la pièce, Célia dormait profondément, roulée en boule comme une enfant.

D'un pas décidé, il se dirigea vers la chambre voisine et ouvrit la porte, qu'il envoya cogner contre le mur dans un grand fracas. Alice était assise sur le lit, le visage convulsé de terreur.

Sans la moindre hésitation, le Normand marcha jusqu'à son épouse et la frappa en pleine face. Elle tomba sur les oreillers en portant la main à sa joue meurtrie. Il n'avait pas retenu son geste et savait qu'elle conserverait la marque de la gifle un bon moment. Tandis qu'elle se lamentait, il demeura là à l'observer.

— Cette fois, vous êtes allée trop loin, Alice. Vous êtes consignée dans cette pièce jusqu'à nouvel ordre. Compris ?

Elle se recroquevilla sur le lit, entourant ses genoux de ses bras, les yeux écarquillés.

— Compris ? répéta-t-il d'une voix terrible.

Mais la jeune femme ne l'écoutait plus. Son regard avide avait glissé sur le sexe moulé par le haut-de-chausses. Un gémissement rauque, trahissant tout son désir, lui échappa. Ralph se souvint qu'elle l'avait supplié de lui faire mal et d'entrer plus profondément en elle lorsqu'il l'avait possédée ; un brusque dégoût l'envahit. Il lui tourna le dos, s'apprêtant à sortir, et fut sidéré de sentir les bras de son épouse se refermer autour de sa taille. Elle se pressa lascivement contre lui. Le guerrier se retourna et la repoussa violemment, réalisant trop tard que, loin de l'effrayer, il ne faisait qu'attiser son désir.

Furieux, il quitta la chambre en claquant la porte.

D'un coup d'œil rapide dans la pièce attenante, il s'assura que Célia dormait bien. Le spectacle de la jeune femme nue sur le drap suffit à éveiller ses sens, mais il se contraint à poursuivre sa route.

Guy, Beltain et Athelstan l'attendaient dans la grande salle.

— Comment va-t-elle ? s'inquiéta ce dernier.

— Mieux.

Guy semblait si indifférent que Ralph l'apostropha sèchement.

— Tu ne me demandes pas de nouvelles de ta femme ?

— Si... bien sûr... répliqua le jeune homme en rougissant.

— Je l'ai couchée... dans mon lit.

Comme Guy ne réagissait pas, il enchaîna avec colère :

— Dire que je suis déçu par ta conduite est faible ! Comment peux-tu te comporter avec tant de froideur à l'égard de ta propre épouse ? Tu as pourtant vu, comme moi, dans quel état on l'a mise ! Pour l'heure, je me charge d'elle. Elle demeurera où elle est, et je me contenterai d'une paillasse dans la grande salle.

— Je m'en voudrais de troubler votre confort, Monseigneur...

— Cela ne m'importune pas le moins du monde. Maintenant, va-t'en ! Ta présence m'irrite.

Le Normand avisa ensuite Beltain qui tomba à genoux. Il dégaina son épée et la jeta aux pieds de son seigneur.

— Je suis prêt à subir les conséquences de mes actes.

— Relève-toi. Si je n'avais pas lu le remords dans tes yeux, je t'aurais démis de toutes tes fonctions. On n'enferme pas une dame aux oubliettes ! Mais je sais que tu n'as agi que par zèle. Va, à présent. J'espère que cela te servira de leçon.

Beltain obéit avec un visible soulagement.

— Merci de votre clémence, Monseigneur.

Ralph le congédia d'un geste de la main. Son vassal ne saurait jamais qu'il avait frôlé la mort quelques heures auparavant. Le Normand s'aperçut qu'Athelstan était resté dans la salle. Il se rembrunit, car il mourait d'envie de remonter voir Célia.

— Si je puis me permettre un conseil, Monseigneur, envoyez Lady Célia à Dumstanbrough le plus vite possible. Cette situation est devenue insupportable, vous le savez. Guy n'est pas jaloux, il vous fait confiance. Et heureusement, sinon il y a belle lurette que vous auriez perdu un excellent capitaine, et un fidèle compagnon de surcroît !

— Que vous importe ? Ne vous mêlez pas de mes affaires, je suis assez grand pour les régler tout seul !

— Je voulais juste vous aider. Malgré nos différends, j'admire votre valeur. Vous êtes juste et de bon sens. Il est regrettable que ce soit la guerre qui vous ait amené ici, et non la paix.

— Les regrets ne servent à rien.

— La place de Célia est désormais à Dumstanbrough, en compagnie de son mari. Si par la faute de cette femme, votre amitié avec Guy se brisait, vous en viendriez à la haïr.

— Je suis Ralph de Warenne ! Ralph l'Inflexible ! Pensez-vous sérieusement que je sois aveugle ? C'est une simple toquade. Oui, j'admets que cette sorcière est une habile séductrice ! Mais je n'oublierai jamais qu'elle appartient à un autre. Allez-vous-en !

— A votre gré ! rétorqua Athelstan. Une dernière chose, cependant : vous avez parlé de toquade ? Ne serait-ce pas plutôt une véritable obsession ?

— Laissez-moi ! Allez vous coucher !

— Et vous, Monseigneur ? Dans quel lit finirez-vous ce soir ?

Fulminant, Ralph regarda le vieil homme s'éloigner. Décidément, ce Saxon n'avait pas froid aux yeux !

Célia s'éveilla et s'aperçut immédiatement qu'elle se trouvait dans le lit de Ralph. Les affreux souvenirs de son emprisonnement s'effaçaient peu à peu. Elle n'était restée qu'une journée et demie au fond du cachot, mais ces quelques heures lui avaient paru une éternité. Maintenant, des images plus précises s'imposaient à elle. Ralph l'avait sauvée !

Avait-elle rêvé cette merveilleuse tendresse, la douceur de ses mains, le ton velouté de sa voix ?...

Par la fenêtre, Célia vit que le soleil brillait haut dans le ciel. Elle avait donc dormi pendant plus de vingt-quatre heures ! Tout en s'habillant, elle se demanda si sa mémoire ne la trahissait pas. On l'avait baignée et enveloppée dans un drap blanc... Ou était-ce le fruit de son imagination ? Qui s'était chargé de la laver ? Ralph ? Non, elle délirait ! Son esprit tourmenté était victime d'hallucinations ! Elle avait dû prendre une servante pour celui qu'elle avait appelé de toutes ses forces...

Célia avait beau se raisonner, le doute la rongeait. Il fallait qu'elle sache !

En découvrant ses mains bandées, la jeune femme se remémora ses efforts désespérés pour forcer la porte de la cellule. Rétrospectivement, elle frémit.

Une fois prête, elle rejoignit la chambre de Guy, sans rencontrer quiconque sur son passage.

Son mari fit son apparition avant le souper, car il avait pour habitude de se laver tous les jours depuis que Ralph soumettait ses hommes à un entraînement intensif. Comme à l'accoutumée, Célia lui avait préparé son bain, disposant à son intention des habits propres sur le lit.

— Comment allez-vous ? s'enquit poliment le jeune homme.

Son ton recelait tant de pitié que Célia rougit, confuse de s'être donnée en spectacle devant tout le monde.

— Bien, je vous remercie.

Elle l'aida à se dévêtir.

— Je vous aurais réveillée moi-même, n'étaient les consignes de Monseigneur de Warenne, qui désirait que vous puissiez dormir tout votre soûl.

— Hum... Je crains d'avoir été très paresseuse, aujourd'hui. Tout s'est-il bien passé, à Dumstanbrough ?

— Oui. La terre y est fertile, quoique rocailleuse, mais les habitants ne la cultivent pas : ils préfèrent élever des moutons. Mais j'y mettrai bon ordre. Nous obtiendrons de splendides récoltes ! J'ai également repéré un endroit rêvé pour bâtir le manoir, sur un petit coteau. Il n'y a pas d'eau pour les douves, mais un profond fossé suffira amplement à nous protéger des agressions extérieures.

— Je vois que vous êtes satisfait de votre voyage.

Guy semblait tout excité, et elle était heureuse pour lui. Finalement, c'était un bon compagnon, qui n'élevait jamais la voix et conservait toujours son calme. Bien sûr, il ne l'aimait pas, et Célia savait qu'il ne se privait pas de la tromper, mais après tout, elle ne s'en plaignait pas, au contraire !

Il se tenait nu devant elle, sans que l'un ou l'autre parût embarrassé de la chose. Une fois de plus, Célia se surprit à comparer son mari au Normand. Le corps mince et glabre de Guy paraissait bien frêle par rapport à la robuste constitution de Ralph, à ses longs muscles d'acier, à sa taille imposante.

Qui plus est, Ralph n'aurait jamais pu demeurer en tenue d'Adam devant Célia sans qu'aussitôt l'expression de son désir se manifeste.

— Dites-moi, Célia, avez-vous vraiment reçu une missive de votre frère ?

— Non, c'est un coup monté. Je soupçonne ma sœur d'en être l'instigatrice.

— Je vous crois. Je ne vous connais pas depuis longtemps et je ne suis votre mari que depuis deux semaines, mais je commence à entrevoir bien des choses. Je n'ai plus peur de vous, Célia. Je suis toujours convaincu que vous êtes une sorcière, mais je sais que vous n'utilisez vos pouvoirs que dans de louables intentions.

Un frisson parcourut l'échine de la jeune femme. Si Guy ne la redoutait plus, revendiquerait-il ses droits d'époux ? Elle ne le trouvait pas du tout déplaisant, mais ne ressentait aucune envie de voir leurs relations prendre un tour plus intime.

— Vous n'êtes pas une menteuse, poursuivit-il, bien que vous soyez restée loyale à vos frères. Je suis fort aise que vous n'ayez pas commis une telle folie, Célia. Je ne permettrais pas que ma femme trahisse mon maître.

Il enjamba le baquet et se plongea dans l'eau.

— Pouvez-vous me frictionner le dos ?

— Avec plaisir.

— J'irai trouver Ralph tout à l'heure pour démentir les faits qui vous sont reprochés. De toute façon, votre punition s'est avérée bien suffisante.

Il n'était pas venu à l'esprit de Célia qu'elle encourait un châtiment supplémentaire, non parce qu'elle avait déjà terriblement souffert, mais parce qu'elle était innocente du crime qu'on lui imputait. Elle était soulagée de la confiance que lui accordait Guy. De toute évidence, il prendrait sa défense si besoin était.

Tout en le savonnant, Célia laissa dériver ses pensées vers le problème qui la préoccupait avant tout : Guy avait-il changé d'avis en ce qui concernait leur mariage ? Elle brûlait de le questionner, mais n'osait pas. Heureusement, il ne semblait pas le moins du monde excité par son contact. C'était plutôt bon signe !

Pourtant, Célia envisageait la nuit à venir avec angoisse. Elle n'avait aucun moyen d'empêcher Guy de consommer leur union. Elle pourrait tout au plus le garder à distance un soir ou deux, en arguant de l'épreuve qu'elle venait de subir, mais un jour viendrait où elle serait dans l'obligation de se soumettre.

Elle se traita mentalement d'idiote. Guy était doux et affable. Il possédait désormais son propre fief et deviendrait un puissant vassal. Elle aurait dû le remercier de l'avoir épousée, réchauffer son lit et porter ses enfants. Ils étaient déjà amis et ce sentiment s'épanouirait avec les ans.

Lorsque, quelques années plus tôt, le soupirant choisi par son père l'avait éconduite, elle avait abandonné tout espoir de fonder un foyer. Pourtant le destin s'en était mêlé... Elle se retrouvait nantie d'un mari qui se montrait aussi vaillant soldat qu'attentif confident. Qu'exiger de plus ? Se refuser à lui était une grossière erreur.

Pourtant, au fond de son cœur, elle ne pouvait se résoudre à un tel arrangement, car une image obsédante lui revenait sans cesse à l'esprit : celle d'un homme à la beauté païenne, qui la poursuivait jusque dans ses rêves...

47

Célia fut surprise par la courtoisie des soldats à son égard, lors du souper. Ses voisins s'enquirent aimablement de son état de santé et Beltain lui présenta même des excuses publiques.

— Les oubliettes me terrifient depuis ma plus tendre enfance, répondit-elle, rose d'embarras. Vous ne pouviez pas savoir...

Elle était assise aux côtés de Guy, lui-même à la droite de Ralph. Alice était invisible et Célia se posait mille questions à son sujet. Elle évitait soigneusement Ralph, bien que chaque geste du Normand, chaque mot qui franchissait ses lèvres, chaque sourire, l'émût au plus haut point. Il fallut qu'il s'adressât directement à elle pour qu'elle osât enfin soutenir le regard bleu azur.

— Comment vous portez-vous, aujourd'hui, Lady Célia ?

Lady Célia ! Un frisson de plaisir chatouilla la nuque de la jeune femme. Ralph semblait détendu, nonobstant la lueur intense dans ses prunelles, qui trahissait toute sa passion. Il était si beau que Célia en eut le souffle coupé.

— Bien, Monseigneur.

Il se tourna vers Athelstan et reprit le cours d'une conversation animée sur le dressage des chiens de berger. Cette fois, Célia ne le quittait plus des yeux. Le guerrier avait une présence royale, son allure et sa prestance étaient celles d'un prince de sang.

Cette comparaison la ramena brusquement à la réalité : ses frères attendaient des informations de sa part. Albie lui avait dit d'utiliser Feldric comme messager, dès qu'elle obtiendrait des nouvelles d'importance. Seulement, Célia ne possédait aucun renseignement nouveau. Elle n'était toujours pas la maîtresse du Normand, et encore moins sa confidente.

La jeune femme se rappela combien l'exigence de ses frères l'avait humiliée et faillit sourire. Il n'y avait pas là de quoi la bouleverser ! Vraiment, elle se demandait bien pourquoi cette requête avait déclenché en elle une telle rage...

Célia commençait à se sentir mal à l'aise. Elle avait été si préoccupée par ses propres problèmes — son mariage avec Guy, la nuit de noces imposée par le Normand, son emprisonnement —, qu'elle en avait oublié sa mission. Edwin et Morcar organisaient une insurrection pour la fin août. Ils avaient la ferme intention de renverser Ralph de Warenne et d'expulser Guillaume d'Angleterre. Mais pour cela, ils avaient besoin de l'aide de Célia. Oh, bien sûr, ils avaient d'autres espions à leur disposition, mais aucun n'était aussi bien placé que la jeune femme. Elle leur avait fait une promesse. Le sort de tous les siens dépendait de son bon vouloir. Elle ne pouvait leur faire défaut.

Elle risqua un œil vers le guerrier. Elle s'était révélée une bien piètre séductrice ! Lorsqu'elle avait tenté de le charmer, il l'avait sur-le-champ mariée à son vassal. Beau résultat en vérité ! Elle ignorait même si Ralph la désirait encore... Il avait clamé haut et fort son amitié pour Guy. D'un autre côté, il avait suffisamment d'arrogance pour la posséder à son gré, sans se soucier de ce qu'elle éprouvait.

L'estomac noué, elle se rendit compte que ses soucis importaient peu, comparés à l'immense responsabilité que ses frères lui avaient assignée. Ne pas intervenir était déjà une trahison en soi.

A nouveau son regard accrocha celui de Ralph.

Pendant un bref instant, elle demeura hypnotisée par ses prunelles de braise. Puis elle sut avec certitude comment elle devait procéder.

Ralph aurait dû ressentir les effets de la fatigue, car il n'avait pu trouver le sommeil la nuit passée. Il s'était tourné et retourné dans son lit, hanté par d'effroyables visions : Célia, recroquevillée sur elle-même, gisant dans la boue, à demi folle de terreur... Et ce soir encore, le Normand doutait de pouvoir se reposer. A plusieurs reprises, pendant le repas, il avait senti le regard insistant de la jeune femme se poser sur lui. Que cherchait-elle donc ?

Il était attablé dans la grande salle, un hanap de vin à portée de la main, et retardait le moment de monter se coucher. La plupart des soldats, déjà endormis, ronflaient bruyamment autour de lui. La pièce était plongée dans la pénombre, seules les flammes mourantes dans la cheminée éclairaient faiblement les trophées accrochés aux murs.

Il ne réussissait pas à balayer Célia de ses pensées. Elle semblait s'être parfaitement remise de son épreuve, et il l'avait trouvée aussi radieuse qu'à l'ordinaire. Il se maudissait de n'être point revenu plus tôt au manoir, mais le temps n'était plus aux remords.

Il espérait que Guy n'abuserait pas de son épouse cette nuit, qu'il lui permettrait de reprendre des forces. Allons, Athelstan avait raison ! Il fallait au plus vite expédier le couple à Dumstanbrough.

Il vida son verre et le reposa sur la table. Puis il prit une lampe à huile et gravit lentement les escaliers qui menaient à sa chambre. Une fois à l'intérieur, il referma la porte d'un coup d'épaule et ôta son lourd ceinturon. Tout à coup, il se figea en distinguant une forme humaine sous les couvertures.

— Sortez de mon lit, Lady Alice ! Je n'ai aucune intention de vous honorer. Vous osez contrevenir à mes ordres, en plus ! Ne vous ai-je pas signifié que vous étiez confinée dans votre chambre ? Je vous assure que votre conduite ne m'engage pas à lever la punition !

Célia se dressa et les draps glissèrent autour de sa taille de guêpe. Elle était nue et magnifique, ses seins ronds avaient un éclat éburnéen, ses longues boucles de miel dévalaient en cascades brillantes sur ses reins. Ralph, se croyant victime d'une illusion, secoua la tête avec incrédulité.

— Que... que faites-vous ici ? articula-t-il enfin.

La poitrine de la jeune femme se soulevait à un rythme saccadé. Ses lèvres purpurines, entrouvertes sur de petites dents nacrées, étaient une invite au baiser ; ses larges prunelles violettes dévoraient le guerrier.

— Je vous veux, déclara-t-elle simplement.

Elle réalisa qu'elle ne faisait qu'avouer la vérité. Tout son être réclamait le Normand, sa fougue, ses caresses...

Ralph lut tout ceci sur le visage langoureux de la jeune femme. En un éclair, il fut près d'elle. Ils s'étreignirent, et leurs bouches fébriles s'unirent avidement.

Toutes les bonnes résolutions de Ralph s'étaient évanouies comme par enchantement. Seule Célia comptait. Elle était là, chaude, offerte, vibrant de la même impatience que lui. Il la cambra en arrière et elle se colla sensuellement à lui. Du genou, il écarta les cuisses blanches de la jeune femme, et pressa son sexe gonflé contre le ventre nu. Il tenait entre ses mains les seins ronds, dont il caressait les pointes frémissantes. Célia gémit sourdement et enserra les hanches de l'homme de ses longues jambes fuselées jusqu'à exaspérer son désir. Chacun buvait le souffle de l'autre comme un délicieux poison. Les mains de la jeune femme glissèrent sur le dos du guerrier, dessinant des arabesques de feu sur sa peau bronzée. Elle le supplia de la prendre. Emporté par un torrent de passion, il cria son nom et acheva précipitamment de se déshabiller.

Un feu brûlant courait dans les veines de Célia, son cœur battait à tout rompre. Elle avait sombré dans un univers de sensations paradisiaques. Une sorte de frénésie s'était emparée d'elle. Sa main droite descendit et se referma sur le membre palpitant, qu'elle guida en elle.

Ils restèrent une seconde immobiles, goûtant la douceur de leurs deux corps confondus, puis se mirent à bouger au même rythme, de plus en plus vite. Il plongeait en elle, toujours plus loin, et des sensations étourdissantes enivraient la jeune femme. De leurs lèvres, de leurs mains, ils exploraient de nouveaux rivages, abordaient des contrées inconnues, dans une danse rituelle qui célébrait l'amour.

Soudain, sur le point de se perdre en elle, il se redressa, tentant de maîtriser ses sens en délire pour prolonger leur étreinte.

— Célia !

— Non, ne vous arrêtez pas ! implora-t-elle.

Elle saisit le visage du guerrier entre ses deux mains et l'embrassa fiévreusement, avançant ses hanches à sa rencontre, pour le garder au fond d'elle-même. Affolé, il reprit son mouvement tandis qu'elle se tordait convulsivement sur les oreillers. Célia se laissa guider et, quand l'extase monta en elle, pour exploser dans un ouragan dévastateur, elle se sentit transportée aux confins de la folie.

Éperdue, tremblante de reconnaissance, elle se

mit à sangloter contre Ralph. Il eut un rire triomphant, avant de s'abandonner à la jouissance qui le torturait. Dans un spasme ultime, il répandit sa semence en elle.

48

De longues minutes s'étaient écoulées.

La respiration de Ralph se calmait peu à peu. Il n'osait bouger de peur de briser la magie du moment et sa virilité habitait toujours le temple secret de la jeune femme. Il la gardait précieusement enlacée, comme s'il craignait qu'elle ne lui échappe. Que s'était-il passé ? Elle était venue à lui de son plein gré, lui avait clairement avoué son désir, et s'était donnée avec un empressement qui égalait le sien.

Il se souvint brusquement qu'elle était l'épouse de Guy et roula sur le côté, harcelé par les regrets. Elle remua légèrement et se blottit contre lui avec candeur. Leurs regards se mêlèrent, et le guerrier oublia immédiatement toute culpabilité. Elle était divinement belle ! Son pur visage resplendissait de joie.

La jeune femme posa la main sur la poitrine du Normand et suivit du doigt le contour ferme des muscles, explorant avec délices ce corps puissant qui l'avait comblée, comme si elle voulait en imprimer la forme au creux de ses paumes. Ce léger effleurement suffit à faire renaître l'étincelle. Quelques secondes de plus auraient ranimé le désir de Ralph.

Il lui saisit durement le poignet pour interrompre la caresse.

— Où est Guy ?

Nullement démontée, elle répondit avec placidité.

— Dehors, avec quelque catin des environs. Ne craignez rien, je ne lui manquerai pas cette nuit...

— L'imbécile !

Les mots lui avaient échappé. Célia resta silencieuse et il l'attira contre lui.

— Vous ai-je fait mal, Célia ?

— Non ! Bien sûr que non !

Elle paraissait si sincère, si heureuse, qu'il faillit étouffer de ravissement.

— Après ce que vous avez subi, je n'aurais peut-être pas dû...

— Tout va bien, je vous assure.

Elle lui pressa gentiment la main. Ralph soupira. Après tout, il n'était qu'un homme, et sa volonté était impuissante devant la sensualité de la jeune femme. Il retomba sur le traversin, fixant le plafond.

— Ne vous torturez pas en vain, chuchota Célia.

Elle approcha son visage du sien et sa poitrine marmoréenne frôla le bras de Ralph.

— Prétendez-vous lire dans mon esprit ? railla-t-il.

— Je n'en ai nul besoin, vos pensées sont inscrites sur votre figure. De plus, je vous connais bien, maintenant...

Il joua un instant avec une mèche dorée, puis sa main parcourut son flanc, avant de se refermer sur la courbe gracieuse de la hanche.

— Je n'aurais jamais dû vous unir à Guy...

— Quelle importance ? Vous êtes notre seigneur. A ce titre, votre volonté est souveraine.

— Je crains que Guy ne soit pas tout à fait de votre avis.

— Vous vous trompez, jamais il ne s'opposera à vos décisions.

— En êtes-vous certaine ?

— Tout à fait ! Mais si vous préférez, nous pouvons le lui cacher.

— Que diantre me suggérez-vous là, petite coquine ? Je ne suis pas un menteur ! Je ne trahis pas mes amis ! Et pourtant, regardez-moi : je viens de bafouer ces deux préceptes !

— Nous ne pouvons nous passer l'un de l'autre, observa-t-elle doucement.

Il frémit, électrisé par son contact, luttant contre lui-même. Il devait lui ordonner de partir. Pourtant, il savait pertinemment qu'il n'en ferait rien.

— Sorcière... ! murmura-t-il d'une voix assourdie. Vous me tenez sous votre joug !

Elle entreprit de lui masser les épaules. Il rejeta la tête en arrière, les yeux clos, et n'opposa plus aucune résistance.

— Vous êtes si fort, si grand, Monseigneur...

Avec un grondement sauvage, il la saisit à bras-le-corps et la posa à califourchon sur lui. Ses doigts fébriles appliquèrent leur empreinte brûlante sur la gorge ronde de la jeune femme. Il lui mordilla le lobe de l'oreille, lui arrachant un miaulement plaintif, et darda son sexe contre la plaine de son ventre.

— Chevauchez-moi, Célia !

— Mais, je...

Avant qu'elle n'achève sa phrase, il avait pris possession de sa bouche entrouverte. Il souleva la jeune femme par la taille et la pénétra d'un coup de reins. Elle cria, traversée par une douleur fugace, mais il la maintint dans cette position.

— Ne bougez pas, je serai doux. Détendez-vous...

— Mais vous allez me déchirer les entrailles !

— Faites-moi confiance, vous dis-je.

Il attendit qu'elle se décontracte avant de la lâcher. Célia se redressa, et une onde de plaisir la transperça.

— Chevauchez-moi, Célia ! réitéra-t-il d'une voix pressante.

Cette fois, elle ne se fit pas prier.

— Depuis combien de temps êtes-vous aux côtés de Guillaume ?

— Une douzaine d'années.

Ils reposaient sur la couche, tendrement lovés dans les bras l'un de l'autre, tandis qu'il lissait du plat de la main les mèches ébouriffées de la jeune femme. Elle avait posé sa joue fraîche sur l'épaule noueuse du guerrier, et goûtait de temps en temps la saveur de cette peau musquée, tannée par le soleil.

— Une douzaine d'années ? Comment est-ce possible ? Vous n'êtes pas si vieux...

Il eut un sourire indulgent.

— J'approche de la trentaine. Je me suis enrôlé dans l'armée de Guillaume à dix-sept ans. Pourquoi ?

— Je m'aperçois que j'ignore tout de votre vie passée...

— Vous en savez bien plus que les autres femmes. Vous seule parvenez à me rendre fou.

Les prunelles du Normand scintillaient d'un éclat étrange.

— Allons donc ! Je ne suis pas la première.

— Vous parlez d'un soulagement purement physique. Ce n'est pas ce à quoi je faisais allusion.

Ils s'étaient aimés passionnément durant des heures. Pourtant, Ralph n'était pas rassasié des courbes affriolantes de la jeune femme. Le feu du désir couvait en lui, prêt à se déchaîner à la moindre invite. Célia lui avait fait franchir les limites de l'extase ;

l'admirable perfection de leurs étreintes avait fait naître en eux l'envie de s'aimer sans relâche. Chaque fibre de leurs corps vibrait à l'unisson. Les mots étaient dérisoires pour décrire les sentiments qu'elle lui inspirait.

Et pourtant, après la tempête qui les avait vus s'échouer sur des rivages inconnus, la quiétude et la sérénité qu'il éprouvait à la tenir simplement contre lui égalaient en perfection les plaisirs de l'amour charnel.

Ce bonheur était nouveau pour lui. D'ailleurs, il ne se rappelait pas avoir jamais partagé le lit d'une de ses conquêtes après l'acte sexuel. Il aurait aimé avouer tout cela à Célia, mais ne savait comment s'y prendre.

— J'ai appris que vous aviez un frère, dit Célia. Est-il aussi bien bâti que vous ?

— Quoi ? s'indigna-t-il, une lueur malicieuse au fond des yeux.

— Vous avez l'esprit mal tourné ! Je vous demandais juste s'il était aussi large d'épaules et aussi grand que vous.

Il était ravi de ces compliments mais pour rien au monde il ne l'aurait confessé.

— Et que nous vaut ce subit intérêt pour mon frère ? D'où tenez-vous son existence ?

— C'est mon petit doigt qui me l'a dit. Est-il ici, en Angleterre ?

— Oui, à la frontière sud. Et pour satisfaire votre curiosité, apprenez qu'il est presque aussi haut que moi, mais plus mince. Je suis le seul de ma famille à avoir une telle carrure. Peut-être un souvenir de quelque ancêtre viking ?...

— Vous êtes parfait tel que vous êtes, et vous me plaisez énormément. Retournerez-vous un jour en Normandie ?

— Ma vie est ici, à présent.
— Et vos parents ?
— Ils sont restés là-bas. J'ai suivi Guillaume qui m'a promis un patrimoine pour mes héritiers. Voilà pourquoi, aujourd'hui, je suis seigneur d'Aelfgar.
— La vie est mal faite !
— Vous trouvez ?
— Oui ! Pourquoi faut-il que le seul homme qui m'attire soit également mon ennemi ?
— Est-ce ainsi que vous me considérez ?
— Non.
— Vous a-t-on déjà dit que vous aviez des seins magnifiques ?
— Oui, à maintes reprises !
— Et qui, morbleu ?
Elle secoua la tête en riant, satisfaite de sa petite plaisanterie.
— Je blaguais, Monseigneur. Je voulais juste voir votre réaction. Personne ne m'a jamais rien dit de tel.
— Excepté Guy, n'est-ce pas ?
Elle se rembrunit légèrement, hésitant à lui raconter la vérité. Mais sous le regard insistant du guerrier, elle enchaîna :
— Guy ne m'a jamais vue nue.
— Je ne peux le croire ! Vous fait-il l'amour dans le noir ? Ou ne prend-il pas la peine d'ôter vos vêtements ?
— A vrai dire, je ne suis pas réellement la femme de Guy...
— Comment cela ?
— Il ne m'a jamais touchée. Il a peur de mes pouvoirs de sorcière et il refuse de s'attacher à une créature du Diable. Il préfère de loin courir le guilledou ailleurs. Nous avons conclu un pacte qui nous sied à tous deux.

Ralph était abasourdi. L'air grave, il releva le menton de la jeune femme.

— Vous ne me mentez pas, Célia ? Votre mariage n'est pas consommé ?

— Je vous le jure !

Il la serra à l'étouffer avec une telle violence que Célia se débattit. Aussitôt, il se radoucit et déposa un tendre baiser sur sa tempe, comme pour se faire pardonner.

— Ne luttez plus contre moi. Désormais, vous m'appartenez, Célia !

Il l'enlaça, tandis que, dans un dernier sursaut, elle essayait de se dégager. La main de l'homme s'enfonça dans l'épaisse chevelure de miel, cependant que ses lèvres devenaient plus ardentes, plus exigeantes... Vaincue, Célia se soumit à la loi du mâle. Elle sentait que son cœur recommençait à s'emballer. Oh, et puis pourquoi empêcher ce qu'elle désirait elle aussi de toutes les fibres de son être ? Pourquoi se défendre ?

Un courant électrique les embrasa tout entiers. Ils se contemplèrent longuement, savourant ce moment féerique où le temps était comme suspendu avant le déferlement du plaisir.

Quand la main de Ralph s'arrondit autour de son sein, Célia gémit et se cambra contre lui. Il la retourna sur le ventre pour admirer son dos de neige, sa croupe ronde... S'allongeant alors sur elle, il s'introduisit profondément, attisant chez la jeune femme un feu dévorant. Elle cria sauvagement sa jouissance lorsque, sans interrompre son va-et-vient voluptueux, il titilla de la main le joyau de sa féminité. Incapable de se maîtriser davantage, Ralph se laissa emporter par la vague torride qui déferlait en lui, avant de s'effondrer sur le corps de Célia.

Peu à peu, blottis l'un contre l'autre, ils reprirent leurs esprits.

— Vous êtes mienne, Célia !

— Vous oubliez que je suis toujours la femme de Guy...

— Personne ne posera la main sur vous. Je m'occuperai personnellement de Guy. Je vous préviens, Célia : si jamais vous me trompiez, je serais capable de vous tuer ! Je ne sais pas partager.

La jeune femme était tiraillée entre un sentiment d'effroi et une griserie délicieuse. Elle soutint sans faiblir le regard du Normand.

— Je suis à vous corps et âme, Monseigneur. Jamais je ne m'éprendrai d'un autre homme. Je vous le promets.

Avec un soupir de soulagement, il roula sur le côté.

— Vous m'avez envoûté, Célia. Je perds l'esprit en votre compagnie...

— Peut-être est-ce tout simplement l'amour, Monseigneur ?

— L'amour ? Il n'y a pas de place pour une telle faiblesse dans la vie d'un guerrier.

— Vous avez tort, Monseigneur. Les émotions ne sont pas dangereuses...

— Un homme qui ne saurait pas y résister serait en grand péril, car il ne serait plus que l'ombre de lui-même.

— Pourtant, vous êtes heureux auprès de moi, sans pour autant en être diminué. Pour ma part, je vous trouve plutôt vigoureux !

Cette dernière remarque arracha un sourire amusé au Normand.

— Ne jouez pas sur les mots. Vous m'avez très bien compris !

— Vous redoutez d'aimer, avouez-le ! Mais souvenez-vous : je suis une sorcière, et mes philtres auront raison de vos réticences. Je vous parie, moi, qu'un beau jour vous ne pourrez plus vous passer de moi !

— Vous avez perdu d'avance, ma jolie !

— C'est ce que nous verrons !...

49

Ralph s'arrêta sur le seuil de l'étable, scrutant la pénombre. Il leva bien haut sa lanterne et aperçut Célia. Elle était assise sur une meule de paille et l'attendait. Leurs yeux se croisèrent et ils se sourirent. Ralph la prit dans ses bras et la pressa étroitement contre lui, mais elle échappa à son étreinte.

— Attention à votre lampe, Monseigneur ! Vous risquez de mettre le feu à la grange !

Il souffla la bougie docilement et, guidé par la voix de sa compagne, revint vers elle à tâtons. Par jeu, elle se déroba, mais il eut tôt fait de l'attraper. Il lui emprisonna les lèvres d'un baiser impérieux et elle lui répondit ardemment. Submergée par la violence de leur passion, elle s'abandonna aux audacieuses caresses du guerrier. Une frénésie bienheureuse envahit le couple, comme si une substance miraculeuse se répandait dans leurs veines et mettait leur esprit en sommeil, tout en réveillant chaque fibre de leurs corps. A regret, ils s'écartèrent, afin de reprendre leur souffle.

— Vous m'avez manqué ! articula-t-elle d'une voix presque inaudible. J'ai l'impression que nous avons été séparés pendant une éternité !

— A moi aussi, ces quelques heures ont semblé interminables. Je ne peux plus attendre, je brûle de désir pour vous.

D'un geste presque brutal, il pressa les hanches de la jeune femme contre sa virilité érigée. Leurs lèvres s'unirent à nouveau, et Célia se dressa sur la pointe des pieds, agrippant les épaules de l'homme pour mieux goûter le miel de sa bouche. Comme aimantés l'un par l'autre, ils s'embrassèrent longuement, avant de se déshabiller à la hâte, laissant choir leurs vêtements en tas sur le sol poussiéreux. Célia se coula contre le Normand, langoureuse, consciente d'attiser le feu qui embrasait ses sens. Habiles, ses mains couraient sur le corps de son amant, et Ralph savourait pleinement l'ivresse que lui procuraient ces délicats attouchements.

Ils se fondirent l'un dans l'autre.

Grisés par une excitation tumultueuse, les deux jeunes gens se rendaient compte que l'extase qu'ils allaient connaître dépasserait en intensité tout ce qu'ils pouvaient imaginer. Forts de ce pressentiment, ils retardaient autant que possible l'instant où la passion les engloutirait, vertigineuse et enchanteresse. Ils se chuchotaient des mots enflammés au creux de l'oreille. L'irrésistible ascension qui les transportait vers le bonheur culmina soudain en un éblouissement fulgurant. Puis, apaisés et comblés, ils demeurèrent soudés pour se remettre de l'ouragan qui les avait terrassés.

Enfin, Ralph se résolut à briser cet instant privilégié.

— Guy partira demain matin pour Dumstanbrough afin d'inspecter son domaine et de surveiller le début des travaux. Je lui ai accordé un congé de quinze jours.

— Je suis au courant, il m'a déjà informée de sa prochaine absence.

— A-t-il ajouté autre chose ?

— Non, rien.

— Il ne vous a posé aucune question sur la nuit dernière ?

— Non... J'ai quelque remords à le tromper ainsi, même si je sais pertinemment qu'il a passé la soirée avec Lettie.

— Dès son retour, j'y mettrai bon ordre.

En effet, Ralph avait tous les droits. Il pouvait persuader Guy d'obtenir l'annulation du mariage, ou encore l'obliger à n'entretenir que des relations strictement amicales avec sa femme. Célia était certaine d'une chose : le Normand ne divorcerait jamais pour l'épouser ! A cette pensée, une pointe acérée lui vrilla le cœur. Elle était folle ! De toute manière, même s'ils étaient libres tous les deux, elle n'accepterait jamais de s'unir à lui. Il était son ennemi ! Elle ne devait pas perdre de vue la mission que ses frères lui avaient confiée. Car c'était dans cet unique but qu'elle était devenue la maîtresse du guerrier.

— Est-ce que... Est-ce que ma sœur a deviné quelque chose à notre sujet ?

— Je n'en sais rien, et je m'en moque ! Alice est toujours consignée dans sa chambre. Je ne supporte plus son caractère vicieux. Je lui ai vivement conseillé de cesser ses manigances si elle ne voulait pas encourir mon courroux.

— Vous avez fait cela pour moi ?

— Pour qui d'autre, sinon ? Son plan a bien failli vous coûter la vie !

— Pourtant, vous l'avez punie bien avant que je ne me glisse dans votre lit...

— Cela n'a rien à voir avec notre histoire, bien que — je l'admets — je sois prêt à égorger le premier qui oserait toucher à un cheveu de votre tête !

— Oh, je vous en supplie, ne dévoilez rien à Alice !

— Me croyez-vous assez stupide pour lui dire quoi que ce soit ?

— Elle finira bien par l'apprendre. Malgré toutes nos précautions, on nous surprendra fatalement un jour, et la nouvelle se répandra comme une traînée de poudre. Les gens sont si bavards... !

— Ne vous inquiétez pas, rien de tout cela ne se produira. Je suis le maître ici et je saurai faire taire les mauvaises langues ! A moins... que vous ne décidiez vous-même de tout divulguer. Dans ce cas, vous auriez affaire à moi !

— Vous ne m'intimidez pas ! Les sorcières se rient des simples mortels !

Ralph ne put retenir un grand éclat de rire.

— Chut ! enjoignit Célia en posant un doigt sur ses lèvres. Vous allez ameuter tout le manoir !

— Tout le monde dort, à l'heure qu'il est. Personne ne peut nous entendre, sauf les souris et les chevaux.

— Des souris, dites-vous ? Effectivement, tout à l'heure, j'ai senti quelque chose de chaud contre ma cuisse. J'ai cru qu'il s'agissait de vous, mais tout compte fait, c'était bien trop petit...

Il roula sur le dos et la souleva au-dessus de lui en riant.

— Vous auriez dû vous en douter !

Ce disant, il saisit la main de la jeune femme et la plaça sur son membre palpitant.

— Espèce de prétentieux ! Vos attributs n'ont rien d'extraordinaire !

— Et cependant ils vous ont arraché des feulements extatiques !

— N'exagérez-vous pas un tantinet ?

— Non, je suis même loin de la vérité.

Les doigts de Célia se refermèrent sur la virilité de Ralph et entamèrent un lent va-et-vient. Le Normand retint un gémissement de plaisir. Elle s'agenouilla et frotta langoureusement ses seins gonflés de désir contre le sexe turgescent de l'homme. N'y tenant plus, il se jeta sur elle et la cloua dans la paille.

— Vous m'aviez caché vos talents, petite délurée ! Mais il est temps de renverser les rôles !

Il la pénétra et elle se plia à la cadence qu'il lui imposait avec fièvre.

Ralph observait distraitement ses hommes qui s'entraînaient. Célia venait de faire son apparition sur le chemin qui menait au verger. Il la suivit du regard, fasciné par sa démarche gracieuse et chaloupée.

— Nous sommes prêts, Monseigneur, annonça Beltain.

Ralph acquiesça d'un signe de tête impatient. Quand il se retourna, Célia avait disparu entre les arbres.

— Beltain, prends le commandement ! ordonna le Normand d'un ton sans réplique.

Il piqua des deux et lança son destrier à la poursuite de la jeune femme. Lorsqu'il eut atteint la pommeraie, il stoppa sa monture et scruta les alentours. Nulle trace de Célia. Où se trouvait-elle ? Elle ne pouvait pas être bien loin...

— Célia ! appela-t-il.

Seul le silence lui répondit, et il fronça les sourcils. Aussitôt les pires éventualités l'assaillirent : avait-elle donné rendez-vous à un espion ? Ou tout bêtement avait-elle glissé et heurté une pierre de la tête ?

— Célia ! Célia !

Toujours pas de réponse. Pressant son cheval, il fit le tour du verger et parvint aux abords de la forêt. Mais il rebroussa chemin en se disant qu'elle n'aurait pas eu le temps de gagner l'orée.

Tout à coup un rire cristallin retentit. Ralph aurait reconnu ce son mélodieux entre mille, et un intense soulagement l'envahit. Il fit volte-face.

— Célia, petite peste, à quoi jouez-vous ?! Où êtes-vous ?

A nouveau un gloussement joyeux fusa dans l'air. Avant qu'il ait pu réaliser ce qui lui arrivait, un objet dur frappa le guerrier en pleine tête. Interloqué, il vit une pomme tomber à ses pieds, et leva les yeux vers l'arbre qui le surplombait. Il découvrit Célia nichée dans le vert feuillage. Elle offrait un tableau champêtre particulièrement charmant.

— Vous me suiviez, Monseigneur ? demanda-t-elle d'une voix faussement candide.

— Que diantre fabriquez-vous là-haut ?

— Je ramasse des pommes, bien sûr !

D'un geste vif, elle lança un second projectile qu'il évita de justesse. Il la dévisagea, incrédule.

— Vous êtes folle !

— Vous m'épiiez, n'est-ce pas ?

— Descendez immédiatement de votre perchoir ! Et ne vous avisez pas de recommencer ! A cause de vous, je vais avoir une bosse...

— Je n'ai pas terminé ma cueillette, protesta-t-elle.

— Obéissez ! Sinon...

— Venez donc me chercher, si vous l'osez...

— Ne dites pas de bêtises. Cet arbre ne supportera jamais mon poids !

— Alors, tant pis pour vous ! Vous ne m'aurez pas ! rétorqua-t-elle, une lueur de défi dans ses prunelles améthyste.

— Très bien, vous l'aurez voulu. J'arrive !

Joignant le geste à la parole, Ralph se hissa avec

agilité sur les premières branches. Le bois craqua et il s'empressa de grimper plus haut, jusqu'à atteindre la fine cheville de la jeune femme. Celle-ci se déroba adroitement et, avec la rapidité d'un écureuil, se laissa glisser au pied de l'arbre. Les mains sur les hanches, elle riait aux éclats en contemplant la mine déconfite du Normand.

— Vous avez l'air malin, juché dans votre pommier !

Vexé, Ralph sauta sur le sol, mais Célia avait déjà pris la poudre d'escampette. Zigzaguant entre les arbres, elle esquivait sans difficulté son poursuivant. Elle se faufilait entre les doigts du Normand au moment où il croyait enfin la saisir, et détalait comme un lièvre, en pouffant de rire. Mais elle avait moins de résistance que lui et, à bout de souffle, elle dut interrompre sa course et s'appuyer contre l'écorce d'un tronc pour reprendre sa respiration. Ralph la saisit par la taille avec un cri de triomphe et la fit tournoyer dans les airs.

— Lâchez-moi ! piailla-t-elle. Je veux descendre !

— Ah, vous êtes moins fière, à présent !

Il la ramena contre sa poitrine et elle noua les bras autour de son cou.

— Quel est ce nouveau jeu, Célia ? Vous moquez-vous de moi ? Si vous comptez m'épuiser, c'est peine perdue !

— Oh !la la ! Vous êtes bien trop sérieux, Monseigneur ! Je voulais seulement vous distraire un peu.

— Eh bien, j'ai d'autres idées tout à fait divertissantes.

Sa bouche exigeante fondit sur les lèvres purpurines de la jeune femme, tandis que sa main s'empêtrait dans les plis de la tunique.

— Vous n'allez tout de même pas me prendre ici ! feignit-elle de s'indigner.

— Pourquoi pas ? Il n'y a personne...

Ralph était étendu sur le dos, la tête calée sur le tas de vêtements roulés en boule, et fixait le vide en caressant distraitement les fesses rebondies de sa compagne. Le menton de Célia reposait sur son torse. La jeune femme le contemplait d'un air admiratif.

Une fois encore, ils s'étaient donné rendez-vous dans l'étable. Ralph semblait de fort bonne humeur et pleinement détendu. « Comme il est beau ! songea Célia, le cœur chaviré. Et il m'appartient !... »

— Pourquoi me regardez-vous ainsi ?

— Vous êtes terriblement séduisant, Monseigneur... Les femmes doivent se pâmer sur votre passage.

— Ainsi, vous me jugez à votre goût ?

— Quelle perspicacité ! On ne peut rien vous cacher !

— Ma chère, je vous renvoie le compliment !

Elle blottit son visage dans les boucles mordorées du Normand, afin de dissimuler sa joie. Mais une petite voix insidieuse résonnait dans son oreille. Elle devait conserver la tête froide et ne pas laisser ses sentiments prendre le pas sur ses desseins.

Mais là, pelotonnée contre Ralph, ses résolutions s'évanouissaient. En acceptant de devenir sa maîtresse, il ne lui était pas venu à l'esprit une seule seconde qu'elle pourrait s'éprendre de lui. Il n'était plus cet envahisseur impitoyable, barbare et despotique, mais un amant tendre et attentionné. Elle n'éprouvait plus aucune hargne à son endroit. Il occupait chacune de ses pensées. Elle s'était caché la vérité trop longtemps, et devait désormais admettre qu'elle l'aimait.

Non, il ne fallait pas penser au lendemain, ni aux

intrigues politiques, ni aux complots, mais se contenter de savourer avec béatitude l'instant présent.

— Vous ennuyez-vous auprès de moi, Monseigneur ? s'inquiéta-t-elle soudain.

— M'ennuyer ? En avais-je l'air, cette nuit ? Si je vous ai paru las, je peux y remédier immédiatement.

Ce disant, il avait immiscé sa main entre les cuisses de la jeune femme. Elle se dégagea en riant.

— Non, écoutez-moi ! Vous ne m'avez pas répondu...

— Que se passe-t-il dans votre jolie tête ?

— Peut-être aimeriez-vous que j'appelle Lettie ou Beth ?

— Vous avez des envies orgiaques ?

Irritée, elle lui pinça vigoureusement le biceps.

— Vous savez bien que non ! Je vous en prie, dites-moi la vérité...

— Vous ne m'ennuyez pas le moins du monde, Célia. Je n'ai que faire de Lettie ou de Beth. C'est vous que je désire.

Une immense allégresse emplit la jeune femme. Ses traits s'illuminèrent, elle rayonnait.

— Êtes-vous satisfaite ? s'enquit-il obligeamment.

— Oui, Monseigneur.

Il posa ses larges paumes autour de la taille de Célia, notant avec surprise qu'il en faisait aisément le tour, et installa la jeune femme à califourchon sur ses hanches.

— J'aime vous faire jouir, Célia. J'aime la façon dont vous m'avez regardé ce soir...

Comme il l'enveloppait dans une étreinte possessive, elle sentit la virilité de l'homme se dresser fièrement contre son ventre.

— Encore ! s'écria-t-elle.

— Je m'en vais vous prouver mon attachement, puisque vous émettez des doutes à ce sujet...

50

— Pouvez-vous m'accorder quelques minutes, Monseigneur ? supplia Alice, sur le seuil de sa chambre.

Il faisait encore nuit noire ; Ralph revenait tout juste de la grange où il avait rencontré Célia.

— Vous êtes bien matinale, Milady. Que vous arrive-t-il ?

Alice n'était pas dupe : la bonne humeur de Ralph s'expliquait par ces quelques heures qu'il venait de passer en compagnie de sa demi-sœur. S'imaginait-il qu'elle était aveugle ? De toute évidence, c'était le cadet de ses soucis ! Il se moquait des ragots colportés sur son compte. Il ne montrait vraiment aucun égard pour elle, sa femme légitime ! Il n'avait pas hésité à se livrer à la débauche au milieu du verger, comme l'avait rapporté le mari de Mary !

Alice ravala avec peine son amertume. Dévoiler son ressentiment ne ferait qu'aggraver les choses.

Ralph s'adossa nonchalamment à la cloison, attendant avec une patience inaccoutumée qu'elle lui révélât l'objet de sa visite.

— Quand déciderez-vous de lever la sanction, Monseigneur ?

— Vous auriez pu tuer votre sœur ! Votre punition est bien légère comparée à l'ampleur de votre crime. De plus, vous avez contrevenu à mes ordres, ce que je ne peux laisser passer.

— J'ignorais qu'elle était votre maîtresse, sans quoi, je ne l'aurais pas traitée ainsi. Je voulais juste mettre une espionne hors d'état de nuire, dans votre unique intérêt.

— Me prenez-vous pour un imbécile ? Vous exécrez votre sœur et vous ne savez qu'inventer pour la faire souffrir. Vous êtes d'une jalousie maladive !

Estimez vous heureuse d'être une femme et de n'être que confinée dans votre chambre !

— Guy est-il au courant que vous le cocufiez ?

— Etes-vous blessée dans votre amour-propre ? J'en suis navré, mais je ne vous ai pas promis fidélité en vous épousant. Je suis bien incapable d'un tel exploit ! Ne vous bercez pas d'illusions, ma chère ! Bonne nuit !

— Vous allez la retrouver ! Elle, cette catin !

— Je n'ai pas à me justifier. Retournez vous coucher !

Furibonde, Alice claqua la porte au nez de son mari. Elle espérait que sa conduite inqualifiable et son effronterie provoqueraient la colère du Normand, qu'il ferait irruption dans la pièce pour la corriger et la violer...

Il n'en fut rien. Elle avait perdu.

Elle n'était plus qu'une prisonnière pitoyable. Célia avait usurpé sa place en la supplantant dans le cœur du guerrier. Mais elle n'allait pas se laisser écraser sans combattre. Si seulement sa demi-sœur était morte dans les oubliettes ! Si seulement il existait un moyen de s'en débarrasser une bonne fois pour toutes !...

Au moment où elle pénétrait dans la grande salle pour le déjeuner, Célia réalisa qu'un changement s'était opéré. Toutes les conversations se turent sur-le-champ, et des regards respectueux convergèrent sur elle.

La jeune femme évita soigneusement de regarder Ralph. On se poussa avec déférence pour lui livrer passage et, lorsqu'elle s'assit, Beltain s'empressa de lui servir à boire. Elle se troubla, consciente que, dorénavant, tout le monde était au courant de sa liaison avec le Normand.

Elle nota avec satisfaction que le siège d'Alice était vide. Maintenant que Guy était parti, on lui avait réservé la place d'honneur à la droite du sire de Warenne. Elle garda la tête obstinément baissée, en essayant de se concentrer sur le repas. En tendant la main pour saisir une tranche de pain, ses doigts rencontrèrent ceux de Ralph. Elle soutint son regard une seconde avant de détourner rapidement les yeux.

— Après vous, Milady.

— Merci, balbutia-t-elle, embarrassée.

Si tout le manoir commérait à leur sujet, Alice devait certainement être, elle aussi, au fait de leurs relations. Célia n'avait pas la conscience tranquille. Elle se rendait compte de ce que représentait le Normand aux yeux de sa demi-sœur. Elle qui souhaitait si ardemment des héritiers pour conforter sa position ! Elle devait enrager... Célia se sentait redevable d'une explication à Alice, mais redoutait ce moment. A sa place, elle aurait eu des envies de meurtre, c'était fort compréhensible !

« Si Ralph était mon mari, je ne tolérerais pas qu'une vulgaire ribaude me prive de son affection ! » réfléchissait-elle.

La jeune femme fut songeuse tout au long du service. Lorsque les convives se dispersèrent, elle prit la résolution de rendre visite à sa sœur. Durant un instant, elle se demanda si elle devait en demander la permission à Ralph, mais se ravisa. Sans nul doute, il interdirait cette entrevue. Elle venait de décider d'attendre le moment opportun pour se glisser à l'étage lorsqu'un messager royal fut annoncé.

Ralph ordonna à l'assemblée de quitter les lieux. Célia hésita à sortir, attendant un signe de sa part. Cette fois encore, il requerrait peut-être son aide ? Mais elle fut déçue, car le guerrier la pria aimablement de le laisser s'entretenir avec le messager.

— Que fais-tu ici ? jeta Alice d'un ton venimeux.

Célia referma soigneusement la porte derrière elle.

— Il faut que nous parlions, Alice.

— Et de quoi, je voudrais bien le savoir ? Je n'ai nulle envie de supporter ta présence. Elle m'est odieuse !

— Tu es bouleversée, je le comprends. Mais je suis venue t'expliquer...

— M'expliquer ? M'expliquer quoi ? Oh, ce n'est pas la peine de te disculper, j'ai parfaitement compris ! Tu t'es jetée sur lui comme une chienne en chaleur !

— Non, attends ! Écoute-moi...

— Il est insatiable, n'est-ce pas ? Mais ce que tu ne sais pas, c'est que ce matin même, lorsqu'il est rentré aux aurores, nous nous sommes violemment disputés, et qu'il m'a prise là, à même le plancher...

— Tu mens ! Je ne te crois pas.

Mais un doute assaillait Célia. Elle reconnaissait bien là la manière d'agir du guerrier. Pourtant, aurait-il eu l'énergie nécessaire pour culbuter Alice, après la nuit qu'ils avaient passée ensemble ?

— Tu t'imaginais peut-être être la seule à bénéficier de ses faveurs ? ricana Alice, goguenarde. Pauvre idiote ! Il n'est pas fidèle à sa propre épouse, ce n'est pas pour l'être à une vulgaire putain !

Bien que blessée au plus profond d'elle-même, Célia n'en laissa rien paraître. Elle croisa fermement les bras, sans se départir de son calme.

— Je ne voulais pas devenir sa maîtresse, ni te faire souffrir. Tu me connais, Alice. Tu sais que jamais je ne me serais offerte de mon plein gré à l'homme qui a usurpé notre domaine.

— Tu veux dire qu'il t'a violée ?

Alice émit un reniflement sceptique mais ses yeux brillaient de curiosité.

Célia n'avait pas pour habitude de mentir. Toutefois, elle désirait épargner à sa sœur un affront supplémentaire. Elle tenta de chasser de sa mémoire les moments délicieux qu'elle avait partagés avec Ralph, pour ne plus se souvenir que de cette première nuit où il l'avait violentée.

— Oui.

— Menteuse ! s'écria Alice. Le mari de Mary vous a surpris dans le verger, et tu paraissais apprécier vos ébats ! Tes gémissements ont été entendus dans tout le hameau !

Célia blêmit. Ainsi, on les avait vus ! Elle ne pouvait plus réfuter les accusations d'Alice.

— Tu ne vaux pas mieux que ta traînée de mère !

— Ce n'est pas vrai ! Edwin m'a demandé de devenir la maîtresse du Normand, afin de surveiller ses agissements. Je n'avais pas le choix. J'avais une mission à remplir.

Un lourd silence s'installa entre les deux femmes. Horrifiée, Célia venait de comprendre son erreur.

— Tu couches avec lui pour l'espionner ? souffla Alice, incrédule.

— Non, non ! Juste pour l'avoir à l'œil... Jamais il ne me confierait ses plans, il est bien trop rusé !

Alice jubilait. Décidément, Célia était une gourde ! Lui raconter une telle chose, à elle ! Désormais, elle possédait contre sa sœur une arme qu'elle ne manquerait pas d'utiliser.

Célia essayait désespérément de se rattraper.

— Je n'implore pas ton pardon, mais il fallait que j'éclaircisse la situation.

Devant le mutisme d'Alice, la jeune femme n'insista pas et sortit. Restée seule, Alice sourit avec une joie mauvaise.

— Je dois vous quitter, Célia.

Nue contre le flanc de Ralph, la jeune femme lui jeta un regard surpris. Ils se trouvaient dans l'étable, au beau milieu de la nuit.

— Quoi ? Si tôt ? Pourquoi ?...

— Ce n'est pas l'envie qui me manque de vous garder tout contre moi. Mais le devoir m'appelle. Je dois être à York à l'aube.

Il se rhabilla à la hâte. Célia se sentait immensément désappointée; les larmes lui montèrent aux yeux.

— A York ? Pour longtemps ?

— Vais-je vous manquer ? s'enquit-il en s'agenouillant près d'elle.

— Oui, horriblement ! Guy sera-t-il de retour avant vous ?

— Peut-être. Ne pleurez pas, ma douce colombe. Ce n'est qu'une affaire de quelques jours...

Elle parvenait à peine à croire que le départ du Normand la bouleversait à ce point. Était-ce la conséquence de sa discussion avec Alice ? Et que signifiait cette subite expédition à York ? D'un autre côté, il était sans doute préférable que Ralph s'éloigne, après ce qu'elle venait d'avouer à sa demi-sœur !

— Emmenez-moi avec vous, Monseigneur ! supplia-t-elle soudain, en se cramponnant à lui.

— C'est impossible.

Il avait pris un air sévère mais son regard se promenait avec délices sur les seins de la jeune femme, sur son ventre plat, sur sa toison dorée, sur ses cuisses galbées...

— Je vous en supplie, Monseigneur... Ne me laissez pas, implora Célia, en se pressant contre lui.

Ses mamelons dressés effleuraient le tissu grossier de la tunique. Le souffle de l'homme s'accéléra. Consciente de l'effet qu'elle produisait sur lui, elle décida de se montrer encore plus audacieuse, et sa main se glissa entre les jambes de son compagnon. En percevant le durcissement de son sexe, elle sut qu'elle avait gagné la partie.

— Je ne vous l'ai pas dit, murmura-t-elle à son oreille, mais Guy n'a plus peur de moi. Dès son retour, il voudra faire de moi sa femme. Si je me refuse à lui, il me violera ! Oh, je vous en prie, revenez sur votre décision ! Emmenez-moi ! Emmenez-moi !

Les larmes roulaient maintenant sur les joues de la jeune femme. Ralph la saisit rudement aux épaules.

— Vous cherchez encore à m'ensorceler ! Vous savez pertinemment que je ne supporte pas de vous voir malheureuse, et encore moins de vous imaginer dans les bras d'un autre !

Avec un juron, il la repoussa contre le mur. Puis, dans un élan passionné, il la hissa à sa hauteur et elle noua ses longues jambes autour de la taille du guerrier.

— Alors, vous acceptez ? demanda-t-elle d'une voix altérée.

— Oui, oui... gémit-il, égaré, en défaisant son vêtement.

51

Ils atteignirent York deux jours plus tard. La garnison royale s'activait fébrilement. Toute la journée, elle avait réussi à maîtriser son angoisse, à discuter normalement, et même à faire rire de temps à autre le Normand, à la grande surprise des soldats.

Ralph ne donna aucune explication quant à la présence de la jeune femme et personne n'osa le questionner.

Le voyage s'était déroulé sans incident. Mais les craintes de Célia réapparurent lorsqu'elle se rendit compte de l'effervescence qui régnait en ville.

Pourquoi Guillaume avait-il mandé Ralph ? Tous ces préparatifs indiquaient clairement que la troupe s'apprêtait à quitter York, et Célia redoutait le pire.

Les hommes dressèrent rapidement le camp dans la cour du château et Ralph laissa sa compagne dans sa tente pour rendre visite au roi.

La jeune femme était torturée par de funestes pressentiments. Demeurer ici sans agir était impossible ! Elle devait à tout prix se renseigner sur ce qui se tramait. Elle priait de tout cœur pour que ses inquiétudes soient sans fondement et que les Normands aient décidé de repousser les Écossais.

Elle passa le restant de la journée à déambuler dans les rues, glanant çà et là quelques informations : on redoutait une invasion danoise et Guillaume envoyait tout un régiment sur le littoral. Le souverain avait vu rouge lorsque, deux semaines auparavant, l'un de ses meilleurs capitaines avait perdu la vie dans une embuscade. Il projetait d'écumer la contrée à la poursuite des responsables et de pendre les insurgés jusqu'au dernier. Ses soupçons s'étaient portés sur Hereward, le principal allié d'Edwin et de Morcar. A son grand effroi, Célia apprit même que le lieu où ceux-ci se cachaient avait été repéré et que le roi avait la ferme intention de les en déloger.

Après s'être longuement promenée dans les rues de York, la jeune femme réintégra le fort. Elle venait de franchir le pont-levis, quand un garde l'apostropha pour lui demander ce qu'elle faisait là. Elle répondit qu'elle accompagnait Ralph de Warenne, préférant ignorer les commentaires grivois qui s'ensuivirent. Heureusement pour elle, Beltain surgit et la sortit de ce mauvais pas.

Ralph étant toujours absent, Célia envoya un jeune garçon chercher de l'eau et procéda à ses ablutions. Elle enfila des vêtements propres, puis grignota quelques victuailles. La nuit tombait et elle commençait à s'impatienter. Elle était seule depuis de longues heures. Le Normand avait dû oublier qu'elle l'attendait et dîner en toute tranquillité avec Guillaume. Elle se traita mentalement d'idiote. Après tout, il était libre d'agir comme bon lui semblait et n'avait pas de comptes à lui rendre. Et puis, comment expliquerait-il sa présence sans s'attirer les foudres du souverain ?

Il était presque minuit lorsque Ralph revint. En apercevant la jeune femme, ses traits se détendirent.

— Je suis désolé, mon cœur, mais je n'ai pu prendre congé plus tôt...

Il paraissait si contrit qu'elle sentit sa rancune fondre comme neige au soleil. Ralph n'eut pas le temps de reposer la lampe, qu'elle lui avait déjà sauté au cou pour l'embrasser. Il répondit à son baiser avec la même fougue.

— Quel accueil ! s'extasia-t-il enfin.

Les yeux de la jeune femme se noyèrent de larmes. Elle prit la tête de l'homme entre ses deux mains pour l'embrasser avec frénésie.

— Prenez-moi ! supplia-t-elle d'une voix rauque. Ici, tout de suite !

Sans plus de préliminaires, il la renversa sur la paillasse et la posséda. Célia trouva dans cette possession brutale un assouvissement physique, sans toutefois être pleinement heureuse. Son anxiété ne cessait de croître. Elle se pelotonna contre le corps puissant du guerrier, comme pour se rassurer.

— Je vois que je vous ai manqué ! observa-t-il en riant.

Elle garda les yeux baissés, reprise par une brusque envie de pleurer.

— Vous me manquez toujours quand vous êtes au loin, Monseigneur.

— Vraiment ?

— Vous le savez bien.

Le cœur du Normand s'accéléra sous sa paume. Elle-même était sous l'empire d'une intense émotion et tout à fait sincère.

— J'ai pensé à vous toute la journée, poursuivit-il. Avez-vous mangé, ma douce ? Je vais faire quérir une collation.

— Non, je n'ai pas faim.

La main du guerrier suivit les contours du dos de Célia et descendit explorer les rondeurs de la croupe. A nouveau, leur désir s'exacerba. La jeune femme se sentit gagnée par des ondes sensuelles qui culminaient au tréfonds de sa féminité. Elle voulait le recevoir, le prendre en elle. D'un coup de reins, elle bascula sur lui et dessina de la langue des arabesques de feu sur la peau tannée de son compagnon. Renversant la tête en arrière, il s'arqua vers elle, jusqu'à ce qu'elle referme les doigts sur son membre dressé. Dans un lent mouvement caressant, elle stimula son désir, guettant sur le visage de l'homme ses moindres réactions.

— Célia !

Elle s'agenouilla et sa langue courut le long du

sexe de Ralph. Puis elle le prit dans sa bouche. Il s'embrasa tandis qu'elle parcourait son membre dans ses replis les plus secrets, oubliant tout ce qui n'était pas ce plaisir presque insupportable qu'elle lui dispensait.

Il s'allongea finalement sur elle et elle cria de bonheur quand il la pénétra, nouant ses jambes autour de lui, se soulevant pour aller à sa rencontre.

Anéantis, heureux, ils gisaient sur la couche en désordre.

— Combien de temps nous reste-t-il avant le départ des troupes ? interrogea-t-elle beaucoup plus tard.

— Comment avez-vous deviné cela ?

— Je ne suis pas aveugle. J'ai remarqué que les troupes se préparaient. Je sais que vous allez rejoindre les rangs de Guillaume.

Elle s'assit sur la paillasse, les yeux embués.

— Pourquoi ce chagrin, ma chérie ?

Que pouvait-elle dire ? Qu'elle souffrait de se servir de lui, de remplir si bien son rôle d'espionne ?

— J'ai peur... chuchota-t-elle simplement.

— Puis-je espérer que c'est pour moi que vous tremblez ?

Elle acquiesça en silence, et il se pencha pour déposer un doux baiser sur ses lèvres frémissantes.

— Ne vous inquiétez pas, Célia, je vous reviendrai sain et sauf. Rien ne pourra m'en détourner !

— Les combats risquent d'être sanglants... commença-t-elle, d'un ton hésitant.

— C'est à prévoir.

— Je prie pour que vous ne trouviez pas ce Hereward !

— Nous savons déjà où il se terre, Célia, observa-t-il sèchement, une flamme étrange au fond de ses prunelles.

— Comment est-ce possible ?

— Nous avons des informateurs un peu partout dans le pays.

— Ainsi, vous allez réduire son armée à néant... remarqua-t-elle, pensive.

— Bien sûr. Il fomente actuellement une rébellion ; nous prenons les devants.

Elle perdit contenance sous le regard perçant du Normand. Ralph n'arrivait pas à déchiffrer les pensées de la jeune femme. Elle se colla soudain à lui et le serra de toutes ses forces.

— Quand partez-vous ?

Il s'était brusquement assombri et une certaine méfiance se peignit sur sa figure.

— Dès l'arrivée de Roger de Montgomery... c'est-à-dire dans deux jours...

« Ô mon Dieu ! » songea Célia avec un frisson, « Hereward n'a aucune chance de s'en sortir devant une telle alliance... »

Ralph était soudain distant ; il épiait les réactions de Célia.

— Au moins, avec de telles forces, je pourrai dormir en paix, vous sachant bien protégé.

— Êtes-vous franche, Célia ? gronda-t-il en la fixant bien droit dans les yeux.

— Oui ! Comment pouvez-vous en douter ?

C'était un véritable cri du cœur. Il la broya contre lui et s'empara de sa bouche avec une avidité farouche.

52

Le lendemain, Ralph ne quitta Célia que tard dans la matinée, pour prendre son repas en compagnie de Guillaume. Elle avait réussi tant bien que mal à dissimuler ses appréhensions. L'air désinvolte du guerrier n'avait fait qu'aggraver son malaise. Elle était décidément une piètre simulatrice, et Ralph était si perspicace !

Il avait à peine tourné les talons, qu'elle se ruait vers la ville. Elle s'assura à maintes reprises qu'elle n'était pas suivie. Les gardes la reconnurent et la saluèrent à son passage. Ralph lui avait gracieusement donné une bourse d'or et elle utilisa quelques pièces pour convaincre le fils du forgeron de porter un message à Hereward. Après bien des réticences, Ralph avait fini par lui dévoiler que le chef saxon se cachait dans les marais, près d'un village gallois du nom de Cavlidockk.

Célia n'avait pas le choix. Elle devait prévenir Hereward du danger qu'il encourait. Sinon, ce serait une véritable tuerie.

Le jour suivant, aux premières lueurs de l'aube, Ralph s'habilla de pied en cap pour la bataille. Célia frissonnait, mais ce n'était pas dû à la fraîcheur du petit matin.

Ralph avait fière allure dans son armure. Une dernière fois, il étreignit la jeune femme.

— Que Dieu vous protège, Monseigneur !

— Foin du protocole, Célia ! Appelez-moi par mon prénom.

— Que Dieu vous garde... Ralph...

— Prenez soin de vous en mon absence, ma chérie.

Célia ne voulut pas le regarder s'éloigner. Elle enfouit son visage dans la paillasse et laissa libre cours à ses pleurs.

Finalement, vers midi, elle s'extirpa péniblement de sa couche et prit un bain. Ralph l'avait prévenue qu'il ne serait pas de retour avant une semaine. Elle craignit pour la vie du guerrier, mais également pour celle de ses frères et de leurs alliés.

« Cela n'a pas de sens ! se lamentait-elle. Je ne peux m'éprendre de l'usurpateur d'Aelfgar, de l'époux de ma propre sœur ! Je dois me montrer raisonnable. Je ne suis rien d'autre qu'une lubie pour lui. Mon destin est lié à celui d'Edwin et de Morcar... »

D'un pas décidé, elle quitta le château et erra sans but dans un dédale de ruelles, essayant de remettre de l'ordre dans ses sentiments. Mais, étourdie par le bruit et l'agitation du chantier autour du fort, elle se réfugia dans un verger pour trouver un peu de solitude. Tout à coup, une jeune fille s'approcha d'elle ; son visage était vaguement familier à Célia.

— Excusez-moi de vous importuner, Milady. Mais je voudrais vous parler...

— Tu ne serais pas Maude, par hasard ?

— Oui, c'est bien moi, vous me reconnaissez ? Je suis venue vous prévenir que votre frère Morcar désire vous voir.

— Morcar ?

— Je suis une de ses amies. Je suis heureuse de l'aider à combattre ces chiens de Normands ! Je l'ai averti de votre arrivée, car il m'a demandé de lui rapporter les moindres faits à York. Il m'a fait répondre que son fidèle Albie vous attendait à environ dix kilomètres au nord de la ville, près de la rivière Wade. Il vous mènera à vos frères.

Célia exultait. Elle allait enfin retrouver les siens !

— Tu es bien brave ! Quel âge as-tu ?

— Quatorze ans le mois prochain.

Célia pensa qu'elle ne manquerait pas de réprimander Morcar à ce sujet : il était vraiment incorrigible ! Il n'avait que l'embarras du choix parmi les ribaudes qui se pressaient pour retenir son attention, et il fallait qu'il jette son dévolu sur une gamine !

— Je te remercie, Maude. Je n'oublierai pas ce geste généreux.

— Embrassez Morcar de ma part.

— Je t'en prie, Ed ! Ne peux-tu revenir sur ta décision ?...

— C'est impossible, Célia.

— Cette fois, tu n'échapperas pas à la mort ! Les Normands ont des espions partout. La meilleure preuve, c'est qu'ils ont découvert la retraite d'Hereward.

— J'ai moi aussi mes informateurs.

— C'est trop tôt ! Ne peux-tu au moins retarder l'insurrection ? Tu ne peux les vaincre, tu risques ta vie !

— Quelle virulence, Célia ! Quelle mouche t'a piquée ? Est-ce Ralph de Warenne qui t'envoie pour nous dissuader ?

— Non !

— S'est-il montré brutal avec toi ? intervint Edwin.

Elle secoua la tête.

— Tu t'es bien débrouillée, Célia. Il doit avoir en toi une confiance illimitée pour t'avoir si stupidement révélé ses plans.

— Ainsi, c'est vrai : Hereward est bien à Cavlidockk ?

— Oui.

Célia avait suspecté le Normand de lui avoir délibérément menti pour la mettre à l'épreuve. Mais il n'en était rien. Subitement elle se haït pour l'avoir si bien dupé.

— Es-tu amoureuse de lui ? s'enquit Edwin.

— Mais bien sûr que non ! Que racontes-tu là ? s'insurgea Morcar. Tu perds la tête !

— En temps de guerre, chacun se voit dans l'obligation de refouler ses sentiments, et parfois, d'exécuter des tâches qui lui répugnent, poursuivit Edwin sans tenir compte de la remarque de son frère.

— Je sais, Ed, souffla Célia en ravalant les sanglots qui lui montaient à la gorge.

— On ne peut se permettre de tomber amoureuse de son ennemi.

— Je ne le suis pas, Ed !

Ce dernier changea brusquement de sujet, comme s'il voulait éviter de s'aventurer plus loin sur un terrain glissant.

— As-tu des nouvelles d'Isolda ? J'ai appris qu'elle séjournait à York avec son mari, et qu'elle attendait un enfant.

— Non, je l'ignorais.

Isolda était la fille de Guillaume. On avait jadis promis sa main à Edwin, pour ensuite la marier à un autre prétendant. Edwin avait été furieux de cette rebuffade, mais Célia avait attribué cette colère à des raisons politiques. Jusqu'ici, l'idée ne l'avait pas effleurée que son frère pût s'être entiché de la jeune fille. Et pourtant, cela n'avait rien d'étonnant. Isolda était ravissante.

— Je me renseignerai, promit Célia.

— Ce n'est pas la peine, cela n'a aucune importance, se ravisa Ed. Seul Aelfgar compte ! Jc me battrai jusqu'au bout pour récupérer mon bien. J'ai besoin de ton aide, Célia...

— Ne crains rien, tu peux te fier à moi.

— Mais attention à toi, petite sœur ! Le sire de Warenne est un homme dangereux. Ne le laisse pas te manipuler...

Célia songea avec épouvante à ce qui se passerait si Ralph apprenait qu'elle s'était mise en relation avec Hereward. Mais elle résolut de taire ses craintes à son frère. Il était inutile qu'il se tracasse à son sujet, et elle voulait regagner York au plus vite.

Une centaine de Normands chevauchaient bride abattue vers Cavlidockk. Ralph tenait la tête de la troupe, tandis que Roger de Montgomery fermait la colonne. Les rebelles n'avaient donné aucun signe de vie. Dans une heure environ, la troupe atteindrait sa destination et attaquerait. A l'approche du combat, Ralph sentit une vibrante exaltation l'envahir tout entier.

Soudain un cri perçant déchira l'air.

Tirant sur les rênes de sa monture, Ralph hurla à ses hommes de se mettre à couvert. Une volée de flèches jaillit des fourrés avoisinants, et Beltain s'effondra, touché à l'épaule. Brandissant son épée, Ralph chargea un archer qu'il avait repéré dans les buissons. L'homme n'eut pas le temps de décamper : l'arme le cloua au sol.

La bataille faisait rage. Ralph extermina méthodiquement une douzaine de Saxons. Bientôt, les combats tournèrent à l'avantage des Normands, tandis que les Saxons encore en vie prenaient la fuite.

Ralph regarda autour de lui et constata avec horreur que le champ était jonché de cadavres. Une vingtaine de rebelles étaient restés sur le carreau, mais lui-même avait perdu bon nombre de ses soldats.

— Trahison ! vociférait Guillaume en remontant vers Ralph à cheval. J'ai vu Hereward de mes propres yeux ! Trois de mes hommes sont morts. A combien s'élèvent tes pertes, Ralph ?

— Plus... Beaucoup plus ! répondit ce dernier d'une voix blanche.

Il avisa Beltain, qui gisait à terre dans une mare de sang.

— Beltain ! Ô mon Dieu... ! s'écria-t-il, en se précipitant vers lui.

— Je m'en sortirai, Monseigneur... J'en ai vu d'autres !...

Le chevalier essayait de plaisanter, mais la pâleur cireuse de son teint alarma Ralph au plus haut point. Il soutint son lieutenant pour étancher tant bien que mal le flot de sang qui s'écoulait de la blessure. Lorsqu'il plaça un garrot, le malheureux avait perdu connaissance. Ralph le banda lui-même et resta à son chevet jusqu'à ce qu'il reprenne conscience.

Le Normand ressassait de sombres pensées. Comment avaient-ils pu se laisser surprendre aussi aisément ? Ils avaient donné tête baissée dans un piège et douze de ses hommes l'avaient payé de leur vie.

Guillaume s'approcha de son vassal lige.

— Je suis désolé, Ralph.

— Poursuivons-nous notre route ? s'enquit ce dernier durement.

— Cavlidockk sera rasé jusqu'aux fondations ! Roger s'en chargera. Nous, nous rentrons à York panser nos plaies... et enterrer nos morts !

Ralph ne répondit rien. Il contemplait les corps sans vie de ses compagnons.

— Ces maudits Saxons... grommela Guillaume. Quelqu'un les aura prévenus.

Ralph ne pouvait se détacher du spectacle effroyable qui s'offrait à ses yeux. Une flambée de rage monta en lui, et il serra les poings.

— Les coupables seront punis ! rugit-il, un éclat meurtrier dans le regard.

53

Ralph était de retour !

L'arrivée de la garnison suscitait une effervescence dans toute la ville. Célia aurait voulu franchir les quelques mètres qui la séparaient du Normand et se jeter à son cou, mais sa raison l'en empêcha. Elle regagna la tente, la tête basse, sans parvenir à dissiper le sentiment de culpabilité qui l'habitait. S'apercevrait-il de sa gêne ?

Comment s'était déroulée l'expédition à Cavlidockk ? Hereward avait-il réussi à repousser ses assaillants ? Ralph était-il blessé ? Autant de questions qui demeuraient sans réponse...

Elle oublia momentanément ses tracas quand le sire de Warenne pénétra dans ses quartiers. Immobile, nimbé par la lumière orangée du soleil, il était encore plus beau que dans son souvenir.

— Monseigneur... souffla-t-elle d'une voix altérée, tandis qu'un indéniable soulagement se peignait sur son adorable frimousse.

Il laissa retomber le pan de toile derrière lui et s'avança vers la jeune femme, le visage fermé. Une lueur glaciale dansait au fond de ses prunelles d'acier, et son attitude ne présageait rien de bon. Subitement apeurée, Célia recula contre la paillasse.

— Un malheur est-il arrivé ?

Il la toisa avec froideur. Ses lèvres ne formaient plus qu'un mince trait.

— C'est vous qui me demandez ça ? Nous sommes tombés dans une embuscade au sud de Cavlidockk.

Les yeux de Célia s'écarquillèrent.

— Une embuscade ?

— Ne jouez pas les innocentes !

La jeune femme croisa les bras sur sa poitrine.

— Que sous-entendez-vous ? demanda-t-elle, d'une voix mal assurée.

— Vous voudriez me faire croire que vous n'y êtes pour rien ?

— Mais... je...

— La vérité, Célia ! Soyez franche, pour une fois !

— Pourquoi vous mentirais-je ?

Il l'agrippa durement par le bras et la secoua comme un prunier.

— M'avez-vous trahi, Bon Dieu ! Vous seule étiez au fait de nos projets ! J'ai été stupide de vous faire confiance ! Allons, avouez !

De grosses larmes roulaient sur les joues de Célia. Elle aurait voulu crier son désespoir, soulager sa conscience tourmentée, mais devant l'air menaçant de son interlocuteur elle se ravisa. L'embarras de la jeune femme n'était que trop évident et Ralph acquit la certitude qu'elle était coupable.

Il la repoussa rudement sur la couche où elle demeura sans bouger, de peur d'attiser sa furie.

— Ainsi, c'est vous ! Je le sais ! Avouez ! Mais avouez donc, morbleu !

Comme elle s'obstinait dans son mutisme, les coups se mirent à pleuvoir sur son corps recroquevillé. Ralph ne se contrôlait plus. Célia leva les bras pour se protéger. Il la frappa jusqu'à ce que, épuisée, elle cède et lui hurle :

— Je n'avais pas le choix ! Je vous en prie, essayez de comprendre !

Le Normand s'écarta, dégoûté. A cet instant, Célia réalisa son erreur. Jusqu'au bout, il avait espéré qu'elle nierait les accusations, qu'elle lui apporterait la preuve irréfutable de son innocence. Mais il était trop tard pour faire marche arrière. Elle tenta pourtant de l'amadouer.

— Mais... Vous êtes sain et sauf. Il n'y a eu aucun dommage...

— Aucun dommage ! Une douzaine de mes hommes ont péri à cause de vous !

Horrifiée, elle ouvrit la bouche. Il se pencha vers elle et la prit brutalement par le bras. La main du guerrier lui broyait les os, mais elle serra les dents.

— Vous n'êtes qu'une menteuse ! Une sournoise à l'esprit retors ! Vous avez exacerbé mon désir, simulé le plaisir dans mes bras, pendant que vous ruminiez vos sales intrigues !

Elle voulut protester mais les mots ne franchirent pas ses lèvres. D'ailleurs c'était inutile : elle était coupable. D'une secousse il la remit sur pied et la tira dans son sillage.

— Où m'emmenez-vous ?

Il ignora la question et accéléra le pas en direction du fort.

— Qu'allez-vous faire de moi ? insista-t-elle.

Le Normand fit soudain volte-face et sa main s'envola dans les airs, près de s'abattre sur la jeune femme. Il retint son geste au dernier moment. Son étreinte était si brutale que Célia hurla de douleur. Sans en tenir le moindre compte, il se détourna et poursuivit sa route. Aveuglée par les larmes, Célia trébuchait à chaque pas.

La grande salle était remplie d'une foule de domestiques et de soldats affamés, attablés autour de cruches de bière tiédasse. Guillaume présidait la tablée. Sans la moindre hésitation, Ralph se dirigea vers son souverain et jeta sans ménagement la jeune femme à ses pieds. Agrippant la tresse de Célia, il la força à redresser la tête.

— Voilà la responsable, Sire ! Je vous la livre !

Les conversations se turent comme par enchantement.

— Ta maîtresse, je présume ?

— Oui.

Guillaume congédia l'assemblée d'un impérieux signe de la main, tout en gardant les yeux rivés sur son vassal. La pièce se vida lentement et ils furent bientôt seuls.

— Es-tu certain de ce que tu avances ?

— Absolument ! La garce a confessé son crime !

Le roi se retourna vers la malheureuse, qui n'osait soutenir son regard.

— C'est donc toi qui as averti Hereward ?

Célia déglutit avec peine, avant d'acquiescer misérablement.

— Et d'où tenais-tu tes informations ?

Célia marqua un temps d'arrêt. Elle avait dupé Ralph, mais répugnait à lui en faire porter le blâme.

— J'ai surpris une conversation entre deux soldats...

— Elle ment ! intervint Ralph. Je me suis confié à elle sur l'oreiller, voilà la vérité ! Je ne suis qu'un fieffé imbécile ! Tout est ma faute !

Guillaume détailla d'un œil complaisant la silhouette gracile de la jeune femme.

— Ma foi, cette donzelle est gironde ! Elle ressemble un peu trop pour mon goût à son bandit de frère. Tu as de la chance d'être mariée à un chevalier, le meilleur ami de Ralph, de surcroît ! J'ai appris que tu n'en étais pas à ton premier forfait. C'est toi qui as aidé Morcar à s'évader, n'est-ce pas ? Tes agissements ne méritent aucune clémence. Tu seras cloîtrée jusqu'à la fin de tes jours !

Sur l'ordre de Guillaume, deux hommes pénétrèrent dans la pièce et s'emparèrent de la prisonnière. Pétrifiée d'effroi, Célia chercha des yeux le regard du Normand. Il n'allait pas laisser faire une telle ignominie ! Mais Ralph ne broncha pas. Elle ferma les paupières, incapable de maîtriser les battements désordonnés de son cœur et les frissons convulsifs qui la secouaient. Les dés étaient jetés, elle avait perdu ! Son destin était tracé : elle allait croupir dans un cachot le restant de ses jours.

Dans un effort surhumain, la jeune femme rassembla un semblant de dignité. Non, elle n'épancherait pas son chagrin, elle n'implorerait pas la pitié de ses juges ! Elle attendrait patiemment sa dernière heure, acceptant son sort avec résignation.

Elle prit une profonde inspiration et emboîta le pas aux deux gardes.

Lorsqu'ils furent sortis, Ralph se prosterna humblement devant son souverain.

— J'attends votre verdict, Sire.

— Relève-toi. Je te pardonne. Mais une question, encore, pour satisfaire ma curiosité. Un détail m'échappe. Tout d'abord, tu choisis de me taire l'identité de la serve qui a délivré Morcar...

— Je me suis comporté comme un parfait idiot !

— ... Je ne t'ai fait aucun reproche à ce sujet. Puis tu as uni cette femme à Guy, sans pour autant interrompre ta liaison avec elle, cocufiant par la même occasion ton épouse et ton meilleur compagnon. Dis-moi, Ralph, t'a-t-elle vraiment ensorcelé, comme chacun se plaît à le raconter ?

— Célia n'est pas une sorcière ! Ce ne sont là que superstitions de culs-terreux !

— Peut-être alors a-t-elle, à ton insu, glissé un philtre d'amour dans ton verre ? Tu n'es plus le même, Ralph. Ce comportement ne te ressemble pas. Jamais auparavant tu n'aurais agi avec cette désinvolture et cette naïveté. Livrer des secrets d'État à une catin ! Tu as perdu la tête ?

Ralph écoutait sans sourciller. Seuls ses yeux brillaient d'un éclat dangereux.

— Tu es furieux, et j'en suis ravi, poursuivit le roi. Tu t'es suffisamment repenti, je ne t'infligerai pas une vexation supplémentaire. Cette ribaude t'a manipulé, et tu as perdu tes meilleurs soldats. Cela te servira de leçon à l'avenir.

— Je vous suis reconnaissant pour votre générosité, Sire. Je peux vous jurer que cela ne se reproduira pas.

Le roi soupira en haussant les épaules.

— En vérité, la chance est avec nous. Malgré ce piège, nous avons affaibli l'ennemi. Nous parviendrons sans mal à déloger les insurgés de leur retraite.

— Je l'espère, Votre Majesté.

— Pour l'heure, je te confie la garde de la fille, car mes prisons débordent de malfrats ! Mais attention ! Elle n'en demeure pas moins ma captive.

— J'accepte avec plaisir...

Ralph eut un sourire sardonique. Enfin, il allait pouvoir se venger ! Célia ne perdait rien pour attendre !

54

— Votre punition est levée ! fit Ralph d'une voix glaciale.

Alice se dressa sur son séant et considéra son mari d'un air stupéfait. Elle tomba aux pieds du Normand.

— Merci ! De tout mon cœur, merci !... murmura-t-elle humblement, en lui baisant la main. J'implore votre pardon...

Sans répondre, il lui enjoignit de se mettre debout et se retourna vers l'homme qui l'accompagnait.

— Enlève-moi ce loquet et pose un verrou à l'extérieur, ordonna-t-il, en désignant la lourde porte de chêne. Tu m'as compris ?

— Oui, Monseigneur.

Ralph traversa la pièce à grandes enjambées et constata avec satisfaction qu'aucune évasion n'était possible par la fenêtre. L'ouverture était bien trop exiguë pour que même un enfant puisse se faufiler au-dehors. La seule issue restait la porte, et Ralph veillerait personnellement à ce qu'elle soit bien gardée.

— Par mesure de précaution, tu rajouteras un solide cadenas.

Alice nota l'agitation inhabituelle de son époux.

— Que se passe-t-il, Monseigneur ? demanda-t-elle en s'humectant les lèvres avec nervosité.

Le guerrier lui décocha un regard mauvais, surpris de la voir encore là.

— Vous allez réintégrer ma chambre. Votre sœur sera internée dans cette pièce.

— Célia ?

Comme Ralph s'apprêtait à sortir, Alice lui agrippa la manche.

— Monseigneur ! Qu'est-il arrivé ?

Il se dégagea brutalement et poursuivit son chemin jusqu'à ses appartements où il ôta son haubert avec lassitude.

— Faites-moi préparer un bain chaud, intima-t-il à sa femme qui lui avait emboîté le pas.

Alice ne se le fit pas dire deux fois et se précipita à l'office. Quand elle revint, Ralph lui expliqua sommairement de quoi il retournait. Il était en proie à une telle rage que la jeune femme sentit une sueur froide lui couler le long de l'échine.

— La sentence de Guillaume est irrévocable, enchaîna-t-il en achevant de se déshabiller, Célia restera dans cette chambre jusqu'à sa mort.

Alice se mordit la lèvre inférieure pour masquer son exultation. Elle ne pouvait croire à sa bonne fortune et brûlait de questionner plus avant le Normand. Mais elle se ravisa.

— J'ai voulu vous mettre en garde avant votre départ pour York. Vous ne m'avez pas écoutée.

— Ah bon ? lâcha-t-il d'un ton ironique.

— Célia est venue me rendre visite la veille de votre expédition.

— Ne tournez pas autour du pot ainsi ! Je n'ai pas de temps à perdre avec vos sornettes ! Si vous avez quelque chose à dire, allez-y !

Il ne prenait même pas la peine de déguiser son aversion pour elle ! Alice se sentit étranglée par la haine. Mais elle ravala sa rancœur.

— Elle voulait soulager sa conscience et s'excuser d'être devenue votre maîtresse ; elle prétendait n'avoir agi que dans le seul et unique but d'aider ses frères. D'après elle, ceux-ci auraient exigé qu'elle vous extorque des informations.

Alice ponctua sa phrase d'un gloussement sonore.

Sa joie disparut quand elle surprit l'expression du Normand et elle jugea plus sage de ne pas envenimer la situation.

Quand le baquet fut rempli, Ralph se glissa dans l'eau fumante. Le cœur plein d'amertume, il se remémora le soir où Célia s'était insidieusement introduite dans son lit. Ainsi, tout cela n'avait été qu'une grotesque mascarade ! Elle s'était jouée de lui ! Décidément, sa crédulité dépassait l'entendement... Elle paierait cher sa fourberie ! Il lui apprendrait qu'on ne se moque pas impunément de Ralph l'Inflexible !

On conduisit Célia à sa chambre. Le garde s'assura qu'il n'y avait personne d'autre dans la pièce et referma la porte derrière lui, prenant soin de boucler le cadenas.

Célia se retrouva coupée du monde extérieur. Elle osait à peine jeter un coup d'œil autour d'elle. On l'avait emprisonnée dans la chambre où Alice avait passé des journées entières à se morfondre... Mais on avait opéré quelques modifications quant au mobilier : le lit avait été remplacé par un grabat, et on avait posé une bougie, un broc d'eau et un pot de chambre à même le sol. Ainsi dénudée, la pièce semblait immense.

La jeune femme s'approcha de l'étroite fenêtre et fondit en larmes. Elle réalisait enfin l'ampleur de la punition. Déchirée entre son amour et son devoir, elle avait tout perdu : l'homme qu'elle chérissait le plus au monde et ses frères adorés, qu'elle ne reverrait jamais !

Cette fois, Ralph ne pardonnerait pas.

Le voyage de retour avait duré deux jours, au cours desquels le guerrier n'avait pas daigné lui adresser la parole. Il l'avait balayée de son existence d'un seul coup. Plus rien ne serait jamais pareil, elle avait tout gâché.

Le soleil déclinait sur l'horizon et la pénombre envahissait peu à peu la chambre. Célia se demanda avec anxiété si quelqu'un se soucierait de lui apporter une autre bougie lorsque celle-ci serait consumée... Elle décida de ne pas allumer la sienne, par mesure d'économie. Elle commençait à comprendre qu'on avait délibérément réduit le confort de la pièce au strict minimum.

La clé tourna dans la serrure et, supposant qu'on lui montait son repas, Célia resta à contempler le paysage avec indifférence. Mais quelque chose dans la pièce avait changé l'atmosphère et elle sut avec certitude qui était entré. La présence de Ralph était si forte qu'il paraissait émettre des ondes hostiles en direction de la jeune femme. La bouche sèche, elle se retourna pour l'affronter.

Il se tenait dans l'encadrement de la porte, superbe et hautain... Le cœur de Célia manqua un battement. Il remarqua son désarroi et eut un sourire cruel. Ses yeux luisaient de haine.

— Je n'avais pas le choix... balbutia-t-elle. Vous devez me croire...

— Je me fiche pas mal de vos bonnes raisons !

— N'avez-vous jamais été forcé d'agir contre votre gré ?

— N'essayez pas de m'entortiller avec vos histoires, sale putain !

— Écoutez-moi ! Oh, je vous en conjure ! Je ne cherchais qu'à protéger Hereward, pas à vous nuire !...

Il fonça sur elle et lui tordit le bras derrière le dos, en l'écrasant contre le mur.

— Assez ! vociféra-t-il. Assez de mensonges !

— Je vous aime, répondit-elle simplement.

Il la relâcha et éclata de rire.

— Ça, c'est un comble !
— Ce n'est que la vérité.
— Ainsi, vous m'aimez, Célia ?
— Oui.
— Alors, prouvez-le-moi. Je veux des actes, pas des mots !

Elle se figea, hésitante. Comment le convaincre ? Comment lui faire admettre que, pour elle, il était l'être le plus important au monde ? Qu'elle aurait donné sa vie pour son bonheur ?

Il laissa échapper un ricanement et lui tourna le dos. Impulsivement, elle se jeta sur lui, pressant sa joue humide contre le dos musclé.

— Non, ne partez pas ! Laissez-moi vous prouver mon amour... Ô Monseigneur !

Il s'était immobilisé et attendait. Les mains fébriles de la jeune femme coururent sur les épaules puissantes, ses lèvres hagardes glissèrent le long de la colonne vertébrale du guerrier. Elle noua ses bras autour de la taille du Normand et colla les hanches contre ses reins dans un mouvement lascif.

— Je vous adore, je vous adore... ! répéta-t-elle.

Les doigts de Célia frôlèrent le nombril de l'homme, et descendirent plus bas, encore plus bas... La virilité triomphante de Ralph se dressa à son contact. Célia éprouva un immense soulagement : au moins, il la désirait !

— Permettez-moi de vous aimer, Monseigneur. Je peux...

Il fit soudain volte-face et la repoussa avec dégoût.

— Gardez vos talents de gourgandine pour les garçons de ferme !

L'instant d'après, il était sorti.

55

Cette garce avait de nouveau tenté de le séduire ! Le croyait-elle vraiment aussi naïf ? Ralph arpentait sa chambre comme un lion en cage. La colère ne l'avait pas quitté depuis le souper ; il était surtout furieux d'avoir vibré sous les caresses de cette catin ! Il avait beau se dire que c'était purement physique, qu'il aurait réagi de même avec n'importe quelle femme, il fulminait. Que le Diable l'emporte ! Peut-être aurait-il pu la laisser poursuivre ses attouchements, afin de voir jusqu'où elle irait pour « prouver son amour » ! Oui, il aurait dû la posséder jusqu'à ce qu'elle crie grâce !

— Vous ne venez pas vous coucher, Monseigneur ? susurra Alice.

Il regarda son épouse d'un œil torve. L'éclat qui brillait au fond des yeux de cette dernière ne laissait aucun doute sur ses intentions ! Et pourquoi pas, après tout ! Il était excité et prêt à l'acte.

Ralph arracha ses vêtements et grimpa dans le lit. Ayant cloué Alice sur l'oreiller, il lui écarta rudement les cuisses et la pénétra sans préliminaires. La jeune femme se convulsa en gémissant. Les yeux fermés, Ralph la martela sauvagement, imaginant que c'était Célia qui se tordait ainsi sous lui et criait de douleur. Mû par une pulsion meurtrière, il plongea toujours plus loin en elle comme s'il cherchait à la transpercer. Alice sanglotait et se tortillait pour lui échapper. Il lui saisit les poignets et les tordit au-dessus de sa tête. Finalement, elle fut secouée par un violent orgasme, et il s'abandonna à une jouissance mécanique qui ne lui procura aucun plaisir.

Deux jours plus tard, Ralph emmena une poignée d'hommes en expédition. Célia observa de sa fenêtre le départ des cavaliers. Juché sur son majestueux destrier gris, Ralph était d'une beauté à couper le souffle, comme ce premier jour où elle l'avait rencontré à Kesop...

Une souffrance intolérable emplit le cœur de Célia. Comment croire que cet homme tyrannique était celui qui avait joué avec elle dans le verger et l'avait lutinée le soir dans la grange... ? Elle lui avait enseigné le rire et l'amour et, aujourd'hui, il débordait de haine.

Mary était la seule domestique autorisée à pénétrer dans la geôle de Célia. Deux fois par jour, elle apportait un frugal repas à la prisonnière. Les rations d'eau étaient distribuées avec parcimonie et Célia économisait au maximum sa bougie. Une chance encore qu'on vidât régulièrement le pot de chambre !

On lui refusait les bains et, lorsqu'elle procédait à ses ablutions, elle se trouvait dans l'obligation d'entamer la maigre quantité d'eau impartie à la consommation. Au fil des jours, elle devint de plus en plus sale, mais l'hygiène était le cadet de ses soucis.

La jeune femme savait que Mary était dans les bonnes grâces d'Alice. Ce n'était certainement pas le fruit du hasard si Ralph l'avait désignée pour s'occuper de Célia, s'assurant par la même occasion que ses consignes seraient suivies à la lettre. La servante était une vraie pipelette ; grâce à elle, Célia était au courant des moindres faits et gestes au manoir. Elle soupçonnait même Alice de se servir de Mary pour colporter certains ragots, convaincue qu'ils reviendraient aux oreilles de sa demi-sœur.

Mary se faisait notamment une joie de raconter

comment le Normand tenait Alice éveillée toute la nuit, et narrait par le menu les milles turpitudes, toutes plus incroyables les unes que les autres, auxquelles se livrait le couple. Célia avait beau se répéter que Ralph la haïssait, qu'il avait toujours eu l'intention de culbuter les ribaudes des environs, les paroles de Mary lui broyaient le cœur. Elle n'avait été qu'une brève passade dans la vie du guerrier, et rien de plus.

Mais pour rien au monde elle n'aurait montré son désespoir, surtout devant Alice.

La jeune femme apprit également le départ du Normand vers la frontière galloise, où il devait surveiller l'édification d'un fort stratégique qu'il avait l'intention de confier à Beltain, lorsque ce dernier serait rétabli. Il serait absent une semaine, peut-être deux.

Par ailleurs, Mary informa Célia du retour de Guy à Aelfgar.

Les journées passaient lentement. Pour rompre son ennui, Célia passait en revue les derniers mois qui venaient de s'écouler depuis ce fameux jour de juin à Kesop. Mais ces souvenirs étaient trop douloureux et ressasser le passé rouvrait des blessures trop vives pour qu'elle pût s'y adonner longtemps.

Elle s'inquiétait du sort de ses frères. L'échéance donnée par Edwin approchait à grands pas, et elle priait avec ferveur pour qu'il ne leur arrive rien.

Malgré elle, Célia comptait les minutes, les secondes qui la séparaient de Ralph. Si seulement elle avait pu le chasser de ses pensées, l'effacer de sa mémoire ! Mais en dépit de ses efforts, elle était hantée par ce beau visage, ces prunelles à l'éclat métallique, ce rictus sévère...

Au cours de la deuxième semaine, elle remarqua un léger retard dans son cycle menstruel. Elle se sentait nauséeuse et sa poitrine était plus sensible qu'à l'ordinaire. Elle pensa immédiatement qu'elle attendait un bébé, et le temps confirma ses soupçons. Elle portait l'enfant de Ralph !

Pour elle, cet événement était un cadeau de la Providence. Elle pleura de bonheur et remercia le Ciel de lui accorder ce présent inespéré, qui donnait enfin un sens à sa vie. Elle chérirait tendrement le fruit d'un amour interdit. Elle aimait déjà de toutes ses forces ce petit être sans défense qui palpitait au creux de ses entrailles. Il deviendrait le lien indissoluble qui l'unirait à Ralph.

A partir de cet instant, elle cessa de s'apitoyer sur son sort pour ne plus penser qu'à son bébé.

Les repas qui lui étaient servis suffisant à peine à la rassasier, elle entreprit de persuader Mary de doubler les rations. Mais la domestique resta sourde à ses supplications : elle craignait trop Alice pour accéder à la requête de Célia.

— C'est impensable ! pleurnichait-elle. Je risque le fouet !

— Je t'en supplie, Mary !...

— Non, Lady Alice me tuerait !

Comme elle s'apprêtait à faire demi-tour, Célia lui agrippa le poignet.

— Attends ! Je dois t'avouer quelque chose...

Elle marqua un temps d'hésitation. Si elle révélait son secret, Alice ne manquerait pas d'apprendre la vérité. Mais seul importait cet enfant à venir. De toute manière, sa sœur finirait fatalement par découvrir qu'elle était enceinte.

— Mary, j'attends un bébé. Il faut m'aider !

La servante en resta bouche bée. Elle comprenait enfin pourquoi Célia était si resplendissante au lieu de dépérir, comme elle s'y attendait.

Mary capitula et accepta de lui monter des portions supplémentaires de pain et de fromage, ainsi que de l'eau pour se baigner quotidiennement.

Soulagée, Célia se concentra sur sa grossesse et le bien-être qu'elle lui procurait. Elle ne fut nullement surprise de voir surgir Alice au lendemain de sa confession. Cette dernière était livide. La chambre était plongée dans une demi-obscurité, car les rayons du soleil couchant n'atteignaient pas l'étroite meurtrière. Célia, qui se réveillait après une longue sieste, se dressa sur son séant, prête à subir l'attaque.

— Est-ce vrai ce que raconte Mary ?

La jalousie et le dépit d'Alice étaient si manifestes que Célia ne put s'empêcher d'éprouver de la compassion pour sa demi-sœur.

— Oui, Alice, répondit-elle doucement. C'est la vérité.

— C'est l'enfant de Guy !

— Non, il est de Ralph.

— Espèce de sale menteuse ! Tu crois pouvoir nous duper si facilement ?

Célia ne se départit pas de son calme.

— Guy ne m'a jamais touchée. Ralph est le père de mon enfant. Oh, ce sera un robuste garçon à la chevelure blonde comme les blés !

La fureur déforma les traits d'Alice.

— Sorcière ! C'est moi qui devrais porter son héritier ! Moi, sa femme ! Je ne te laisserai pas ruiner mon existence...

Avant que Célia ait pu prévoir son mouvement, Alice se rua sur elle et enserra de ses doigts crispés la gorge de sa sœur. Célia se débattit, mais la force de l'autre était décuplée par la rage. Pourtant, Alice était plus mince et plus frêle, et la jeune femme réussit à se dégager. Haletante, elle s'effondra sur le sol en toussant. Rapide comme l'éclair, Alice s'empara du broc d'eau et le brisa de toutes ses forces sur la tête de la prisonnière. Des millions d'étoiles explosèrent devant les yeux de la jeune femme, mais elle lutta contre l'évanouissement. Il fallait qu'elle protège son bébé ! Dans une sorte de brouillard, elle sentit qu'Alice la traînait en dehors de la pièce et entendit le cri d'épouvante de Mary.

Elle reprit conscience au moment où Alice tentait de l'asseoir sur un rebord de pierre. La brume se dissipa et elle s'aperçut qu'elle se trouvait devant une fenêtre. Sa sœur la poussa violemment dans le dos, et elle dut s'arc-bouter pour ne pas être précipée dans le vide.

Trois étages la séparaient du sol de la cour. Les hurlements de Mary lui parvenaient comme dans un cauchemar. La main de Célia glissa lentement sur le mur. Alice écrasa méchamment les doigts de sa sœur qui s'effondra sur la travée, tandis que son menton heurtait brutalement le roc.

Célia n'avait plus de prise mais résistait de son mieux aux assauts d'Alice. Le vide s'ouvrait au-dessous d'elle, vertigineux. La moitié de son corps était déjà passée de l'autre côté du rebord de la fenêtre.

Soudain, Alice poussa un cri perçant et deux mains saisirent Célia par la taille, la ramenant en sécurité dans la pièce.

— Non ! vociférait Alice, comme possédée. Laissez-moi la tuer ! Laissez-moi détruire cette garce !

Sur le point de défaillir, Célia se cramponna comme une noyée au torse de son sauveur. Elle perçut un claquement sourd et les vociférations hystériques d'Alice s'interrompirent. Ouvrant les yeux, Célia se rendit compte que Beltain venait de frapper sa sœur. Elle vit également que c'était Athelstan qui l'avait retenue de justesse. Guy observait sa femme avec inquiétude.

— Merci ! Oh, merci !... balbutia-t-elle. Sans vous...

— Tout va bien, maintenant, fit-il d'une voix rassurante.

La jeune femme fut prise de frissons incoercibles.

— Elle... elle a essayé de... de me jeter par la fenêtre !

— Calmez-vous, Célia. Tout est fini.

Avisant Alice, Guy s'adressa à Beltain :

— Elle a perdu la raison, il faut l'enfermer jusqu'au retour de Ralph.

— Je crois préférable de l'interner ici même. Je vais faire venir un menuisier pour qu'il condamne la fenêtre. Un garde viendra s'assurer qu'elle ne risque pas d'attenter à ses jours.

— Je ne suis pas folle ! grinça l'intéressée. Je vais parfaitement bien !

Embarrassés, Guy et Beltain détournèrent le regard. Seul Athelstan contemplait Alice avec pitié.

Guy entoura de son bras les épaules de son épouse et la conduisit hors de la chambre.

— Venez, vous devez vous reposer. Mary, apportenous un peu de vin.

La servante détala sans demander son reste.

Toute tremblante, Célia s'appuyait contre Guy. Alice avait essayé de la tuer ! Elle avait failli perdre son bébé ! Tenant toujours dans la sienne la main de son mari, elle s'effondra sur la paillasse, tandis qu'il s'agenouillait à son chevet.

— Je suis désolé de vous ramener ici après une telle épreuve, Célia. Mais les ordres sont maintenus.

— Oh, Guy ! Elle aurait pu tuer mon fils !

Guy se figea et Célia se mit à pleurer misérablement. Se ressaisissant, il la serra gentiment contre lui.

— Vous portez l'enfant de Ralph, Célia ?

Elle ne trouva pas le courage de répondre et se contenta d'opiner du chef.

— Est-il au courant ?

Elle secoua la tête. Ses grands yeux violets se rivèrent à ceux du jeune chevalier, implorants.

— Oh, promettez-moi que vous ne lui en soufflerez mot !

— Célia !

— Promettez ! Oh, Guy, je l'aime tant ! Je l'aime et il me déteste ! Je lui dirai pour l'enfant quand l'heure sera venue...

— Il pourrait penser qu'il s'agit de mon héritier... hasarda Guy, soucieux.

— Non, je lui ai révélé notre accord. Ce n'est pas un homme à partager une femme.

— Vous avez raison. Avez-vous suffisamment à manger, Célia ? Vos conditions de détention doivent s'améliorer !

— J'ai bien assez, maintenant. Grâce à Dieu, Mary s'occupe de moi.

Le jeune homme la détailla un long moment.

— Vous avez peut-être pris un peu de poids, admit-il enfin. Cela vous va bien. Vos cheveux sont encore plus soyeux qu'à l'accoutumée, et votre poitrine plus lourde. Ne craignez rien, je veillerai à ce qu'on vous traite bien.

— Mais je vous en conjure, insista-t-elle, ne lui dites rien... Sa haine me fend le cœur mais je ne veux pas de sa gratitude à cause de l'enfant... Je... je ne sais pas ce que je veux au juste, mais pas ça !

— Petite folle ! Ralph n'est pas du genre à se laisser embobiner par une femme ! Il ne transige pas pour ce qui est du devoir et de la loyauté. Je le connais bien, jamais il ne vous pardonnera votre trahison.

— Je sais, répliqua-t-elle calmement, bien qu'au fond de son être sa dernière lueur d'espoir vienne de s'éteindre.

— Dans l'intérêt du bébé, vous devez lui avouer votre état. Vous n'ignorez pas, bien sûr, qu'il a déjà de nombreux bâtards ?... Je ne veux pas me montrer cruel, mais...

— Cela ne me surprend pas, assura-t-elle avec une sérénité qu'elle était loin d'éprouver, car elle n'avait pas envisagé cette éventualité. Où... où sont-ils ?

— Il y en a trois en Normandie, un en Anjou, et deux dans le Sussex, je crois. Rien que des garçons ! Évidemment, ils vivent avec leurs mères.

Célia faillit éclater d'un rire amer. Six garçons ! Ainsi le sien ne serait que le septième ! Un sanglot la déchira.

— Je suis navré, poursuivit Guy. Mais vous devez regarder la vérité en face. Il vous traitera avec courtoisie, mais n'attendez rien de plus de sa part. Ce serait stupide.

56

— Nous attaquerons le dernier jour de septembre, annonça Edwin.

— Quoi ? C'est bien trop tôt ! protestèrent en chœur Morcar et Hereward. Il ne nous reste que deux semaines...

— Mes hommes se remettent à peine de Cavlidockk, renchérit Hereward.

Tous trois se tenaient en retrait du camp, dans la

pénombre, et conversaient à voix basse par peur des oreilles indiscrètes.

— Combien de soldats peux-tu réunir ? demanda Edwin à son frère.

— Deux douzaines.

— Bien. Pour ma part, j'en compte le double. A nous deux, nous dépasserons de beaucoup les effectifs normands. Le sire de Warenne a perdu quelques-unes de ses meilleures recrues à Cavlidockk. Nous devons d'ailleurs en remercier Célia. Son aide nous a été précieuse.

— Tu as l'intention de le prendre par surprise ?

— Oui. Nous risquons que l'affaire s'ébruite, si jamais nous tardons encore. On ne peut plus avoir confiance en personne, de nos jours. De plus, il faut profiter de l'affaiblissement momentané de l'armée ennemie. Nous sommes les plus forts maintenant, ne laissons pas passer cette chance !

— Ainsi, nous assiégerons Aelfgar, et non York comme prévu ? demanda Albie, qui jusqu'à présent s'était tenu dans l'ombre.

— Le domaine est tout aussi protégé, depuis que ce maudit Normand l'a fait fortifier. Si nous nous en emparons, nous serons à même de repousser les assauts de Guillaume et il devra négocier la paix.

— Mais comment parviendrons-nous à nous faufiler dans la place ? remarqua Hereward.

— Avec la complicité d'une des domestiques. Elle ouvrira une porte secrète, prévue pour que les habitants du manoir puissent s'échapper en cas d'alerte. Morcar, pouvons-nous compter sur Beth ?

— J'en réponds !

— Alors, c'est décidé, ce sera pour le dernier jour de ce mois.

Sur ces paroles énergiques, Edwin se détourna pour contempler la voûte étoilée. Comme Albie et

Hereward regagnaient le campement, Morcar s'approcha de son frère.

— Ed ? Je m'inquiète pour Célia. Dieu sait ce que ce porc de Normand va lui infliger !

— Elle est en sécurité, la sentence de mort a été commuée en emprisonnement à vie. Au moins, son mariage a eu un aspect positif : si elle n'avait pas été l'épouse d'un noble, elle se balancerait déjà au bout d'une corde.

— J'ai peur que Ralph de Warenne ne se venge sur elle.

— Ne te fais aucun souci. Nous la délivrerons en reprenant Aelfgar.

Ralph venait tout juste de rentrer au manoir, lorsque Guy le mit au courant de la tentative de meurtre dont Célia avait été victime.

— Est-elle blessée ?

— Non, seulement choquée, mais elle se remettra.

— Et qu'a-t-on fait d'Alice ?

A la seule pensée que son épouse avait tenté d'assassiner Célia, il sentit le sang bouillir dans ses veines.

— Nous l'avons enfermée dans sa chambre sous bonne garde, Monseigneur. Elle semble avoir repris ses esprits, mais sur le moment, nous avons cru qu'elle était devenue folle. Je l'ai vue de mes propres yeux pousser Lady Célia par la fenêtre, en hurlant comme une damnée. Beltain et Athelstan ont également assisté à la scène, ils pourront vous le confirmer.

Sans plus s'occuper de Guy, Ralph grimpa les escaliers quatre à quatre, tentant de maîtriser la rage qui s'emparait de lui. Cette fois, Alice était allée trop loin ! Il ne pouvait se permettre de passer sur ce dernier méfait. Parvenu devant la geôle de Célia, il marqua un temps d'arrêt. Il ne l'avait pas vue depuis quinze jours et brûlait d'envie de faire sauter le verrou pour s'assurer qu'elle était saine et sauve. Mais il se contrôla. Il entra dans la cellule voisine, congédia le garde, et se campa devant sa femme.

Elle se dressa aussitôt, les mains crispées sur sa robe, les yeux agrandis par la terreur.

— Ils vous ont tous menti ! lança-t-elle précipitamment. Nous n'avons eu qu'une simple querelle, je n'ai jamais attenté à sa vie, je le jure !

— Vous quitterez Aelfgar ce matin même, rétorqua-t-il d'un ton glacé. Faites vos malles.

— Mais... où m'envoyez-vous ?

— En France, Milady. Au couvent des sœurs de Saint-Jean.

— Pour... combien de temps ?

— Vous aurez tout loisir de vous repentir de vos crimes là-bas, si vous éprouvez le moindre remords — ce dont je doute. En tout cas, vous n'aurez plus jamais l'occasion de nuire à votre sœur.

— Quand reviendrai-je ?

— Jamais !

Elle blêmit, tandis que les mots du guerrier s'imprimaient lentement dans son cerveau.

— C'est... c'est impossible ! Vous ne pouvez pas faire cela !

— Ah non ? Vous vous méprenez. Vous ne serez pas la première à être exilée dans un cloître. Je vous avais prévenue, vous n'avez pas tenu compte de mes avertissements. Adieu, Alice !

Sans s'attarder davantage, il tourna les talons et la planta là.

Ralph arpentait la pièce de long en large. Alice avait été conduite à ses anciens appartements. Il ne pouvait supporter sa vue une seconde de plus. Le geste de son épouse l'avait mis dans une colère noire, et il ne parvenait pas à se calmer. Cela signifiait-il qu'il éprouvait encore quelques sentiments pour Célia, cette traîtresse qui l'avait si honteusement trompé ?

Elle était si proche ! Il s'immobilisa soudain, l'imaginant assoupie sur la paillasse, merveilleusement belle dans son sommeil. Ah, comme il la haïssait ! Après tout, il se fichait bien de la santé de Célia ! Sa fureur s'expliquait tout bonnement par le fait qu'Alice lui avait désobéi une fois de plus, en s'en prenant de surcroît à une captive royale placée sous sa responsabilité.

Son sentiment de frustration grandit. Il avait besoin d'une femme ! Il n'avait pas assouvi ses besoins charnels depuis la nuit où il avait pris Alice. La pensée de Célia, endormie de l'autre côté du mur, revenait sans cesse à son esprit. Il n'avait que quelques pas à faire.

Il hésita. Et pourquoi pas ? Ce n'était qu'une vulgaire putain et il la désirait. Il pouvait l'utiliser comme bon lui semblait. Rien que d'y penser, son désir montait déjà en flèche.

D'un pas décidé, il se dirigea vers la chambre de la jeune femme et ouvrit la porte. Elle dormait paisiblement, roulée en boule sur le grabat. Un instant il s'immobilisa, fasciné par cette vision. Sa détermination fléchit une seconde mais il se reprit.

— Réveillez-vous ! enjoignit-il, en la secouant sans ménagement.

L'esprit encore embrumé, elle cligna des yeux. Ralph plaça son visage à la hauteur du sien et plongea son regard d'acier dans les prunelles aux reflets mauves. Elle retint une exclamation en le reconnaissant. Il était déjà en train de se dévêtir, pour libérer son membre douloureusement tendu.

— Écartez les jambes !

Interdite, elle ne broncha pas. Alors, il la bascula sur le dos et força ses cuisses. A sa grande surprise, les bras de la jeune femme se nouèrent autour de son cou, et elle enfouit son visage contre son épaule.

— Prenez-moi, Monseigneur ! Je ne me refuserai pas à vous...

Curieusement, le calme et la résignation de Célia provoquèrent en lui une flambée de colère.

— Comme si je vous demandais votre avis !

Il la pénétra d'un coup de reins et elle gémit en l'accueillant. De toute évidence, il lui faisait mal ; il s'interrompit, honteux malgré lui de la brutaliser ainsi.

Célia posa sa main à la base du cou du guerrier et caressa tendrement la mâchoire carrée. Il se dégagea d'un brusque mouvement de la tête.

— N'essayez pas vos petits tours avec moi, catin !

Il replongea sauvagement en elle et elle se plia à sa cadence avec docilité. Bientôt, elle se mit à soupirer. Il connaissait cette plainte : c'était celle qui présageait la montée du plaisir, le tourbillon de l'extase. Mais il ne voulait pas la satisfaire ! Il voulait user de son corps, se soulager rapidement, l'humilier. Jadis, il avait été un amant attentionné, et s'était retenu pour mieux la combler. Cette fois, il ne cherchait que sa satisfaction personnelle.

Il se remémorait chaque mensonge qu'elle avait proféré, chaque tromperie, jusqu'à l'ultime trahison qui avait coûté la vie à une douzaine de soldats. Selon toute vraisemblance, elle avait dû mentir en prétendant que Guy ne la touchait pas. Le jeune chevalier l'avait probablement troussée à maintes reprises.

Il accéléra son rythme et, dans un sursaut convulsif, se répandit en elle.

L'instant d'après il était debout, rajustant son vêtement. Les yeux de Célia étaient encore assombris par l'excitation; il constata que sa passion n'avait pas été contentée et eut un sourire triomphant: il avait réussi à prendre son plaisir sans le lui faire partager!

— Considérez-vous désormais comme ma putain attitrée! jeta-t-il, méprisant. Je vous prendrai dès que j'en ressentirai l'envie. Pas d'objection?

Elle avait encore les jambes entrouvertes et il apercevait sa féminité palpitante nichée au creux de sa toison. Toute honte bue, elle ne fit pas un geste pour se dérober à son regard.

— Je vous aimerai toujours, Monseigneur... murmura-t-elle d'une voix étranglée par les larmes.

— Dans ce cas, je vous haïrai pour deux!

Quatre jours plus tard, Ralph se rendit dans les bois environnants. Il s'arrêta à quelques kilomètres du village, près d'un énorme tronc d'arbre qui surplombait la rivière, formant un curieux pont naturel. L'endroit était parfait pour un rendez-vous secret.

Il était apparemment seul sur son grand étalon mais, en réalité, une poignée de ses soldats s'était dissimulée dans la forêt, au cas où on lui aurait tendu un piège. La main du Normand jouait nerveusement avec le pommeau de son épée.

Il entendit des pas et aperçut un cavalier solitaire qui s'approchait du cours d'eau. D'un même mouvement, les deux hommes sautèrent à bas de leur monture, se dirigèrent vers le pont et se rejoignirent au beau milieu. Le clapotis de la cascade couvrait le bruit de leur conversation.

— Aelfgar va être attaqué, annonça l'homme. Il y aura environ soixante Saxons dans l'expédition. C'est Beth qui est chargée de leur ouvrir une porte dérobée.

— Qui mènera l'assaut ?

— Edwin et Morcar de Mercia, ainsi qu'Hereward.

— Quand ?

— Le dernier jour de ce mois.

— Parfait. Bon travail. Si tu dis la vérité, tu recevras le fief de Lindley, dans le Sussex, comme Guillaume l'a promis.

— Oh, ne vous inquiétez pas. C'est la vérité !

Et Albie esquissa un sourire machiavélique.

57

Le camp saxon était dissimulé au cœur d'une petite vallée, à une vingtaine de kilomètres d'Aelfgar. Le ciel sans lune promettait une matinée grise et pluvieuse.

Le campement était parfaitement silencieux, et tous les feux étaient éteints. Pourtant, en cette veille de bataille, personne ne dormait.

— Les conditions atmosphériques sont idéales, murmura Morcar. Dans cette pénombre, nous pourrons nous approcher du manoir sans nous faire remarquer.

Edwin ne répondit pas. Les deux frères étaient assis côte à côte sur une souche, environnés par les bruits de la nuit : le ululement lugubre des chouettes et le hurlement d'un loup solitaire au loin.

— Nous vaincrons, Ed ! L'heure est venue de récupérer notre bien. Je le sais, je le sens !

L'exaltation du jeune homme arracha un léger sourire à son frère.

— Beth sait ce qu'elle a à faire. Elle nous ouvrira la porte juste avant l'aube. Je prendrai la tête de l'expédition. En un clin d'œil, nous serons dans la place et nous nous en rendrons maîtres ! Ces chiens de Normands n'auront même pas le temps de donner l'alarme !

Edwin pressa l'épaule de son cadet d'un air grave.

— Cette fois, Dieu est avec nous, Morcar !

Célia se morfondait dans sa chambre. Ralph n'avait pas réapparu depuis qu'il l'avait culbutée sur le grabat. Pourtant, elle n'avait pas perdu espoir : il la désirait toujours. Si seulement il voulait bien la prendre dans ses bras, elle lui montrerait combien elle regrettait, combien elle l'aimait...

Il l'avait traitée de putain, et le mot résonnait encore douloureusement dans la tête de Célia. Cependant, elle ne se révoltait pas : sa trahison méritait une sanction. Oui, elle méritait son dédain et sa haine ! Et malgré cela, il n'y avait rien qu'elle souhaitât plus au monde que de se blottir contre le torse puissant de Ralph, de retrouver la chaleur de son corps félin, la saveur de sa bouche... Elle se rendait compte de la déception qu'elle lui avait causée ; sa réaction était compréhensible. La tendresse du guerrier s'était muée en aversion mais elle continuerait de lui appartenir corps et âme, car pour elle, aucun autre homme ne comptait.

Elle était folle ! Aimer si fort quelqu'un qui vous détestait était inepte. Et pourtant, elle ne pouvait contenir le flot débordant de sa passion. Si seulement il venait lui rendre visite ce soir...

Il était déjà très tard et de sombres pressentiments empêchaient Célia de fermer l'œil. Le manoir était plongé dans un silence inhabituel. Elle n'aurait pu expliquer la sourde inquiétude qui montait en elle. Les bras serrés autour des genoux, elle fixait la porte en implorant silencieusement Ralph.

Le battant s'ouvrit soudain avec fracas, et il marcha droit sur elle. Célia se sentit inondée d'une joie mêlée de terreur. Il était enfin là, elle allait pouvoir lui expliquer, l'apprivoiser... Mais le visage du Normand était fermé. Si elle échouait ? S'il n'était venu que pour la blesser, la violenter, elle ne réussirait pas à dissiper les ombres maléfiques qui les séparaient. Tremblante, elle se leva.

— Monseigneur... Je suis si heureuse de vous voir !

— Que m'importe ? laissa-t-il tomber avec hargne. Allons, petite catin, je suis las de vous trousser sur cette méchante paillasse. Il va falloir trouver d'autres jeux pour me distraire.

Un flot de larmes monta aux yeux de Célia.

— Que préférez-vous ? demanda-t-elle, résignée.

— Faites preuve d'imagination.

Elle battit des cils pour masquer son chagrin. Quelle imbécile elle était ! Dire qu'elle avait cru pouvoir le convaincre !

Avec un grondement sourd, il attrapa la main de la jeune femme et la plaqua contre son bas-ventre. Son membre était déjà en érection. Elle le caressa machinalement, aveuglée par les pleurs. N'avait-elle pas prié pour qu'il daigne venir la retrouver ? Au moins, ils étaient ensemble, même si tout cela n'était qu'une parodie de l'amour.

Le guerrier exhala un soupir. Il avait fermé les paupières et savourait les ondes voluptueuses qui parcouraient son corps. Célia elle-même commençait à ressentir un certain trouble.

— Ralph... chuchota-t-elle.

Il l'entendit mais n'ouvrit pas les yeux pour autant. Elle s'adossa au mur et releva une cuisse sur la taille de l'homme. Il n'eut pas besoin d'encouragement supplémentaire et plongea furieusement en elle, tandis qu'elle nouait les jambes autour de ses reins. Contre toute attente, il s'empara soudain de ses lèvres et les écrasa dans un baiser féroce. Elle lui répondit avec frénésie, tandis qu'il la possédait rudement. Emportée par un tourbillon de sensations délicieuses, Célia cria son nom.

— Ralph ! Ralph !

Il la laissa choir à terre et elle vit passer dans son regard quelque chose qu'elle n'y avait jamais vu auparavant, quelque chose qui n'avait rien à voir avec du dégoût ou de la colère. Il la redressa brutalement et la porta jusqu'à la couche.

— Je veux voir votre corps de sorcière !

— Pourquoi ? s'affola-t-elle.

Que se passait-il ? Que lui voulait-il encore ? Une terrible appréhension s'empara de la jeune femme. Sans se préoccuper de ses protestations, il lui ôta sa tunique et se mit à contempler les longues jambes galbées, les seins épanouis, le ventre plat. D'une main qui n'avait rien de tendre, il pétrit la poitrine gonflée. Célia s'immobilisa tout à coup. La grossesse n'avait pas encore transformé sa silhouette, mais cela faisait six semaines que Ralph ne l'avait pas vue nue, et il pouvait déceler un changement...

Il se pencha et sa bouche happa avec avidité un mamelon. Célia se détendit. Elle lui agrippa la tête et fourragea dans les boucles mordorées du guerrier. Il s'enfonça dans son ventre, doucement cette fois, et elle eut envie de pleurer tant sa présence en elle la comblait. Les lèvres du Normand glissèrent sur son cou de cygne, sur ses hautes pommettes, sur le velouté de son oreille... Les larges paumes parcouraient le corps de la jeune femme, le faisant vibrer comme un instrument de musique. Des doigts, il reconnut chaque courbe, chaque rondeur, faisant naître des plaisirs jusque-là insoupçonnés. Célia frissonna et se cambra, soulevée par un orgasme d'une intensité jamais atteinte.

Ralph n'était plus son geôlier, son juge impitoyable, mais un amant attentionné. Il se mouvait toujours en elle, la serrant précieusement contre lui comme s'il craignait de la perdre. A nouveau, un tourbillon vertigineux emporta la jeune femme. Dans un ultime sursaut, il s'abandonna à son tour.

Célia resta cramponnée à lui. Il l'avait possédée comme si l'épisode de Cavlidockk n'avait jamais eu lieu. Elle se surprit à espérer follement que, peut-être...

D'un brusque mouvement, il se dégagea et roula sur le flanc, pantelant, repu. Elle contempla cette figure adorée, bouleversée par sa beauté païenne.

Il se remit sur pied et se rhabilla sans lui accorder un seul regard. Toutes les illusions de Célia s'évanouirent, le monde s'écroula. Rien n'avait changé. Les traits du Normand avaient repris leur expression méprisante.

— Monseigneur...

Il l'écrasa d'un regard cynique et elle se recroquevilla sur les couvertures.

— Vous avez quelque chose à ajouter ? lança-t-il avec défi.

Les paroles de Guy retentissaient dans le cerveau de Célia : Ralph n'était pas un homme à revenir en arrière. Il avait des idées très strictes quant au devoir et à la loyauté. Il n'offrirait jamais son pardon à une traîtresse. Ralph l'Inflexible ignorait l'amour ! Elle déglutit avec peine. Comme elle s'était montrée naïve !

— Monseigneur, le manoir est bien silencieux ce soir... Que se passe-t-il ?

— Vous ne pensez tout de même pas que je vais vous renseigner ? Vous trouveriez le moyen de me trahir une fois de plus ! Ce n'est pas parce que vous écartez les jambes devant moi que je vais vous livrer mes secrets de guerre !

Elle le regarda s'éloigner. Une souffrance intolérable lui déchirait le cœur. Jamais elle n'avait été si malheureuse !

— Vous êtes toujours confinée dans votre chambre ! cracha-t-il avant de claquer la porte.

58

Les Saxons se postèrent à l'orée des bois. De leur cachette, ils pouvaient apercevoir la fameuse porte de l'autre côté des douves. Ils étaient plus de cinquante mais avaient si remarquablement dissimulé leur présence qu'ils restaient invisibles depuis le château.

Il faisait encore nuit noire mais l'aube ne tarderait plus. Morcar rampa jusqu'à la hauteur de son frère.

— C'est l'heure ! annonça Edwin.

Morcar eut un sourire bravache et ses narines palpitèrent d'excitation. Sans un mot, les deux Saxons s'étreignirent avec force.

— Où est Albie ? chuchota Morcar.

— Je suis là !

Les fourrés s'écartèrent et Albie se glissa entre les deux frères. Edwin étreignit ses compagnons.

— Allons ! commanda-t-il. Dépêchez-vous. Et que Dieu vous accompagne !

Morcar agrippa la main de son frère.

— A la victoire !

Sans plus attendre, il se faufila à découvert, Albie sur les talons. Les deux hommes furent engloutis par l'obscurité.

Parvenus au bord du fossé, Albie tendit à Morcar une solide corde. Ce dernier plongea sans hésiter dans l'eau glacée et, en quelques brasses, atteignit l'autre rive. Il se hissa sur la berge d'un prompt rétablissement, puis noua l'extrémité du filin à un anneau scellé dans le mur.

Lorsque la moitié des effectifs parvint sous les murs du manoir, une lueur rosée zébrait l'horizon. Morcar rassembla ses hommes et leur donna ses directives. Il réalisa soudain que son second avait disparu.

— Où est Albie ? Quelqu'un l'a-t-il vu ?

Mais personne ne savait où il se trouvait. Morcar se sentit gagné par une vive inquiétude et un frisson lui parcourut l'échine. Le temps pressait ! Il fallait à tout prix que la troupe pénètre à l'intérieur de l'enceinte avant l'aurore.

— Allons ! ordonna-t-il en levant son épée.

La porte s'ouvrit sans difficulté. Morcar se promit de remercier Beth à sa façon pour son aide précieuse.

Il eut à peine le temps de faire quelques pas dans la cour avant d'entrevoir l'éclat métallique d'une lame. Vif comme l'éclair, il pivota pour parer à l'attaque, mais trop tard ! Une douleur fulgurante lui transperça le flanc. Des rugissements terribles retentirent et les Normands sortirent de l'ombre pour se jeter sur leurs proies. Il en jaillissait de partout, à croire qu'ils se multipliaient par magie ! Une bataille féroce s'engagea, au milieu du cliquetis des armes et des plaintes des blessés.

Bien que sérieusement atteint, Morcar s'était lancé à l'assaut des troupes ennemies, mais il perdait beaucoup de sang et s'épuisait vite.

« Trahis ! songeait-il avec effroi, la sueur perlant à son front. Nous avons été trahis !... »

Edwin se tenait au beau milieu des combats. Son cœur se serrait, tant de colère que d'amertume : les Saxons étaient en train de se faire purement et simplement massacrer, et les cadavres jonchaient le sol tout autour de lui. Pourtant, un petit groupe composé d'une douzaine d'hommes combattait encore avec l'énergie du désespoir.

Edwin évita le coup mortel qui lui était destiné ; puis, se fendant brusquement, il transperça la poitrine de son adversaire de son glaive. La pointe d'un glaive érafla soudain sa hanche et il comprit qu'on l'attaquait par-derrière. Se retournant d'un bond, l'air terrible, il affronta son agresseur : c'était Guy Le Chante, le mari de Célia.

Les deux hommes étaient aussi déterminés l'un que l'autre. Un duel sans merci s'engagea. Edwin rendait coup pour coup, faisant appel à toute son adresse. Guy devait être déjà sérieusement blessé, car il ruisselait de sang. Les deux armes s'entrechoquèrent violemment. Guy chancela. Edwin en profita pour l'acculer contre le mur d'enceinte. Il redoubla d'efforts et son adversaire, perdant l'équilibre, s'effondra. Edwin lui plongea son épée dans la gorge.

Haletant, le Saxon se détourna, sans accorder un seul regard au cadavre de son ennemi. Un rapide coup d'œil autour de lui lui apprit ce qu'il redoutait : la bataille était perdue. Morcar demeurait introuvable. Edwin comprit qu'il lui fallait fuir !

Il réalisa tout à coup qu'il se trouvait devant le manoir et songea à Célia. Elle était là, à l'intérieur, captive, priant le Tout-Puissant qu'on vienne la délivrer...

Ralph s'immobilisa, son épée ensanglantée à la main. Ses soldats contrôlaient la situation et s'acharnaient sur les derniers Saxons survivants. Le Normand n'avait subi que peu de pertes en comparaison de ses ennemis. Cette constatation ne le réjouit même pas, tant il était fourbu.

Où se trouvaient Edwin et Morcar ?

Ralph scruta minutieusement la cour. Puis son regard dériva sur le manoir, où Célia était enfermée. Elle était en sécurité, car aucun Saxon n'avait réussi à s'introduire dans la demeure. Le Normand revint au problème qui le préoccupait : il fallait retrouver les deux chefs ennemis le plus rapidement possible. Serrant la poignée de son épée avec détermination, il se lança à la recherche de ses adversaires.

Ralph commença par examiner les corps qui gisaient à terre, dans un mélange de boue et de sang. Les agonisants râlaient ou suppliaient qu'on les achève. Désarticulés comme de dérisoires pantins, les morts baignaient dans une mare écarlate. Ralph eut la nausée devant un tel spectacle.

Soudain il étouffa un cri : il venait de reconnaître Guy, prostré sur le sol. Le haubert du jeune chevalier était rouge de sang. Ralph courut jusqu'à lui et s'agenouilla dans la poussière. Mais lorsqu'il prit la tête du capitaine entre ses mains, il comprit qu'il était mort.

Luttant contre les larmes, il serra le corps de son compagnon contre lui un long moment, avant de le reposer doucement contre le mur.

— Dieu ait ton âme, mon ami...

Épouvantée, Célia avait observé le déroulement de la bataille par l'ouverture de la meurtrière. Elle ne pouvait suivre l'action, car son champ de vision était insuffisant, mais elle apercevait des cadavres mutilés dans la cour. Un peu plus tôt, elle avait repéré Ralph qui taillait sauvagement l'ennemi en pièces. Il avait décapité un Saxon d'un seul coup d'épée avant de s'attaquer à un autre qui s'apprêtait à le poignarder par-derrière, et s'était débarrassé de ce nouvel assaillant avec une aisance déconcertante.

Célia avait assisté impuissante à la tuerie, sans trop savoir si elle craignait pour la vie de ses frères ou pour celle de Ralph. Lorsque ce dernier avait paré à l'assaut sournois du Saxon, elle avait hurlé de toute la force de ses poumons, bien qu'il fût trop loin pour l'entendre. Elle avait éprouvé un prodigieux soulagement lorsque enfin il avait terrassé son adversaire.

La porte de la chambre s'ouvrit à toute volée et elle sursauta.

— Edwin !

Les vêtements de son frère étaient lacérés et ensanglantés. Il ne lui laissa pas le temps de se remettre de sa surprise.

— Viens, Célia ! Suis-moi !

Célia n'avait jamais désobéi à Edwin. Mais pour la première fois de sa vie, elle marqua une hésitation. L'image de Ralph hantait son cerveau affolé.

— Allons, dépêche-toi ! gronda le Saxon en la saisissant par le bras.

Que pouvait-elle faire ? Edwin était son frère bien-aimé, et Ralph la détestait... Elle capitula, et ils dévalèrent l'escalier à toutes jambes. La grande salle était vide, mais retentissait du bruit des combats : les beuglements sauvages des guerriers, les gémissements de douleur et le cliquètement des armes.

Edwin gardait la main de Célia dans la sienne. Il boitait et elle se demandait s'il était gravement atteint. Ils traversèrent la cour à toute vitesse. Edwin entraîna Célia vers une porte dont elle ignorait l'existence. Paniquée, elle n'avait plus qu'une seule pensée : fuir, s'échapper !

Edwin s'arrêta brusquement.

— Va ! Continue toute seule, je te rattrape dans un instant.

Mais elle s'accrocha à lui, éperdue.

— Pourquoi ? Viens avec moi, je t'en prie, Edwin !

— Non. Pars, c'est un ordre !

Célia franchit la porte et se retrouva happée par une main surgie de nulle part. Elle poussa un cri strident avant de reconnaître un ami de son frère. Sans plus protester, elle suivit l'homme jusqu'aux douves. Une pluie de flèches s'abattit sur les Saxons, qui se hâtèrent de battre en retraite. Célia jeta un dernier regard par-dessus son épaule, mais Edwin s'était volatilisé.

Edwin tomba à genoux près de Morcar. Doucement, il redressa le corps inerte de son frère.

Ce dernier émit une longue plainte.

Ed ferma les yeux pour remercier le Ciel. Il était vivant ! Quand il rouvrit les paupières, il remarqua la plaie béante sur la poitrine de Morcar. Morcar gémit encore, puis fut secoué par une quinte de toux.

— Ed...

— Ne parle pas, tu vas t'affaiblir. Ne t'inquiète pas, tout ira bien...

Morcar ouvrit la bouche pour répondre, mais un flot de sang jaillit de ses lèvres. Il s'étouffa et dut attendre plusieurs secondes avant de reprendre son souffle.

— Trahis... murmura-t-il d'une voix inaudible. Nous avons été trahis, Ed...

Les deux hommes échangèrent un long regard pathétique. Puis les yeux de Morcar se voilèrent d'un étrange brouillard, avant de se révulser dans leurs orbites. Après un dernier soubresaut, il s'affaissa contre son frère.

Edwin brandit le poing vers le ciel, maudissant la destinée qui venait de lui arracher Morcar. Serrant ce dernier contre lui, il se mit à le bercer doucement, sans se soucier des larmes qui roulaient sur ses joues.

Il savait qu'il valait mieux se lever et fuir pendant qu'il en était encore temps. Mais il ne parvenait pas à trouver la force de quitter Morcar. Il contempla le visage de son frère, que la mort avait figé dans une expression douloureuse. Où était le jeune homme rieur et insouciant d'autrefois ? Edwin sentit son cœur se briser.

Les larmes du Saxon finirent par se tarir et firent place à une incommensurable fureur. Le traître, responsable de la mort de Morcar, paierait cher son infamie.

Une voix acerbe retentit soudain tout près de lui.

— Rendez-vous ! Vous êtes prisonnier.

La pointe d'une épée vint se poser sous la gorge d'Edwin. Il leva les yeux et reconnut Ralph de Warenne. Une vingtaine de Normands à l'air farouche l'entouraient, barrant le passage.

Edwin s'inclina. Il avait perdu. Aelfgar était perdu. Tout était fini.

59

— Pouvez-vous venir, Milady ? demanda la vieille femme d'un air anxieux.

— Bien sûr, j'arrive tout de suite.

Célia s'enveloppa chaudement dans un manteau. On était au début janvier, et une épaisse couche de neige recouvrait le petit village gallois de Llewelyn. La jeune femme comprenait à peine la langue qu'on parlait autour d'elle mais cette phrase lui était devenue familière. Une fois que ses talents de guérisseuse avaient été découverts, elle avait été maintes fois sollicitée.

La paysanne contemplait cette magnifique créature et, comme tout le monde, se demandait quelle était la cause de cette infinie tristesse qui assombrissait les splendides prunelles violettes. Il était vraiment dommage qu'une fille aussi belle soit aussi malheureuse.

Les habitants de Llewelyn savaient peu de choses à son sujet : seulement que leur chef Hereward l'avait un beau jour amenée pour l'installer dans le cottage de son cousin. Puis qu'il était reparti poursuivre cette guerre interminable.

De toute évidence, la jeune femme attendait un enfant, car son ventre et ses seins s'alourdissaient de jour en jour. Les villageois avaient un temps redouté son « mauvais œil » et, méfiants, s'étaient tenus à l'écart de l'inconnue. Mais peu à peu, ils avaient réalisé qu'elle n'était pas malfaisante. Hereward faisait ici figure de héros et celle qu'ils prenaient pour sa compagne fut accueillie avec respect, en dépit de son œil étrange.

Célia suivit la vieille femme. Ce n'était pas la première fois qu'elle se rendait chez elle, car le mari de la paysanne souffrait d'une toux chronique. Elle soulagea de son mieux le malheureux, accepta quelques victuailles en échange de ses services, puis retourna au cottage.

Sa gorge se noua lorsqu'elle parvint en vue de la hutte qui lui était réservée. Quand retrouverait-elle son véritable foyer ? Jamais, sans doute...

Célia serra frileusement le manteau autour d'elle, arrangeant les plis sur son ventre distendu. Elle était enceinte de sept mois, seule parmi des étrangers, ignorant ce que lui réservait l'avenir.

Au lendemain de la bataille, elle avait appris de la bouche même d'Hereward la mort de Morcar, la capture d'Edwin et la trahison d'Albie. Pendant de longues journées elle avait pleuré son frère, le beau Morcar, si fougueux, si aimable ! C'était trop injuste !

Plus tard, on lui avait appris qu'Edwin avait été transféré à York pour y être jugé. Il serait ensuite expédié à Londres lorsque Guillaume et ses troupes quitteraient Westminster après Noël. Au moins, il était vivant...

Ralph avait reçu des mains de son souverain le commandement de York.

Célia était consciente qu'elle ne le reverrait jamais. Elle ne pouvait le rejoindre, car cela signifiait la perte de sa liberté, la prison pour le restant de ses jours, comme Edwin. Quitter la sécurité du pays de Galles aurait été pure folie, et pourtant, parfois, Ralph lui manquait tellement qu'elle était prête à faire son balluchon et à regagner Aelfgar... juste pour l'apercevoir un instant.

Il la haïssait ! Seule cette certitude empêchait la jeune femme de voler à sa rencontre. Elle se serait rendue et aurait accepté la sentence sans regret si cela lui avait permis d'approcher le Normand. Mais il ne l'avait jamais aimée. Il était incapable d'éprouver de l'amour pour une femme, d'autant plus qu'elle l'avait trahi ! Alors, elle resterait à Llewelyn, à jamais.

Un jour, lorsque ses cheveux auraient blanchi, elle enverrait à Ralph le fils qu'elle portait, comme un cadeau ultime, preuve de son indéfectible amour.

Ralph fit grimper sa monture sur la colline qui surplombait Llewelyn, et observa un moment les petites huttes rassemblées à flanc de coteau. La fumée s'échappait des cheminées, le ciel était d'un gris terne, annonçant la neige ou la pluie. Le cœur du Normand battait la chamade, et il avait du mal à maîtriser son émotion.

Cela faisait des mois qu'il était à la recherche de Célia. Et aujourd'hui, enfin, il la retrouvait !

Dès que le calme était revenu à Aelfgar, il avait foncé dans la chambre de la jeune femme, pour s'assurer qu'elle était saine et sauve. Seule Célia aurait pu le soulager de la peine intense que lui avait causée la mort de Guy. Il voulait la serrer contre lui et se consoler dans ses bras. Mais la chambre était vide.

Il l'avait cherchée dans tout le manoir, en vain. Ce fut finalement Edwin qui l'informa de l'évasion de Célia.

Pourtant, à la réflexion, il ne pouvait blâmer la jeune femme. Il s'était comporté avec une méchanceté inouïe, et l'avait insultée. Il n'y avait rien d'étonnant à ce qu'elle le détestât de toute son âme...

Les paroles de Célia lui revenaient sans cesse : « Je vous aime », avait-elle déclaré. Comment la croire, après tous les mauvais traitements qu'il lui avait infligés ? Il devait bien admettre qu'il avait désespérément besoin de ce corps chaud et ardent contre le sien, mais aussi de cet amour qu'elle lui avait avoué. Il ne pouvait vivre sans elle.

Se pouvait-il qu'il soit tombé amoureux de cette adorable sorcière ?

L'amour avait toujours été pour lui un leurre. Pour lui, il n'y avait que les imbéciles et les faibles qui se laissaient prendre à ce piège grossier. Et cependant, il ne pouvait se passer de Célia !

L'image de la jeune Saxonne l'obsédait. Elle lui appartenait ! Il la retrouverait et jamais plus il ne la laisserait s'enfuir. Cette fois, il ne la garderait pas prisonnière. Il voulait la choyer et la dorloter, lui rendre la vie agréable. Mais il devrait d'abord la convaincre de sa sincérité. S'il le fallait, il irait jusqu'à se traîner à ses pieds !

Ralph avait employé son réseau d'espions pour retrouver la trace d'Hereward. Cela lui avait pris du temps, mais il y était parvenu. A contrecœur, le chef saxon avait accepté de le rencontrer. Au terme d'un entretien houleux, Ralph lui avait offert la paix aux frontières du nord-est ; en échange, Hereward lui avait révélé la cachette de Célia.

— Voulez-vous la récupérer pour la jeter au cachot, ou pour la mettre dans votre lit ?

— Elle est mienne ! Ne craignez rien, je la traiterai avec déférence. Bien sûr, elle sera la captive de Guillaume, mais je veillerai à ce qu'elle ne manque de rien.

Dans un élan d'enthousiasme, Ralph avait même libéré l'un des meilleurs vassaux d'Hereward et les deux hommes s'étaient cordialement séparés.

Ralph fit signe à ses hommes de l'attendre sur la colline et s'éloigna. Il ne tarda pas à repérer Célia qui cheminait sur le sentier. Elle lui tournait le dos et il put admirer son opulente chevelure de miel qui scintillait de mille reflets dorés. Il faillit sauter à bas de son cheval et courir vers elle, la serrer dans ses bras en l'étouffant de baisers avides. Pourtant il se contint et mit sa monture au pas en arrivant à sa hauteur.

Alertée par le bruit des sabots, Célia jeta un coup d'œil par-dessus son épaule. Ses yeux s'écarquillèrent de surprise.

— Puis-je vous entretenir, Milady ? demanda-t-il poliment.

C'était une question, non une exigence. Célia dévisagea le guerrier, sidérée. Elle crut un instant qu'elle allait défaillir. Il était là, superbe sur son grand cheval gris, aussi séduisant que dans ses rêves...

Ralph attendait, incertain. Son regard effleura le ventre gonflé de la jeune femme.

— Êtes-vous... venu pour m'emprisonner ? articula-t-elle enfin, lorsqu'elle eut retrouvé l'usage de la parole.

Ses prunelles s'étaient embuées de larmes. Le Normand se laissa glisser à bas de sa monture et s'approcha d'elle.

— C'est moi qui suis votre prisonnier, Célia. Vous détenez la clé de mon cœur.

— Que... que dites-vous ?

— Je vous en prie, revenez vivre à mes côtés.

Il posa à nouveau les yeux sur les formes arrondies de sa compagne, et son visage s'éclaira.

— Célia... C'est mon enfant que vous portez ?

— De qui voudriez-vous qu'il soit ? bredouilla-t-elle à travers ses pleurs.

— Je ne vous forcerai pas à m'accompagner, Célia. Pouvez-vous me pardonner ?

— Vous pardonner ?

Elle n'en croyait pas ses oreilles ! Il était là, agenouillé devant elle, et implorait sa clémence ! Une bouffée de joie l'envahit.

— Il n'y a rien à pardonner, Monseigneur.

— Votre générosité me comble, murmura-t-il en se relevant.

Doucement, tendrement, la jeune femme caressa le visage du Normand.

— Je vous aime, souffla-t-elle.

Il ferma les yeux et l'attira contre lui. Durant un long moment, il la serra contre sa poitrine, s'enivrant avec délices de son parfum.

— Je ne peux pas vivre loin de vous, ma colombe...

Elle le dévisagea et sut qu'il disait la vérité.

— Je vous apprendrai à m'aimer.

— Je sais que vous êtes un excellent professeur, Célia. Apprenez-moi... apprenez-moi l'amour.

Elle posa ses lèvres sur celles du Normand et l'embrassa timidement. Mais bientôt l'envie dévastatrice qu'ils avaient l'un de l'autre les emporta. Leurs souffles se mêlèrent, tandis qu'ils s'étreignaient avec une frénésie réciproque. Le sexe de l'homme se durcit contre sa compagne.

— Seigneur, ne me faites pas languir, ma douce ! chuchota-t-il d'une voix rauque.

Elle lui saisit la main et l'entraîna vers le cottage. A l'abri des regards indiscrets, il la reprit dans ses bras avec passion. Le baiser du guerrier était exigeant et impérieux, et Célia vibrait d'un désir depuis longtemps inassouvi.

Il l'allongea sur la paillasse et la dévêtit, faisant courir ses mains sur le corps d'albâtre. Ses doigts explorèrent la courbe pleine du ventre.

— Vous êtes divinement belle. Vous êtes parfaite, ma chérie...

— J'aime vous entendre dire ces choses... susurra-t-elle avec un soupir d'aise.

Sous sa large paume, il perçut un frémissement qui indiquait la présence de la vie sous cette peau satinée.

— Mon fils ! s'exclama-t-il, pour se corriger aussitôt. Notre fils !

Elle lui répondit par un rire cristallin, tandis qu'il se penchait pour embrasser son nombril. Sa bouche descendit sur la toison mordorée.

— Que faites-vous, Monseigneur ? soupira-t-elle, tandis qu'il lui écartait lentement les jambes.

Il enfouit la tête au creux de ses cuisses, cherchant la fleur de sa féminité qu'il butina de la langue, affolant sa chair de caresses délicieuses. Célia perdit totalement le contrôle d'elle-même et s'abandonna à la jouissance exquise qui la terrassait. Ralph attendit qu'elle eût retrouvé son souffle, puis la pénétra profondément, les yeux rivés aux siens.

— Promettez-moi de ne jamais me quitter !

— Je vous le jure, Ralph...

Leurs corps se confondirent dans une étreinte sauvage qui les entraîna tous deux dans un univers paradisiaque.

— Me suivrez-vous à Aelfgar ?

Célia, qui préparait le repas, se tourna vers son amant. L'angoisse qu'elle lut au fond de son regard la bouleversa. Cet homme brutal, si fier et si intransigeant, avait appris l'humilité. Elle se sentit fondre de tendresse.

— Oui, vous le savez bien.

Il s'approcha d'elle et l'enlaça.

— Votre amour est désormais tout ce qui importe dans mon existence, ma tourterelle.

— Cela signifie-t-il que vous ne m'en voulez plus pour Cavlidockk ?

— Non, bien sûr. Je ne peux vous blâmer d'être une vaillante patriote. Nos vieilles querelles n'ont plus de raison d'être. Je suis navré de la mort de votre frère. Mais le passé est révolu. Il nous faut regarder l'avenir avec confiance et penser à notre bonheur. M'acceptez-vous comme le véritable seigneur d'Aelfgar, Célia ?

— Oui. J'ai de la peine pour Edwin, mais je ne peux plus rien pour lui. Je veux me consacrer entièrement à vous, et je vous suivrai jusqu'au bout du monde.

— Il faut que vous sachiez une chose, Célia : vous êtes toujours la captive du roi Guillaume et je ne peux rien y faire. La sentence est sans appel. En revenant à Aelfgar, vous vous livrez à la justice. Je serai en quelque sorte votre gardien. Mais je vous promets de ne plus jamais vous faire souffrir et de vous protéger. Vous êtes mienne et, de ce fait, tout ce qui m'appartient est à vous.

— Je prends le risque. Je préfère ne vivre que quelques instants auprès de vous plutôt que de croupir seule ici.

— Si seulement je pouvais vous épouser !

Ces simples mots émurent Célia jusqu'au plus profond de son être, bien qu'elle eût conscience que ce fût impossible.

— Je suis flattée, répondit-elle en dissimulant son trouble.

— Vous êtes l'élue de mon cœur. Je n'ai jamais éprouvé d'inclination pour Alice. Je vous jure loyauté, fidélité, et...

Comme il hésitait à poursuivre, elle lui prit la main pour l'encourager.

— Ce ne sont que des mots, fit-elle gentiment. Un guerrier tel que vous ne devrait pas redouter de simples mots...

— ... et je vous jure, bien sûr, un amour éternel. Nous sommes mari et femme au fond de nos cœurs et, je l'espère, aux yeux de Dieu.

Elle noua les bras autour de sa nuque en riant et pleurant à la fois. C'était le plus beau jour de sa vie. Cet homme, ce soldat hautain et impitoyable, se livrait corps et âme à elle. Plus rien ne pourrait jamais les séparer.

— J'accepte avec joie, Monseigneur, murmura-t-elle dans un souffle.

ÉPILOGUE

Le 24 décembre 1072, Alice se pendit dans sa chambre au couvent des sœurs de la Saint-Jean.

Un an plus tard, jour pour jour, Célia épousait Ralph de Warenne. La cérémonie eut lieu à York et Edwin fut temporairement libéré pour mener sa sœur à l'autel.

Les trois jeunes enfants du couple, deux garçons et une fille, assistèrent au mariage aux côtés du roi Guillaume. Roger de Montgomery, l'évêque Odo et bien d'autres nobles suzerains entouraient ce dernier. La mariée rayonnait de bonheur et son époux arborait une fierté bien légitime. Chacun s'accorda à dire que jamais jeunes mariés n'avaient paru plus épris l'un de l'autre. Comme cadeau de mariage, Guillaume suspendit la réclusion à perpétuité de Célia et fut récompensé de sa largesse en étant nommé parrain de sa petite fille. Le service fut si émouvant que la plupart des femmes présentes fondirent en larmes.

Dans un élan de générosité, Guillaume remit Edwin à la garde de Ralph et lui accorda la main de sa fille Isolda. Ils se marièrent au printemps. Edwin reconnut la fillette d'Isolda, alors âgée de deux ans. Le bruit courait d'ailleurs que la jeune princesse avait rendu visite au Saxon dans sa cellule de Westminster en janvier 1070.

NOTE DE L'AUTEUR

Ralph de Warenne et Célia sont des personnages fictifs.

Par contre, Edwin et Morcar ont réellement existé. Avant l'invasion de Guillaume de Normandie et la bataille d'Hastings, en octobre 1066, ils étaient tous deux de puissants chefs saxons. Leur père était le comte d'Aelfgar, un homme bon, juste et de haute noblesse. Morcar était réputé pour sa grande beauté. Ils avaient effectivement une sœur, mais elle était mariée à un seigneur gallois.

Peu avant 1066, Edwin et Morcar, affaiblis par une attaque du roi de Norvège, renoncèrent à prendre part à la bataille d'Hastings, ce qui apparemment fut une chance pour Guillaume. Peu après, ils jurèrent fidélité au roi et, en retour, Guillaume promit la main de sa fille — que j'ai pris la liberté de prénommer Isolda — à Edwin, à qui il donna le contrôle de toute la région nord, en le nommant comte de Mercia. Ses propres vassaux normands, qui — comme Ralph — l'avaient suivi dans l'espoir de se voir attribuer des territoires, s'offusquèrent qu'un Saxon obtienne tant de pouvoirs. Finalement Guillaume reprit sa parole. Ed et Morcar, qui résidaient en Normandie depuis la bataille d'Hastings, repartirent chez eux, furieux.

En 1068, profitant de la menace d'une invasion danoise, Ed et Morcar fomentèrent leur première rébellion. Guillaume avait pacifié le sud de l'Angleterre en distribuant des fiefs stratégiques à ses vassaux liges, comme il est mentionné dans ce roman. A la tête de son armée, il écrasa l'insurrection, construisit plusieurs châteaux dans les contrées nordiques et établit des garnisons un peu partout dans la province de Mercia, y compris à York. Edwin et Morcar renouvelèrent leur serment et furent pardonnés. Mais ils durent subir la présence des troupes royales et l'édification de forts normands sur leur domaine.

Les deux frères se rebellèrent à nouveau en 1069, tuant le comte de Durham, un Normand. Ils mirent à feu et à sang la ville de York. A la même époque, les Danois qui avaient envahi le pays furent arrêtés à Norwich. On ne sait trop s'il s'agit d'une simple coïncidence ou d'un plan concerté. Guillaume et ses soldats massacrèrent les Danois, reprenant du même coup York et dispersant les rebelles. On entama la construction d'un second fort à York et Guillaume resta sur place pour veiller personnellement à la bonne marche des travaux. Il entreprit de démanteler systématiquement les derniers bastions des insurgés et jura de brûler chaque repaire. C'est ici que commence la romance de Ralph et de Célia.

Les historiens appellent cette période « le Démantèlement du Nord », mais à mon avis, le terme est un peu faible, compte tenu de la violence de la répression.

Cette action s'avéra payante. Un an plus tard, en 1070, une dernière révolte eut lieu dans les marais, à l'instigation d'Edwin, de Morcar et de leur ami Hereward. Le complot échoua, car les Saxons furent trahis. Morcar trouva la mort ; Ed fut capturé et condamné à passer le restant de ses jours en prison. Personne ne sait ce qu'il advint d'Hereward.

Je me suis permis de déplacer cette dernière rébellion, de façon qu'elle survienne le 30 septembre 1069. J'ai également enjolivé la vérité en unissant Edwin à Isolda, car le destin du chef saxon demeure inconnu à ce jour.

Composition Gresse B-Embourg
Achevé d'imprimer en Europe (France)
par Brodard et Taupin à la Flèche (Sarthe)
le 23 avril 1992. 6000F-5
Dépôt légal avril 1992. ISBN 2-277-23222-X

Éditions J'ai lu
27, rue Cassette, 75006 Paris
Diffusion France et étranger : Flammarion